AVANT-PROPOS

Cet ouvrage fait suite à **DEUTSCH MAL ANDERS, Niveau 1** et **Niveau 2,** parus dans la même collection. Il est accompagné de quatre bandes magnétiques (à piste unique) et d'un livre du professeur.

I LE LIVRE DE L'ÉLÈVE

Il est divisé en 14 chapitres dont chacun, à l'exception des chapitres 7, 8 et 9, contient :
– des **DTA** *(documents de travail authentiques)* comportant des extraits de presse, des photos, des documents publicitaires,... tant anciens que modernes,
– une page intitulée **ZUR DISKUSSION,** sous forme de titres de journaux et avec des amorces de discussion,
– des **TS** *(textes suivis)* prévus pour **l'explication de texte** et exclusivement empruntés à des auteurs classiques et modernes,
– le texte accompagné d'un questionnaire destiné à la **CE** *(compréhension écrite),*
– le vocabulaire ayant trait à l'épreuve de **CO** *(compréhension orale)* ainsi qu'un résumé à trous du texte enregistré,
– une page d'**exercices de grammaire,** en relation avec le chapitre.

Le livre de l'élève comporte en outre :
– une **annexe grammaticale** qui regroupe les faits essentiels sous les rubriques suivantes : la phrase et la place du verbe, le groupe nominal, le groupe verbal, les valeurs particulières de certaines formes grammaticales (ou transfert de fonction), les emplois de certains éléments de relation, la valence du verbe et de l'adjectif, avec des tableaux de déclinaison et de conjugaison et la liste des verbes irréguliers les plus usités,
– une série d'exercices de grammaire complémentaires et une liste d'expressions et de tournures d'un emploi fréquent dans la communication.

Les chapitres intermédiaires 7, 8 et 9 :
Le chapitre 7, *Literatur heute? – wozu überhaupt?,* avec sa page **ZUR DISKUSSION** et ses *DTA,* souligne l'importance que garde, de nos jours, la littérature en général et attire d'autre part l'attention du lecteur sur quelques grands noms actuels de la littérature de langue allemande.

Le chapitre 8, *Land und Leute,* permet au lecteur de prendre contact avec quelques régions et quelques villes représentatives du patrimoine artistique et culturel des quatre pays de langue germanique.

Le chapitre 9, *Geschichte, Kultur und Gesellschaft,* présente un tableau chronologique de l'Allemagne depuis la fondation de l'empire (1871) et mentionne les faits marquants de toute cette époque tant pour l'Allemagne que pour l'Autriche.

II LES BANDES MAGNÉTIQUES

Elles comportent l'enregistrement intégral de tous les textes destinés à l'épreuve de compréhension orale et d'un grand nombre de **TS** *(textes suivis).*

Cet ouvrage offre, comme les manuels qui le précèdent dans cette collection, une grande souplesse d'emploi. Au professeur soucieux de faire revoir par les élèves, de façon systématique et progressive les faits de grammaire essentiels nous conseillons de suivre l'ordre des chapitres (les chapitres intermédiaires mis à part). Mais le professeur intéressé davantage par la thématique pourra opter pour un ordre quelconque et choisir dans tel ou tel chapitre les textes et documents en fonction des intérêts de ses élèves.

L'objectif de l'ouvrage est de mettre à la disposition des professeurs des supports de travail variés qui permettent aux élèves de consolider et d'enrichir leurs moyens d'expression et de développer une réelle compétence de communication.

Nous souhaitons que cet ouvrage donne satisfaction à nos collègues et nous les remercions d'avance très vivement de nous faire part de leurs critiques et de leurs suggestions.

LES AUTEURS

1. KOMISCHE MENSCHEN HAT ES SCHON IMMER GEGEBEN

Ich singe, wie der Vogel singt,
Der in den Zweigen wohnet.

(W. v. Goethe)

Es muß auch solche Käuze geben!

(W. v. Goethe)

Carl Spitzweg, *Der Bettelmusikant*
© F. Bruckmann A.G.

KLEIDER MACHEN LEUTE

Die stinken ja. Und saufen. Wie die aussehen, gibt denen keiner einen Job. Die wollen doch gar nicht anders leben. Sollen sich erst mal waschen. Jeder ist seines Glückes Schmied. Und Unglück komm nur vom Faulsein. So die Reaktionen von Passanten beim Anblick von Stadt-streichern.[2] Der Hamburger Fotograf Jan Michael suchte sich einige Penner, ließ sie waschen, rasieren, frisieren, einkleiden. Resul-tat: Penner werden Leute

1 **Kleider machen Leute** (Sprichwort) : L'habit ne fait pas le moine; **Jeder ist seines Glückes Schmied** (Spr.) : Chacun est l'artisan de son bonheur.

2 **der Stadtstreicher (—) :** le vagabond, le clochard;
→ der Landstreicher, **der Penner, der Tippelbruder.**

3 **eine Strecke ab/tippeln** (fam.) : parcourir une distance à pinces. (fam.)

4 **der Knast** (fam.) : la taule;
→ das Gefängnis.

5 **der Einbruch (-) :** le cambriolage;
→ einbrechen; der Einbrecher;
der Diebstahl (ᵘe) : le vol; → der Dieb.

J. Michael / Stern

Penner werden Menschen

Horst Winter, 39, ist ein Einzelgänger, er braucht keine Freunde. Horst ist ein Landstreicher, und „die Strecke von Flensburg bis zum Bodensee habe ich schon mindestens sechsmal abgetippelt[3]". Sein halbes Leben hat er in Heimen oder im Knast[4] gesessen. Keine ganz großen Sachen, mal ein kleiner Einbruch[5], ein Autodiebstahl.

Im Hamburger Hotel Plaza : Ein Friseur kommt aufs Zimmer, um Horst zu rasieren. „Wenn du mich schneidest, mache ich dich einen Kopf kürzer", droht er. Der Friseur schwitzt. Dann wird Horst eingekleidet, jetzt sieht er aus wie jeder andere Hotelgast auch. Nach den Aufnahmen fragt der Fotograf Horst, ob er was für ihn tun könne. „Weißt du, ich hab' ein Zimmer in Lüneburg in Aussicht, kostet 120 Mark. Wenn ich das hab', bekomme ich auch Ausweis und Arbeit." Jan Michael gibt ihm das Geld.

Drei Monate später trifft er Horst wieder : „Mensch, noch mal vielen Dank." Er hat sein Zimmer bekommen und eine Stelle als Gärtner gefunden.

Vagabunden Abend

Deutsche Vagabunden veranstalten am **Samstag, den 14. April 1928**, abends ¼ 8 Uhr im Gewerkschaftshaus (Saal 3) Stuttgart, Eßlingerstraße ihren ersten

Öffentl. Abend

Darbietungen:

1. Musik. Wander- u. Landstreicherlieder (ausgeführt von der Kunden[1]-Kapelle) Zigeunerlieder zur Gitarre (ausgeführt von dem Zigeunervirtuosen A. Denner)
2. Rezitationen aus dem Kunden- u. Zigeunerleben. Vortragende: Tyll (von der Sonntags-Zeitung), Gregor Gog, Engelbert Wittich u. a.

Die Ansprache hält der Schriftleiter des „Kunden" Gregor Gog, Stuttgart

Freunde und Feinde sind dazu gleichermaßen herzlichst eingeladen

Eintritt frei! Zur Deckung der Unkosten wird ein freiwilliger Beitrag entgegengenommen

Ankündigung eines Vagabunden-Abends in Stuttgart, 1928, Handzettel

[1] **der Kunde (n)** (hier): der Landstreicher, der Vagabund.

Aufruf an die Vagabunden!
Warum sind wir Vagabunden?

Was wollen wir?

Die Vagabunden Berlins

Jugendheim Am Ostbahnhof 17

Zusammenkünfte jeden Mittwoch 8 Uhr

Aufruf zu einer Zusammenkunft in Berlin, 1928, in Vorbereitung des Stuttgarter Vagabundenkongresses.

Klaus Trappmann, *Landstrasse, Kunden Vagabunden*
© 1980 Gerhardt Verlag, Berlin / Büchergilde Gutenberg

ZUR DISKUSSION

WAS IST EIGENTLICH EIN AUSSENSEITER?

Wie wird man zum Außenseiter?
Außenseiter gibt es in jeder Familie, in jeder Gruppe, in jeder Klasse.

SIND WIR NICHT ALLE IN GEWISSEM SINNE AUSSENSEITER?

„Pennbrüder
Sind das noch
MENSCHEN?"

ROCKER?

Aus Angst und Mißtrauen zu Außenseitern?
Die Gesellschaft betrachtet sie als wertlose Außenseiter.
Deshalb werden sie aggressiv und brutal. Angriffe können sie
nicht mit Worten abwehren. Sie haben nicht gelernt zu reden.
Deshalb schlagen sie gleich zu. (nach: Schule, Nr. 10/1973)

ZIGEUNER IN DEUTSCHLAND:
Im Mittelalter wurden sie verfolgt, im Dritten Reich vergast,
diskriminiert werden sie bis heute.
EIN VOLK, DAS KEINER WILL.
(Stern, Nr. 15/1980)

Der Taugenichts[1]

Das Rad an meines Vaters Mühle brauste und rauschte schon wieder
recht lustig, der Schnee tröpfelte emsig vom Dache, die
Sperlinge[2] zwitscherten und tummelten[3] sich dazwischen; ich saß auf
der Türschwelle und wischte mir den Schlaf aus den Augen; mir war
5 so recht wohl in dem warmen Sonnenscheine. Da trat der Vater aus
dem Hause; er hatte schon seit Tagesanbruch in der Mühle rumort
und die Schlafmütze schief auf dem Kopfe, der sagte zu mir : „Du
Taugenichts ! da sonnst du dich schon wieder und dehnst und reckst
dir die Knochen müde und läßt mich alle Arbeit allein tun. Ich kann
10 dich hier nicht länger füttern. Der Frühling ist vor der Tür, geh auch
einmal hinaus in die Welt und erwirb dir selber dein Brot." – „Nun",
sagte ich, „wenn ich ein Taugenichts bin, so ist's gut, so will ich in die
Welt gehn und mein Glück machen." Und eigentlich war mir das
recht lieb, denn es war mir kurz vorher selber eingefallen, auf Reisen
15 zu gehn, da ich die Goldammer, welche im Herbst und Winter immer
betrübt an unserm Fenster sang : „Bauer, miet'[4] mich, Bauer, miet'
mich !", nun in der schönen Frühlingszeit wieder ganz stolz und lustig
vom Baume rufen hörte : „Bauer, behalt deinen Dienst !" – Ich ging
also in das Haus hinein und holte meine Geige, die ich recht artig
20 spielte, von der Wand, mein Vater gab mir noch einige Groschen Geld
mit auf den Weg, und so schlenderte ich durch das lange Dorf hinaus.
Ich hatte recht meine heimliche Freude, als ich da alle meine alten
Bekannten und Kameraden rechts und links, wie gestern und vorgestern und immerdar, zur Arbeit hinausziehen, graben und pflügen
25 sah, während ich so in die freie Welt hinausstrich. Ich rief den armen
Leuten nach allen Seiten recht stolz und zufrieden Adjes zu, aber es
kümmerte sich eben keiner sehr darum. Mir war es wie ein ewiger
Sonntag im Gemüte. Und als ich endlich ins freie Feld
hinauskam[5], da nahm ich meine liebe Geige vor und spielte und sang,
30 auf der Landstraße fortgehend :

„Wem Gott will rechte Gunst[6] erweisen,
Den schickt er in die weite Welt,
Dem will er seine Wunder weisen
35 In Berg und Wald und Strom und Feld.

Die Trägen, die zu Hause liegen,
Erquicket[7] nicht das Morgenrot,
Sie wissen nur von Kinderwiegen,
Von Sorgen, Last und Not und Brot."

Joseph von Eichendorff (1788-1857),
Aus dem Leben eines Taugenichts, 1826
J. G. Cotta'sche Buchhandlung Nachfolger, Stuttgart.

1 **der Taugenichts (-e) :**
le vaurien; → nichts taugen :
ne rien valoir.

2 **der Sperling (-e) :** le moi-
neau;
die Goldammer (-n) :
le passereau.

3 **sich tummeln :** s'ébattre.

4 **jemanden mieten :**
embaucher qqn.

5 **ins freie Feld hinaus/
kommen (a, o) :**
arriver en rase campagne.

6 **die Gunst :** la faveur;
→ jemandem eine Gunst
erweisen (ie, ie) : accorder
une faveur à qqn.

7 **jemanden erquicken :**
réconforter qqn.

Der Mann ohne Schatten

*Im Park des Herrn John begegnet der arme Peter Schlemihl einem un-
heimlichen Menschen.*
Für den Glückssäckel des Fortunatus (bourse inépuisable) *verkauft
Schlemihl dem „grauen Mann" seinen Schatten, ohne die Folgen dieses
Handels zu berücksichtigen.*

Ich kam unbeachtet aus dem Park, erreichte die Landstraße, und
nahm meinen Weg nach der Stadt. Wie ich in Gedanken dem
Tore zu ging, hört' ich hinter mir schreien : „Junger Herr ! He !
Junger Herr ! hören Sie doch !" – Ich sah mich um, ein altes Weib
5 rief mir nach : „Sehe sich der Herr doch vor[1], Sie haben Ihren
Schatten verloren." – „Danke, Mütterchen !" Ich warf ihr ein
Goldstück für den wohlgemeinten Rat hin und trat unter die
Bäume.
Am Tore mußte ich gleich wieder von der Schildwache hören :
10 „Wo hat der Herr seinen Schatten gelassen?" und gleich wieder
darauf von ein paar Frauen : „Jesus, Maria ! der arme Mensch
hat keinen Schatten !" Das fing an, mich zu verdrießen[2], und ich
vermied sehr sorgfältig, in die Sonne zu treten. Das ging nicht
überall an, zum Beispiel nicht über die Breitestraße, die ich zu-
15 nächst durchkreuzen mußte, und zwar, zu meinem Unheil, in
eben der Stunde, wo die Knaben aus der Schule gingen. Ein ver-
dammter buckeliger Schlingel[3], ich sehe ihn noch, hatte es gleich
weg, daß mir ein Schatten fehle. Er verriet mich mit großem
Geschrei der sämtlichen literarischen Straßenjugend der Vor-
20 stadt, welche mich zu rezensieren[4] und mit Kot[5] zu bewerfen
anfing : „Ordentliche Leute pflegten ihren Schatten mit sich zu
nehmen, wenn sie in die Sonne gingen."
Um sie von mir abzuwehren, warf ich Gold zu vollen Händen[6]
unter sie und sprang in einen Mietswagen, zu dem mir mitlei-
25 dige Seelen[7] verhalfen.
Sobald ich mich in der rollenden Kutsche allein fand, fing ich
bitterlich an zu weinen. [...]
Was konnte, was sollte auf Erden aus mir werden?

Adalbert von Chamisso (1781-1838),
Peter Schlemihls wundersame Geschichte, 1813

1 **Sehe sich der Herr doch
vor ! :**
Eh, Monsieur, attention !
→ die Vorsicht.

2 **jemanden verdrießen (o, o) :**
jemanden ärgern (agacer,
énerver qqn.);
→ der Verdruß; verdrießlich.

3 **der Schlingel (-) :** der
freche Kerl : le polisson.

4 **jemanden rezensieren :**
jemanden kritisieren.
5 **der Kot** (sans plur.) : la boue.

6 **zu vollen Händen :** à
pleines mains.
7 **eine mitleidige Seele :** une
âme compatissante; → das
Mitleid.

Der Landstreicher und der Steinklopfer[1]

Da saß hoch oben am Waldrande, an der letzten großen Straßenbiegung, ein staubiger Mann auf einem Steinhaufen und klopfte mit einem langstieligen Hammer den graublauen Muschelkalk[2] in
5 Stücke. Knulp sah ihn an, grüßte und blieb stehen.
„Grüß Gott", sagte der Mann und klopfte weiter, ohne den Kopf zu heben.
„Ich meine, das Wetter bleibt nimmer lang", probierte Knulp.
10 „Kann schon sein", brummte der Steinklopfer und sah einen Augenblick empor, vom Mittagslicht auf der hellen Straße geblendet. „Wo wollt Ihr hinaus?"
„Nach Rom zum Papst", sagte Knulp. „Ist's wohl noch weit?"
15 „Heut kommt Ihr nimmer hin. Wenn Ihr überall stehenbleiben müßt und die Leute in der Arbeit stören, dann erlauft Ihr's in keinem Jahr."
„So, meint Ihr? Na, eilig hab ich's nicht, Gott sei Dank. Ihr seid ein fleißiger Mann, Herr Andres
20 Schaible."
Der Steinklopfer hielt die Hand über die Augen und musterte den Wanderer.
„Du bist der Knulp. Setz dich ein bißchen her, und grüß Gott auch !"
25 „Du hast es nett hier droben", sagte er aufatmend.
„Es geht so, ich kann nicht klagen. Und du? Früher ist's leichter den Berg raufgegangen, gelt? Du schnaufst ja heillos[3], Knulp. Hast wieder einmal die Heimat besucht?"
30 „Jawohl, Schaible, es wird das letztemal sein."
„Und warum denn?"
„Weil halt die Lunge kaputt ist. Weißt du nix dagegen?"
„Daheim geblieben wenn du wärst, mein Lieber,
35 und hättest brav geschafft und hättest Weib und Kinder und jeden Abend dein Bett, dann wär's vielleicht anders mit dir. Na, darüber weißt du meine Meinung von früher her. Da kann man jetzt nichts machen. Ist's denn so schlimm?"
40 „Ach, ich weiß nicht. — Oder doch, ich weiß schon. Es geht halt den Berg hinunter, und jeden Tag ein bißchen schneller. Da ist's dann wieder ganz gut, wenn man für sich allein ist und niemand zur Last fällt."[4]
45 „Wie man's nimmt; das ist deine Sache. Es tut mir aber leid."
„Ist nicht nötig. Gestorben muß einmal sein, es kommt sogar an die Steinklopfer. Ja, alter Kunde, da sitzen jetzt wir zwei und können uns beide nicht
50 viel einbilden. Du hast ja auch einmal andere Gedanken im Kopf gehabt. Hast du nicht damals zur Eisenbahn gewollt?" [...]
„Ha, die Zeit vergeht. Ich will, glaub ich, jetzt auch ein wenig weiter."
55 „Es pressiert nicht so. Wenn man sich so lang nimmer gesehen hat ! Sag, Knulp, kann ich dir mit etwas helfen? Viel hab ich nicht bei mir, es wird eine halbe Mark sein."
„Die kannst du selber brauchen, Alterle. Nein,
60 danke schön."
Er wollte noch etwas sagen, aber es wurde ihm elend ums Herz, und er schwieg, und der Steinklopfer gab ihm aus seiner Mostflasche[5] zu trinken. Sie blickten eine Weile auf die Stadt hinunter, ein
65 Sonnenspiegel im Mühlkanal blitzte kräftig herauf, über die Steinbrücke fuhr langsam ein Lastwagen, und unterm Wehr[6], schwamm lässig ein weißes Gänsegeschwader.
„Jetzt hab ich ausgeruht und muß weiter", fing
70 Knulp wieder an.
Der Steinklopfer saß in Gedanken und schüttelte den Kopf.
„Hör, du, du hättest mehr werden können als so ein armer Teufel von Pennbruder"[7], sagte er langsam.
75 „Es ist doch sündenschad um dich. Weißt du, Knulp, ich bin gewiß kein Stündeler[8], aber ich glaube halt doch, was in der Bibel steht. Du mußt auch daran denken. Du wirst dich verantworten müssen, es wird nicht so leicht gehn. Du hast Ga-
80 ben gehabt[9], bessere als ein anderer, und es ist doch nichts aus dir geworden. Du darfst mir's nicht zürnen, wenn ich das sage."

Hermann Hesse (1877-1962), *Knulp*,
Suhrkamp Verlag, 1949 und 1979

---

1 **der Steinklopfer (-) :** le casseur de pierres.
2 **der Muschelkalk :** le calcaire conchylien.
3 **du schnaufst ja heillos :** du bist ja ganz außer Atem : tu as le souffle court.
4 **jemandem zur Last fallen (ie, a) :** être à la charge de qqn.
5 **der Most :** le moût.
6 **das Wehr (-e) :** la digue.
7 **der Pennbruder (ª) :** le vagabond, le clochard;
   → der Landstreicher, der Tippelbruder.
8 **der Stündeler (-) :** le bigot.
9 **du hast Gaben gehabt :** tu avais des dons (allusion à la parabole des talents).

„Ich haue ab"

Der Industriellensohn Hans Schnier verläßt als überalteter Sekundaner die Schule. Er geht nun seinen eigenen Weg und verweigert (refuser) *jede soziale Integration.*

Ich war von der Schule weggegangen, mit einundzwanzig von der Untersekunda. Die Patres waren sehr nett gewesen, sie hatten mir sogar einen Abschiedsabend gegeben, mit Bier und Schnittchen, Zigaretten und für die Nichtraucher Schokolade, und ich hatte
5 meinen Mitschülern allerlei Nummern vorgeführt : katholische Predigt und evangelische Predigt, Arbeiter mit Lohntüte, auch allerlei Faxen und Chaplin-Imitationen. Ich hatte sogar eine Abschiedsrede gehalten „Über die irrige[1] Annahme, daß das Abitur ein Bestandteil der ewigen Seligkeit[2] sei". Es war ein rauschender
10 Abschied, aber zu Hause waren sie böse und bitter. Meine Mutter war einfach gemein[3] zu mir. Sie riet meinem Vater, mich in den „Pütt"[4] zu stecken, und mein Vater fragte mich dauernd, was ich dann werden wolle, und ich sagte „Clown". Er sagte : „Du meinst Schauspieler – gut – vielleicht kann ich Dich auf eine Schule
15 schicken." – „Nein", sagte ich, „nicht Schauspieler, sondern Clown – und Schulen nützen mir nichts." – „Aber was stellst du dir denn vor?" fragte er. „Nichts", sagte ich, „nichts. Ich werde schon abhauen." Es waren zwei fürchterliche Monate, denn ich fand nicht den Mut, wirklich abzuhauen, und bei jedem Bissen,
20 den ich aß, blickte mich meine Mutter an, als wäre ich ein Verbrecher.
Ich glaube, wenn ich angefangen hätte, mir riesige Staffeleien[5] anzuschaffen, und auf riesige Leinwände blödes Zeug gepinselt hätte, wäre sie sogar imstande gewesen, sich mit meiner Existenz
25 zu versöhnen[6]. Dann hätte sie sagen können : „Unser Hans ist ein Künstler, er wird seinen Weg schon finden. Er ringt[7] noch." Aber so war ich nichts als ein etwas ältlicher Untersekundaner, von dem sie nur wußte, daß er „ganz gut irgendwelche Faxen" machen kann. Ich weigerte mich natürlich, für das bißchen Fres-
30 sen auch noch „Proben[8] meines Könnens" zu geben.

Heinrich Böll (geb. 1917),
Ansichten eines Clowns,
Verlag Kiepenheuer & Wisch, Köln, 1963

1 **die irrige Annahme :** l'erreur de croire que;
→ **irren, einen Irrtum begehen.**
2 **die ewige Seligkeit :** la félicité éternelle.
3 **zu jemandem gemein sein :** se montrer dur, vache (fam.) avec qqn.
4 **der Pütt (-e)** (Bergmannssprache) : das Bergwerk.
5 **die Staffelei (-en) :** le chevalet; **die Leinwand (ⁱⁱe) :** (ici) la toile; **pinseln :** malen; → **der Pinsel.**
6 **sich mit jemandem versöhnen :** se réconcilier avec qqn. → **die Versöhnung; versöhnlich.**
7 **er ringt noch :** (ici) il se cherche encore.
8 **die Probe (-n) :** (ici) l'échantillon.

✳ Mozart in der U-Bahn
Straßenmusikanten in deutschen Städten

H.S. Beham : „Dudelsackpfeifer und Fiedler" (1545)

Durch die dreckigen, betongrauen Gänge der Frankfurter U-Bahn-Station „Hauptwache" klingt Musik. Ein Trio in Jeans und Turnschuhen spielt von Mozart ein Divertimento für zwei Klarinetten und Fagott[1]. Mit Wäscheklammern[2] haben die drei Musikstudenten
5 ihre Notenhefte auf den Notenständern[3] befestigt, denn der Wind bläst kräftig durch diese modernen Katakomben. Ein Kreis von rund 30 Zuhörern hat sich gebildet. Ab und zu wirft einer ein Geldstück in den geöffneten Klarinettenkasten.

Straßenmusik — sie gibt es inzwischen in fast allen deutschen Städ-
10 ten — findet selten auf der Straße statt, denn dort ist es viel zu laut. Fußgängerzonen, große Plätze und Unterführungen[4] sind die Orte, an denen junge Leute an warmen Sommerabenden und an Wochenenden singen und musizieren. Nicht nur von ihrem Können, sondern auch vom Wetter und der jeweiligen Tageszeit hängt es ab,
15 wieviel Geld sie verdienen und ob sich die Passanten Zeit nehmen, ihnen zuzuhören. Doch die zehn bis 30 Mark, die die Jugendlichen dabei pro Stunde verdienen, sind nicht der Hauptanreiz.[5] Die meisten spielen dort, „weil's Spaß macht !"

Die meisten Straßenmusiker sind Jugendliche. Die einen haben
20 keine höhere Schulbildung, nur den Hauptschulabschluß[6], glauben aber dennoch, daß sie ohne weitere Ausbildung sich mit ihrer Musik über Wasser halten[7] können, andere kommen aus dem Ausland und verdienen sich so ihr Geld für die Weiterreise. So unterschiedlich wie die Interpreten, so vielseitig ist die dargebotene Musik : Nicht
25 nur Klassisches mit Geige, Querflöte oder Holzblasinstrumenten wird gespielt. Amerikanische Folksongs sind ebenso zu hören wie deutsche Protestlieder.

Doch bevor die vorbeieilenden Passanten bereit sind, für einen Moment innezuhalten und der Musik zuzuhören, muß ihre Aufmerksam-
30 keit erregt werden. „Wo die Leute was nicht kennen, da bleiben sie stehen", weiß ein 22jähriger aus Erfahrung, und setzt sich, bevor er mit einem spanischen Lied beginnt, seinen Sombrero auf. Das Gitarrenspielen hat er sich selbst beigebracht, sonst hat er keine Ausbildung.

35 Für die Jugendlichen ist der Unterschied zwischen Konzertsaal und U-Bahn-Station sehr reizvoll. Ein 19jähriger Klarinettenspieler eines Mozart-Trios, sagt : „Wenn ich raus geh, ist alles anders. Es lebt alles. Der Kontakt zum Publikum muß erst hergestellt werden. Das ist ein besonderer Reiz". Er gibt in einer Jugendmusikschule in
40 Frankfurt Klarinettenunterricht und spielt selbst oft im Orchester. Auch für das Publikum ist ein Asphaltkonzert ein besonderes Erlebnis. Im engen Kreis um das Trio gruppiert, verfolgen jung und alt, Hausfrauen, Angestellte, Schüler und Rentner jede Bewegung der Musiker.

Jankowski in Pariser Kurier, *Nr. 922 (1980)*

1 **das Fagott (-e) :** le basson;
die Querflöte (-n) : la flûte traversière.
2 **die Wäscheklammer (-n) :** la pince à linge.
3 **der Notenständer (-) :** le pupitre à musique.

4 **die Unterführung (-en) :** le passage souterrain.

5 **der Hauptanreiz (-e) :** le stimulant majeur;
→ **der Reiz (-e) :** l'attrait; reizvoll.
6 **der Hauptschulabschluß :** le certificat de fin d'études.

7 **sich über Wasser halten (ie, a) :** (fig.) surnager, vivoter.

Fragen

I Zum Textverständnis

1. Welche Ausdrücke geben die Atmosphäre in der Frankfurter U-Bahn wieder? Charakterisieren Sie diese Atmosphäre.

2. Inwiefern stimmt die Bezeichnung „Straßenmusik" nicht ganz?

3. Erklären Sie das Wort „Asphaltkonzert" (Z. 41).

4. Verwenden Sie die Angaben des Textes, um folgende Tabelle in Stichworten auszufüllen.

Wer sind die Straßenmusikanten?	
Warum spielen sie auf der Straße?	
Was spielen sie?	
Welche Instrumente spielen sie?	
Wo spielen sie?	
Wer hört ihnen zu?	

5. Prüfen Sie, ob der Titel des Textes dem Inhalt entspricht.

II Zur Stellungnahme

1. Spielt Musik eine Rolle in Ihrem Alltag? Wie oft und wo hören Sie Musik? Welche Musik gefällt Ihnen besser : die klassische oder die moderne? Musizieren Sie selbst?

2. „Klassische Musik? Das ist doch nicht das Richtige für junge Leute !"
Sind Sie mit dieser Meinung einverstanden? Begründen Sie Ihren Standpunkt.

III Zum Übersetzen

1. a) Vom Wetter und der jeweiligen Tageszeit hängt es ab, wieviel Geld sie verdienen und ob sich die Passanten Zeit nehmen, ihnen zuzuhören. (Z. 14–16) **b)** Andere kommen aus dem Ausland und verdienen sich so ihr Geld für die Weiterreise. (Z. 22–23) **c)** Amerikanische Folksongs sind ebenso zu hören wie deutsche Protestlieder. (Z. 26–27) **d)** Bevor die vorbeieilenden Passanten bereit sind, für einen Moment innezuhalten und der Musik zuzuhören, muß ihre Aufmerksamkeit erregt werden. (Z. 28–30)

2. a) As-tu appris à jouer de la guitare tout seul? **b)** Ils ont joué du classique.

Die Clique ließ ihn fallen

1 **die Clique (-n) :** la bande de jeunes.
2 **es ist üblich, daß... :** il est de règle que...
3 **es stellt sich heraus :** il apparaît.
4 **von jemandem abhängig sein :** dépendre de qqn.
5 **sich von jemandem ab/sondern :** se détourner de qqn.
6 **sich überreden lassen, etwas zu tun :** se laisser convaincre de faire qqch.
7 **von jemandem anerkannt werden :** être reconnu, accepté par qqn.
8 **die Kneipe (-n) :** le bistro.
9 **der Luftschutzbunker (-) :** l'abri antiaérien.
10 **die Leistung (-en) :** l'exploit.
11 **er geht mit seiner Maschine nicht gerade sanft um :** il malmène son vélomoteur.
12 **ganz aufgeregt sein :** être tout excité.
13 **sich verrechnen :** (hier) sich irren : se tromper.
14 **jemanden auf/fordern, etwas zu tun :** inviter qqn. à faire qqch.
15 **das Gericht (-e) :** le tribunal; → der Richter;
   einen Diebstahl zu/geben (a, e) : avouer un vol; **einen Dieb an/zeigen :** dénoncer un voleur; **zu einem Jahr Jugendarrest verurteilt werden :** être placé sous liberté surveillée pendant un an.

Ergänzen Sie den Text mit den untenstehenden Wörtern und Ausdrücken.

Im Gegensatz zu den anderen Mitgliedern _____ hatte Elmar _____ . Seine Eltern wären zwar

finanziell _____ , ihm eins zu kaufen, aber der Vater wollte selber _____ , ob und wann Elmar ein

Mofa _____ sollte.

Die Clique begann, sich von ihm _____ . Selbst seine Freundin ließ sich schließlich _____ , ohne

ihn in die _____ Diskotheken mitzufahren. Elmar, der sich hilflos und isoliert _____ , wollte

unbedingt von der Clique _____ . Deshalb beschloß er, ihr mit _____ zu imponieren.

Am _____ fuhr er in irgendein Dorf und _____ vor den Kneipen jeweils das beste Mofa. Auf diese

Weise stahl er elf Maschinen, die er in einem alten _____ versteckte. Bei einem _____ verriet er

seiner Freundin sein Geheimnis. Die Clique, die mit ihren Maschinen nicht gerade sanft _____ , fuhr

zum Luftschutzbunker und montierte von den Mofas alles ab, ohne sich bei Elmar zu _____ .

Der Polizist des Dorfes _____ bei Elmar, und dieser mußte ihn dann zum _____ der Mofas

bringen. Elmar erfuhr nie, wer ihn _____ .

Die Clique und Marianne ließen ihn _____ . Er gab vor _____ die Diebstähle zu und wurde zu

einem Jahr Jugendarrest _____ .

---

bekommen - (sich) fühlen - das Wochenende - (sich) bedanken - die Dorfclique - das Fest - fallen (lassen) - die Leistung - (sich) überreden (lassen) - das Mofa - der Luftschutzbunker - verurteilen - in der Lage sein - anerkannt werden — erscheinen - anzeigen - stehlen - bestimmen - das Versteck - umliegend - umgehen (mit) - das Gericht - (sich) absondern.

Handelsmann © Alipress

»Misch dich bitte nicht in mein Leben ein, Papa.
Ich bin zum Sänger geboren, nicht zum Flieger!«

Ein Mann spricht bei einem Zirkusdirektor vor. Er hat zwei große Koffer mitgebracht.

„Na, und wie sieht Ihre Nummer aus? fragt ihn der Direktor.

„Sehen Sie", antwortet der Mann, öffnet einen der Koffer und holt daraus einen Amboß und einen großen Hammer. „Ich lege meinen Kopf auf diesen Amboß, und einer der Clowns schlägt mir mit diesem Hammer auf den Kopf."

„Und was haben Sie in dem zweiten Koffer?"

„Kopfwehtabletten."

Reinhard Federmann
...und treiben mit Entsetzen Scherz.
Die Welt des Schwarzen Humors,
Horst Erdmann Verlag, Tübingen und Basel. 1969

Das große Zille-Buch © Fackelträger Verlag

Schlechte Aussichten. „Der Kaviar soll nu ooch teurer wer'n!"

Wo wohnen Sie?... Nirgends... Und Sie???... Gegenüber !!!...

© Klaus Trappmann, *Vagabunden*
Buchergilde Gutenberg

17

GRAMMAIRE / FAISONS LE POINT

1 La dépendante complétive avec daß (AG, p. 222)
Faites dépendre les propositions ci-dessous de la proposition indiquée entre parenthèses :

1. Der Müller wollte seinen Sohn nicht länger füttern.   (Ich kann nicht glauben, daß...)
2. Der Vater ist nicht arm und könnte seinen Sohn füttern.   (Ich bin sicher, daß...)
3. Der Vater verstand sich nicht mit seinem Sohn.   (Ich vermute, daß...)
4. Knulp hätte mehr werden können als so ein Pennbruder.   (Es ist doch klar, daß...)
5. Als Landstreicher war er sehr glücklich.   (Hauptsache ist, daß...)
6. Knulp wollte nach Rom zum Papst.   (Stimmt es, daß...?)

2 La complétive infinitive (AG, p. 247)
Complétez les phrases avec les propositions données entre parenthèses :

1. Der Taugenichts hatte schon lange Lust,...   (Er zog in die weite Welt hinaus.)
2. Der Vater versprach,...   (Er gab seinem Sohn noch einige Groschen mit auf den Weg.)
3. Der Industriellensohn hatte vor,...   (Er fing eine neue Existenz an.)
4. Peter Schlemihl, der Mann ohne Schatten, vermied es,...   (Er trat nicht in die Sonne.)

3 La dépendante complément de temps (AG, p. 223)
a/ *Complétez les phrases à l'aide de* **als** *ou de* **wenn** :

1. Ordentliche Leute nehmen ihren Schatten mit sich, (...) sie in die Sonne gehen.   **2.** (...) der Junge das Elternhaus verließ, gab ihm der Vater noch einige Groschen.   **3.** (...) der Taugenichts in ein Dorf kam, nahm er seine Geige und spielte.   **4.** (...) der Mann ohne Schatten über den Platz ging, da kamen gerade die Kinder aus der Schule.   **5.** (...) der Vater aus der Mühle kommt, sieht er den Sohn in der Sonne sitzen.

b/ *Réunissez les deux propositions à l'aide de la conjonction proposée :*

1. Der Taugenichts erwachte endlich. Das Mühlrad rauschte schon lange.   (als)
2. Der Vater arbeitete in der Mühle. Der Sohn saß vor dem Haus und sonnte sich.   (während)
3. Peter Schlemihl hatte seinen Schatten verkauft. Er war sehr unglücklich.   (seit)
4. Die Leute erblickten den Mann ohne Schatten. Sie lachten alle.   (sobald)

4 La dépendante hypothétique (AG, p. 225)
Complétez les amorces de phrases en utilisant les propositions notées entre parenthèses :

1. Wenn Knulp weiterstudiert hätte,...   (Er ist Amtsrichter geworden.)
2. Wenn Schlemihl alles gewußt hätte,...   (Er hat seinen Schatten nicht verkauft.)
3. Die Mutter hätte sich gefreut, wenn...   (Der Sohn hat Kunst studiert.)
4. Wenn ich Zeit hätte,...   (Ich werde diesen Roman lesen).

5 Mettez les verbes indiqués entre parenthèses à la forme impérative :

1. (gehen) in die Welt hinaus und (erwerben) dir selber dein Brot !   **2.** (setzen) dich zu mir und (sprechen) ruhig weiter !   **3.** (nehmen) das Geld und (kaufen) dir ein Paar neue Schuhe damit !
4. (helfen) diesem armen Vagabunden und (geben) ihm etwas zu essen ! **5.** (sein) vorsichtig und (fahren) langsam !

6 Le groupe nominal et le groupe prépositionnel :
ajoutez, s'il y a lieu, les marques qui conviennent (attention au report de la marque, AG, p. 229 et p. 236) :

1. D... groß... Rad an der väterlich... Mühle brauste schon zu früh... Stunde.   **2.** D... alt... Müller machte alle schwer... Arbeiten allein.   **3.** Ein... staubig... Vagabund mit sonnenverbrannt... Gesicht stand an d... nächst... Straßenecke.   **4.** Als Schlemihl aus d... schattig... Park kam, mußte er d... sonnig... Marktplatz überqueren.   **5.** „Ein... begabt... Clown ist noch kein... echt... Künstler", dachte d... unzufrieden... Vater.

7 Traduisez les phrases ci-après :
1. A vingt ans il était encore en classe de seconde.   **2.** Lorsque Knulp reconnut le casseur de pierres, il s'arrêta (stehenbleiben) et le salua.   **3.** Père me conseilla (raten) de quitter le village.
4. Je n'avais pas le courage de filer (abhauen).

18

2. ABENTEURER DES GEISTES

Die ich rief, die Geister
Werd' ich nun nicht los!

(W. v. Goethe)

Wir haben die Arbeit des Teufels getan...

(H. Kipphardt, *In der Sache J. Robert Oppenheimer*)

Es gibt Risiken, die man nicht eingehen darf.

(F. Dürrenmatt)

Faust an der Retorte
© Historia-Photo

Was wir Deutschen alles erfunden haben

Seit Jahrhunderten sind die hellsten Köpfe in Deutschland zu Hause. Verlieren wir nun den Anschlüß?

Bildarchiv Preußischer Kulturbesitz

Buchdruck 1445

In Mainz setzte Johann Gutenberg Buchseiten erstmals aus beweglichen Lettern zusammen. Reich wurde er damit nicht. Seine Gläubiger trieben ihn in den Konkurs

Taschenuhr 1511

In Nürnberg erfand der Schlosser Peter Henlein die „Unruh", Voraussetzung für den Bau tragbarer Uhren. Seine „Nürnberger Eier", die ersten Taschenuhren, brachten die Zeit unter Kontrolle

Wir erfinden- die Nobelpreise kriegen andere

Kernspaltung 1938

In Berlin gelang dem Chemiker Otto Hahn (rechts Mitte an seinem historischen Experimentiertisch) die Spaltung des Atoms. Die größte Entdeckung des Jahrtausends

dpa

Fernsehen 1929

In Berlin wurde die erste Fernsehsendung ausgestrahlt. 1963 gelang ein neuer deutscher Erfolg : Das PAL-Farbfernsehsystem von Dr. Walter Bruch (rechts) war zwar nicht das erste, ist aber bis heute das beste System

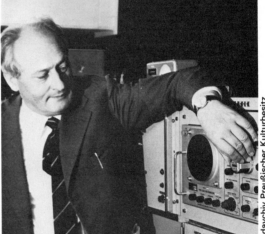

Bildavchiv Preußischer Kulturbesitz

Mondrakete 1969

Der Berliner Wernher von Braun hatte im Zweiten Weltkrieg die deutschen „V2"- Raketen konstruiert Nach dem Krieg entwickelte er sie in den USA weiter. Ohne seine Arbeit wäre die Fahrt zum Mond nicht möglich gewesen.

Bilderdienst Süddeutscher Verlag

Heinrich
Bauer Verlag
© Ferenczy Verlag

21

Wie halten es die Deutschen mit der Kernkraft?[1]

Allensbach-Umfrage für DIE ZEIT

1. Ein paar Fragen zu den Kernkraftwerken, die hier in der Bundesrepublik gebaut werden oder geplant sind. In unserem Grundgesetz[2] sind Volksabstimmungen[3] nicht vorgesehen. Aber meinen Sie, man sollte das Grundgesetz ändern und die Bevölkerung abstimmen lassen, ob diese Atomkraftwerke weitergebaut werden, oder sind Sie gegen eine solche Abstimmung?

Für Abstimmung	**59**
Gegen Abstimmung	**26**
Unentschieden	**15**

2. Auf dieser Liste stehen drei Standpunkte. Könnten Sie sagen, wofür Sie sind[2]?

Wir müssen weitere Kernkraftwerke bauen	**30**
Wir sollten keine neuen Kernkraftwerke mehr bauen, aber die bestehenden weiterbetreiben[4]	**37**
Wir sollten mit der Ezeugung von Kernenergie ganz aufhören und die bestehenden Kernkraftwerke stillegen	**24**
Unentschieden	**9**

3. Haben Sie den Eindruck, daß bei uns in der Bundesrepublik für die Sicherheit unserer Kernkraftwerke ausreichend gesorgt[5] ist, oder fürchten Sie, die Sicherheitsmaßnahmen[6] reichen nicht aus?

Ausreichend	**25**
Reichen nicht	**52**
Unentschieden, weiß nicht	**23**

4. In Amerika gab es vor ein paar Tagen eine schwere Panne in einem Atomkraftwerk. Haben Sie die Berichte darüber genauer verfolgt, oder hat Sie das nicht besonders interessiert?

Genauer verfolgt	**82**
Nicht besonders interessiert	**18**
Nichts davon gehört	**0**

5. Hat sich Ihre Einstellung zu Kernkraftwerken durch diesen Vorfall grundlegend geändert, oder hat das Ihre Einstellung eher bestärkt, oder hat das Ihre Meinung über Kernkraftwerke kaum beeinflußt?

Grundlegend geändert	**10**
Einstellung bestärkt	**33**
Kaum beeinflußt	**57**

6. Einmal angenommen, die Bohrungen[7] ergeben, daß Gorleben[8] als sicherer Lagerort anzusehen ist, und es wird auf demokratische Weise entschieden, die Atommülldeponie dort zu bauen : meinen Sie, die Bürger von Gorleben müssen sich dann mit der Atommülldeponie abfinden[9], oder kann man das nicht von ihnen verlangen?

Müssen sich abfinden	**45**
Kann man nicht verlangen	**41**
Unentschieden	**14**

7. Wären Sie bereit, ihren persönlichen Lebensstil zu ändern, um etwa ein Viertel weniger Strom zu verbrauchen als bisher, also zum Beispiel weniger Fernsehen, weniger arbeitssparende Elektrogeräte benutzen und Geräte, die viel Strom verbrauchen, gar nicht erst anzuschaffen, oder sehen Sie dafür keine Möglichkeit?

Wäre bereit	**60**
Keine Möglichkeit	**33**
Unentschieden	**7**

8. Es wird zur Zeit vielfach gefordert, den Energieverbrauch in der Bundesrepublik gesetzlich einzuschränken. Stimmen Sie dieser Forderung zu, oder sind Sie gegen staatliche Maßnahmen?

Stimme zu	**42**
Bin dagegen	**47**
Unentschieden, kein Urteil	**11**

Die Zeit, Nr. 16 (1979)

---

1 **die Kernkraft :** l'énergie atomique;
→ das Kernkraftwerk (-e) : la centrale atomique;
der Lagerort (-e) : le dépôt;
die Atommülldeponie (-n) : le dépôt de déchets radioactifs.
2 **das Grundgesetz :** la Constitution (de la R.F.A.).
3 **die Volksabstimmung (-en) :** le referendum;
→ die Abstimmung (-en) : le vote; ab/stimmen
→ wählen; die Wahl.
4 **weiter/betreiben (ie, ie) :** continuer à exploiter; ≠ **stillegen.**
5 **für etwas sorgen :** assurer qqch.
6 **die Sicherheitsmaßnahme (-n) :** la mesure de sécurité.
7 **die Bohrung (-en) :** le forage; → bohren.
8 **Gorleben :** Ort in Niedersachsen, wo eine Atommülldeponie gebaut werden soll.
9 **sich mit etwas ab/finden (a,u) :** s'accommoder de qqch., accepter qqch.

ZUR DISKUSSION

DER WISSENSCHAFTLER IST NIE NUR WISSENSCHAFTLER.
Er ist zugleich lebendiger Mensch.
Er muß sich fragen: Was bedeutet meine Forschung
für das Leben meiner Mitmenschen? (C.F. von Weizsäcker)

**DIE MENSCHHEIT HAT GELERNT,
INSTRUMENTE DER MACHT ZU BAUEN.
WIRD SIE AUCH LERNEN,
MIT IHNEN UMZUGEHEN?**
(C.F. von Weizsäcker)

ANGST VOR ENERGIE?

- Atomkraft ist Teufelswerk.
  Ausbau der Kernenergie ist Pakt mit dem Teufel.
- Sind Atomkraftwerke wirklich sicher?
  Mit jeder Panne wird die Angst vor schweren Atomunfällen größer.
  Wohin mit dem Atommüll?
  Muß der Ausbau der Kernenergie gebremst oder gestoppt werden?
- Weg vom Öl ! Zurück zur Kohle!
  Auch Kohlekraftwerke emittieren radioaktive Stoffe.
  Sind Wasser, Wind, Sonne und Erdwärme gefahrlose Energiequellen?

**WIR HABEN
MILLIARDEN ZUM MOND GESCHOSSEN
UND AUF DER ERDE MILLIONEN
VERHUNGERN
LASSEN**

(Saarbrücker Zeitung, Nr. 29/1976)

Der Zauberlehrling

In Abwesenheit des Meisters verwendet der Lehrling die gehörte Zauberformel,
um einen Besen in einen Wasserträger zu verwandeln...
Die Ballade ist von Paul Dukas vertont worden (1897)

Hat der alte Hexenmeister[1]
sich doch einmal wegbegeben !
Und nun sollen seine Geister
auch nach meinem Willen leben.
5 Seine Wort' und Werke
merkt' ich und den Brauch,[2]
und mit Geistesstärke
tu' ich Wunder[3] auch.

    Walle, walle[4]
10   manche Strecke,
    daß, zum Zwecke,[5]
    Wasser fließe
    und mit reichem, vollem Schwalle[6]
    zu dem Bade sich ergieße.

15 Und nun komm, du alter Besen,
nimm die schlechten Lumpenhüllen ![7]
Bist schon lange Knecht gewesen :
nun erfülle meinen Willen !
Auf zwei Beinen stehe,
20 oben sei ein Kopf,
eile nun und gehe
mit dem Wassertopf !

    Walle, walle
    manche Strecke,
25   daß, zum Zwecke,
    Wasser fließe
    und mit reichem, vollem Schwalle
    zu dem Bade sich ergieße.

1 **der Hexenmeister (-)** : der Zauberer : le sorcier, le magicien ; → die Hexe : la sorcière ; hexen, die Hexerei.
2 **der Brauch (ﬂe)** : (hier) die Methode.
3 **das Wunder (-)** : le prodige, la merveille ; → wunderbar.
4 **wallen** : courir, se hâter.
5 **zum Zwecke** : à cet effet ; pour mon dessein.
6 **mit reichem, vollem Schwalle** : à grands flots.
7 **der Lumpen (-)** : le chiffon ;
8 **mit raschem Gusse** : → gießt rasch das Wasser aus.
9 **das Becken (-)** : le bassin ;
   die Schale (-n) : la coupe, le vase.
10 **das Beil (-e)** : la hachette ;
   die glatte Schärfe : le tranchant.
11 **die Macht (ﬂe)** : (hier) der Geist.
12 **seid's gewesen** : cessez d'être des esprits.

Seht, er läuft zum Ufer nieder,
30 wahrlich ! ist schon an dem Flusse,
und mit Blitzesschnelle wieder
ist er hier mit raschem Gusse.⁸
Schon zum zweiten Male !
Wie das Becken⁹ schwillt !
35 Wie sich jede Schale
voll mit Wasser füllt !

Stehe ! stehe !
denn wir haben
deiner Gaben
40 vollgemessen ! –
Ach, ich merk' es ! Wehe ! wehe !
Hab' ich doch das Wort vergessen !

Ach das Wort, worauf am Ende
er das wird, was er gewesen.
45 ach, er läuft und bringt behende !
Wärst du doch der alte Besen !
Immer neue Güsse
bringt er schnell herein,
ach ! und hundert Flüsse
50 stürzen auf mich ein. [....]

Willst's am Ende
gar nicht lassen?
Will dich fassen,
will dich halten
55 und das alte Holz behende
mit dem scharfen Beile¹⁰ spalten.

Seht, da kommt er schleppend wieder !
Wie ich mich nur auf dich werfe,
gleich, o Kobold, liegst du nieder.
60 Krachend trifft die glatte Schärfe.
Wahrlich ! brav getroffen !
Seht, er ist entzwei !
Und nun kann ich hoffen,
und ich atme frei !

65 Wehe ! wehe !
Beide Teile
stehn in Eile
schon als Knechte
völlig fertig in die Höhe !
70 Helft mir, ach ! ihr hohen Mächte¹¹ !

Und sie laufen ! Naß und nässer
wird's im Saal und auf den Stufen :
welch entsetzliches Gewässer !
Herr und Meister ! hör mich rufen !
75 Ach, da kommt der Meister !
Herr, die Not ist groß !
Die ich rief, die Geister
werd' ich nun nicht los.

„In die Ecke,
80 Besen, Besen !
Seid's gewesen¹² !
Denn als Geister
ruft euch nur, zu seinem Zwecke,
erst hervor der alte Meister."

Johann Wolfgang von Goethe (1749-1832)

Der Übermensch
sei der Sinn der Erde !

Als Zarathustra in die nächste Stadt kam, die an den Wäldern liegt,
fand er daselbst viel Volk versammelt auf dem Markte : denn es war
verheißen worden, daß man einen Seiltänzer sehen sollte. Und Zarathustra sprach also zum Volke :

5 Ich lehre euch den Übermenschen. Der Mensch ist etwas, das
überwunden[1] werden soll. Was habt ihr getan, ihn zu überwinden?
Alle Wesen bisher schufen[2] etwas über sich hinaus : und ihr wollt
die Ebbe[3] dieser großen Flut sein und lieber noch zum Tiere zurück-
gehn als den Menschen überwinden?

10 Was ist der Affe für den Menschen? Ein Gelächter[4] oder eine
schmerzliche Scham[5]. Und ebendas soll der Mensch für den Übermenschen sein : ein Gelächter oder eine schmerzliche Scham.
Ihr habt den Weg vom Wurme[6] zum Menschen gemacht, und Vieles
ist in euch noch Wurm. Einst wart ihr Affen, und auch jetzt noch ist

15 der Mensch mehr Affe als irgendein Affe.
Wer aber der Weiseste[7] von euch ist, der ist auch nur ein
Zwiespalt[8] und Zwitter von Pflanze und von Gespenst. Aber heiße
ich euch zu Gespenstern oder Pflanzen werden?
Seht, ich lehre euch den Übermenschen !

20 Der Übermensch ist der Sinn der Erde. Euer Wille sage : der Übermensch sei der Sinn der Erde !
Ich beschwöre euch, meine Brüder, bleibt der Erde treu, und glaubt
denen nicht, welche euch von überirdischen Hoffnungen reden !
Giftmischer sind es, ob sie es wissen oder nicht...

Friedrich Nietzsche (1844-1900), *Also sprach Zarathustra*, 1883

1 **etwas überwinden (a,u) :**
dépasser, surmonter qqch.
→ die Überwindung.
2 **Alle Wesen schufen etwas
über sich hinaus :** tous les
êtres ont créé quelque chose qui
les dépasse.
3 **die Ebbe (-n) (**≠ die Flut.) :
le reflux.
4 **das Gelächter (-) :** (ici) l'objet de
dérision; → lachen.
5 **die Scham :** (ici) la honte; → sich
schämen, beschämt sein.
6 **der Wurm (≃er) :** le ver.
7 **weise :** sage; → der Weise; die
Weisheit.
8 **ein Zwiespalt und Zwitter von
Pflanze und von Gespenst :**
un être hybride, mi-plante,
mi-fantôme.

„ Die Arbeit des Teufels"

*Professor J. Robert Oppenheimer, der Vater der Atombombe, wird von
einer amerikanischen Sicherheitskommission verhört. An erster Stelle
geht es um die Frage, ob Oppenheimer loyal geblieben ist; dahinter
aber steht die weit komplexere Problematik des modernen Atomphysi-
kers.*

Robb : Sie sind der Vater der Atombombe genannt worden, Doktor?

Oppenheimer : In den Illustrierten. Ja.

Robb : Sie würden sich selber nicht so bezeichnen?

Oppenheimer : Es ist kein sehr hübsches Kind, und es hat an die
5 hundert Väter, wenn wir die Grundlagenforschung[1] berücksichtigen. In einigen Ländern.

1 **die Grundlagenforschung :** la
recherche fondamentale; → nach
etwas forschen; der Forscher.

Robb : Aber das Baby kam schließlich in Los Alamos zur Welt, in den Laboratorien, die Sie gegründet haben und deren Direktor Sie von 1943 bis 1945 waren.

10 *Oppenheimer :* Wir haben dieses Patentspielzeug[2] gemacht, ja.

Robb : Das wollen Sie nicht bestreiten, Doktor :*(Oppenheimer lacht.)* Sie haben es in einer begeisternd kurzen Zeit gemacht, getestet und schließlich über Japan abgeworfen, nicht wahr?

Oppenheimer : Nein.

15 *Robb :* Nicht?

Oppenheimer : Der Abwurf der Atombombe auf Hiroshima, das war eine politische Entscheidung, nicht meine.

Robb : Aber Sie unterstützten[3] den Abwurf der Atombombe auf Japan, oder nicht?

20 *Oppenheimer :* Was meinen Sie mit „unterstützen"?

Robb : Sie halfen die Ziele aussuchen, nicht wahr?

Oppenheimer : Ich tat meine Arbeit. Wir bekamen eine Liste mit den möglichen Zielen –

Robb : Welche?

25 *Oppenheimer :* Hiroshima, Kokura, Nigata, Kyoto, – *es werden Teilansichten dieser Städte auf die Hänger*[4] *des Hintergrundes projiziert* – und wir wurden als Fachleute gefragt, welche Ziele sich für den Abwurf der Atombombe nach unseren Testerfahrungen am besten eignen[5] würden.

30 *Robb :* Wer ist „wir", Doktor?

Oppenheimer : Ein Rat von Atomphysikern, den der Kriegsminister dazu eingesetzt hatte. [...]

Robb : Sie wußten natürlich, daß der Abwurf der Atombombe auf das von Ihnen ausgesuchte Ziel Tausende von Zivilisten töten wür-
35 de?

Oppenheimer : Nicht so viele, wie sich herausstellte.

Robb : Wieviele wurden getötet?

Oppenheimer : 70 000.

Robb : Hatten Sie deshalb moralische Skrupel?

40 *Oppenheimer :* Schreckliche.

Robb : Sie hatten schreckliche moralische Skrupel?

Oppenheimer : Ich kenne niemanden, der nach dem Abwurf der Bombe nicht schreckliche moralische Skrupel gehabt hätte.

Robb : Ist das nicht ein bißchen schizophren?

45 *Oppenheimer :* Was? Moralische Skrupel zu haben?

Robb : Das Ding zu machen, die Ziele auszusuchen, die Zündhöhe[6] zu bestimmen und dann über den Folgen in moralische Skrupel zu fallen? Ist das nicht ein bißchen schizophren, Doktor?

Oppenheimer : Ja. – Es ist die Art von Schizophrenie, in der wir
50 Physiker seit einigen Jahren leben.

Robb : Können Sie das erläutern?

Oppenheimer : Man machte von den großen Entdeckungen der neueren Naturwissenschaften einen fürchterlichen Gebrauch. Die Kernenergie ist nicht die Atombombe. [...]

Heinar Kipphardt (geb. 1922),
In der Sache J. Robert Oppenheimer,
Kiepenheuer und Witsch, Köln

2 **das Patentspielzeug (-e) :** le jouet breveté.

3 **etwas unterstützen :** approuver qqch.

4 **der Hänger (-) :** (ici) l'écran.

5 **sich für etwas eignen :** convenir à.

6 **die Zündhöhe :** l'altitude de mise à feu;
→ zünden, anzünden.

✻ Doktor Faust an der Donau

Als Faust auf seiner letzten Reise — so berichtet die österreichische Sage — die Donau abwärts ritt, wurde er in der Nähe des Dorfes Landshag gegenüber von Aschach plötzlich so müde, daß
5 er vom Teufel verlangte, er solle ihm hier sofort ein Schloß bauen, in dem er übernachten wolle. Der Teufel gehorchte und errichtete auf einem Felsen über der Donau das sogenannte Faust-Stöckl. Am nächsten Morgen gefielen
10 Faust Schlößchen und Ausblick so gut, daß er blieb. Der Teufel schaffte Bücher, Retorten, Tinkturen, geheime Pulver und Salben[1], kurz alles, was sich in der Wittenberger Studierstube befand, ins Land ob[2] der Enns; der Doktor ar-
15 beitete, und sein Schüler, ein kräftiger Mann mit rotem Bart, half ihm dabei.

Einmal wollte Faust ins Wirtshaus nach Aschach fahren, aber der Fährmann[3] hörte sein Rufen nicht. Sofort erhielt der Teufel den Befehl,
20 eine Brücke über die Donau zu schlagen, hundert kleine schwarze Teufel flatterten auf Fledermausflügeln[4] herbei, brachten Werkzeug und Bauholz, gingen ans Werk, und Faust stand mit einer langen Peitsche am Ufer. Schien
25 es ihm, als ließen die Teufelsknechte in ihrem Eifer nach[5], schwang er die Peitsche, deren Schnur plötzlich zu glühen begann und so lang wurde, daß er jeden der Kleinen, auch wenn er fünfzig Klafter[6] entfernt war, auf den Rücken
30 traf. Es dauerte nicht länger, als man für zehn Vaterunser braucht, da war die Brücke fertig, Faust galoppierte auf seinem Rappen hinüber, und hinter ihm mußten die Teufel die Brücke in ebenso kurzer Zeit wieder abbrechen.

35 Niemandem tat er etwas zuleide, im Gegenteil, er lud Bürger und Bauern mehrmals zum Essen ein und bot ihnen Leckerbissen, von denen sie noch nie etwas gehört hatten. Er tischte ihnen Wild auf, das sonst nur die Herren von Adel[7]
40 essen durften, er schaffte ihnen die besten Fische herbei und gab ihnen Süßspeisen, die der Teufel aus der Türkei bringen mußte. Während einer solchen Gasterei bedauerten die Bauern, daß man hier nicht Kegel[8] schieben
45 könne, und sofort versprach ihnen Faust eine Kegelbahn; sie brauchten nur bis zum Aufgang der Sonne zu warten.

Als es hell wurde, führte Faust seine Gäste ans Ufer der Donau, und dort sahen sie mitten im
50 Strom eine riesige blanke Kegelbahn, die im Sonnenlicht wie Gold glitzerte. Er forderte sie zu einem Spiel auf, aber sie wagten sich nicht aufs Wasser. Da ging er allein, ging über die Wellen, ohne auch nur bis zum Knöchel einzusinken,
55 erreichte die blanke Stelle, die doch auch nur stilles Wasser war, griff mit der Hand hinunter, eine Kugel sprang empor, er nahm sie und zielte. Vorn standen neun kindsgroße Kegel, Faust ließ die Kugel rollen, donnernd glitt
60 sie über die Bahn, räumte die neun Kegel ab, und die Kegel fielen zur Seite, als hätte der Blitz sie getroffen, unter aber gingen sie nicht, sondern prallten ab[9] und landeten mit einem bösen hellen Knall am Ufer. [...]
65 Endlich aber lief der Pakt ab, den Faust mit dem Teufel geschlossen hatte, und was dann geschah, darüber gibt es mehrere Erzählungen.

Fritz Habeck,
Taten und Abenteuer des Doktor Faustus,
© by Jugend und Volk Verlagsgesellschaft,
Wien, München 1970

---

1 **die Salbe (-n) :** l'onguent.
2 **ob** (archaïque) : über.
3 **der Fährmann (⸗er, -leute) :** le passeur;
   → die Fähre.
4 **die Fledermaus (⸗e) :** la chauve-souris.
5 **sie ließen in ihrem Eifer nach :** leur ardeur au travail se relâchait.
6 **das Klafter (-)** (altes Längenmaß) : la brasse (environ 1,60 m).
7 **der Adel :** la noblesse; → adelig; der Adelige.
8 **der Kegel (-) :** la quille; → Kegel schieben (o, o);
   Kegel spielen; die Kegelbahn.
9 **ab/prallen :** rebondir.

Fragen

I Zum Textverständnis

1. Welche Textstellen weisen darauf hin, daß Faust der Herr und der Teufel der Knecht ist?
2. Woran erkennt man, daß Faust ein Wissenschaftler ist?
3. Welche Textstellen beweisen, daß Faust seine Mitmenschen gut behandelte?
4. Wieviele Episoden lassen sich im Text unterscheiden? Fassen Sie die einzelnen Episoden kurz zusammen und geben Sie ihnen eine passende Überschrift.

II Zur Stellungnahme

1. „Endlich aber lief der Pakt ab, den Faust mit dem Teufel geschlossen hatte." (Z. 65-66) Wissen Sie, um welchen Pakt es sich handelt?
2. Was denken Sie von Fausts Abenteuern?

III Zum Wortschatz

1. Suchen Sie im Text Synonyme für die unterstrichenen Wörter und Ausdrücke.
a) Die österreichische Sage erzählt, daß Faust auf seiner letzten Reise die Donau abwärts ritt. b) Der Fährmann überhörte sein Rufen. c) Der Teufel mußte eine Brücke über die Donau bauen. d) Er hatte den Eindruck, daß sie in ihrem Eifer nachließen. e) Er schadete niemandem. f) Er servierte ihnen Wild.

2. Geben Sie Antonyme für die unterstrichenen Wörter.

a) die erste Reise   ———————————————————

b) die Donau aufwärts reiten   ———————————————————

c) der Untergang der Sonne   ———————————————————

d) es wird dunkel   ———————————————————

e) eine winzige Kegelbahn   ———————————————————

IV Zum Übersetzen

1) a) Er wurde plötzlich so müde... (Z. 4) b) Es dauerte nicht länger, als man für zehn Vaterunser braucht, da war die Brücke fertig. (Z. 30-31) c) Er bot ihnen Leckerbissen, von denen sie noch nie etwas gehört hatten. (Z. 37-38) d) Sie wagten sich nicht aufs Wasser. (Z. 52-53)

2. a) Faust voulait passer la nuit dans un château. b) Ils attendirent jusqu'au lever du soleil. c) Lorsque le jour se leva, le bowling était achevé. d) Le pacte avec le diable était échu.

Was wissen Sie über Albert Einstein?

(Eine Mini - Umfrage)

1 **der Drill :** le dressage.
2 **der Papst (-̈e) :** le pape.
3 **die Schweizer Staatsangehörigkeit erwerben (a, o) :** acquérir la nationalité suisse.
4 **das Patentamt :** l'office des brevets d'invention.
5 **der Stumpen (-) :** die Zigarre.
6 **der Brotberuf :** le gagne-pain.
7 **einen Artikel in einer Fachzeitschrift veröffentlichen :** publier un article dans une revue spécialisée.
8 **die Sternstunde (-n) :** le tournant décisif.
9 **der Laie (-n) :** le profane; ≠ der Fachmann, der Experte.
10 **die Schicksalsformel :** la formule fatidique.
11 **die Hetzkampagne :** le déchaînement de haine.
12 **ausgetretene Schuhe :** des chaussures éculées, déformées.
13 **der Flüchtling (-e) :** le réfugié; → fliehen (o, o).
14 **jemanden vor etwas warnen :** mettre qqn. en garde contre qqch.
15 **eine Schraube fest/ziehen (o, o) :** serrer une vis.

Ergänzen Sie den Text mit den untenstehenden Wörtern und Ausdrücken.

Der Wissenschaftler Albert Einstein wurde 1879 _in Ulm_ geboren. Als Kind kam er mit seinen Eltern _nach_ München, wo er die Schule und das Gymnasium _besuchte_. Einstein war kein guter _Schüler_, er langweilte sich in der Schule, und wegen _des Drills_ war ihm das Gymnasium _verhaßt_. Da er das Gymnasium _ohne_ Abitur verlassen hatte, schickten ihn die Eltern nach Zürich, wo er am Polytechnikum _studieren_ durfte und die Schweizerische Staatsangehörigkeit _erwerben_. Er soll kein besonders fleißiger _Student_ gewesen sein. Nach der Diplomarbeit war er einige Zeit _arbeitslos_, dann wurde er _Beamter_ am Schweizer Patentamt in Bern. 1914 wurde er _Mitglied_ der Preußischen Akademie. Nach der Hetzkampagne _gegen_ die „jüdische Physik" und den „Relativitätsjuden" _verließ_ er 1933 Deutschland und arbeitete in Princeton. Er ist nie wieder nach Deutschland _zurückgekehrt_ und ist 1955 gestorben.

Einstein hat die Formel _____ , die _____ Atombombe geführt hat. Im Jahre 1939 _____ er den Präsidenten Roosevelt _____ dem Bau der deutschen Atombombe. An _____ der amerikanischen Atombombe hat er aber nicht mitgearbeitet, denn er war ein _____ Pazifist. Einstein _____ ja überhaupt nichts von Technik. Er hätte _der Millio_ werden können, aber Geld hat ihn nie _interessieren_.

---

erwerben - Mitglied (werden) - der Drill - die Atombombe - die Herstellung - zurückkehren - vor - besuchen - in Ulm - entdecken - interessieren - nach - der Beamte - verlassen - überzeugt - der Schüler - der Millionär - gegen - arbeitslos (sein) - ohne - verstehen - zu - der Student - studieren - verhaßt (sein) - warnen (vor + dat.).

Der Verhaltensforscher will zwei
Mäuse dazu abrichten, auf eine
Klingel zu drücken, wenn sie
Futter haben wollen.

„Mensch", sagt nach drei Tagen die eine Maus zur anderen,
„was habe ich den Kerl dres-
siert! Jedesmal, wenn ich mit
der Schnauze auf den Klingel-
knopf drücke, wirft er mir ein
Stück Käse zu!"

Heinrich Bauer Verlag

Früher ging's doch viel schneller, als wir noch mit der
Hand gerechnet haben.

„Muß ihn wieder abmelden — er erfindet Erfinder."

GRAMMAIRE / FAISONS LE POINT

1 La transformation interrogative (AG, p. 221 et pp. 233-234)
a/ *Transformez les déclaratives ci-après en interrogatives :*

1. Sie haben den Abwurf der Atombombe unterstützt. **2.** Nach dem Abwurf der Bombe hatten Sie moralische Skrupel. **3.** Deutsche Physiker haben als Fachleute in den amerikanischen Laboratorien gearbeitet. **4.** Sie können dieses Wort erläutern.

b/ *Transformez les interrogatives ci-après en dépendantes en utilisant les propositions indiquées entre parenthèses :*

1. Haben Sie die Atombombe gebaut, Herr Professor? (Ich möchte wissen...)
2. Wo ist die Atombombe zur Welt gekommen? (Wissen Sie...?)
3. Wie lange haben die Experimente gedauert? (Können Sie mir sagen...?)
4. Auf was für eine Stadt ist die erste Atombombe abgeworfen worden? (Wissen Sie...?)
5. Wieviel Menschen sind bei dem Abwurf getötet worden? (Wer kann mir sagen...?)
6. Was ist der Affe für den Menschen? (Können Sie mir erklären...?)

2 La transformation passive (AG, p. 246)
Rappel :

1. Die Amerikaner haben die erste Atombombe abgeworfen.
→ Die erste Atombombe ist von den Amerikanern abgeworfen worden.
2. Die erste Atombombe ist 1945 abgeworfen worden.

N.B. 1. On note le croisement des actants en passant de la forme active à la construction passive.
2. Le complément d'agent du passif n'est pas toujours présent.

a/ *Mettez les verbes donnés entre parenthèses à la forme qui convient :*

1. Die Laboratorien sind von Professor Oppenheimer (gründen). **2.** Etwa 70 000 Menschen sind damals (töten). **3.** Auf welche Stadt wurde die erste Atombombe (abwerfen)? **4.** Wo war die Bombe (testen)? **5.** Das wird überall (behaupten).

b/ *Mettez les phrases ci-après à la forme passive :*

1. Wer hat die neuen Laboratorien gegründet? **2.** Der Kriegsminister hatte einen Rat von Atomphysikern eingesetzt. **3.** Die ersten Atombomben töteten etwa 70 000 Menschen. **4.** Wer testet die Bombe? **5.** Man machte einen fürchterlichen Gebrauch von der Kernenergie.

3 Les pronoms relatifs (AG, pp. 235-236)
a/ *Complétez à l'aide d'un relatif :*

1. Zeigen Sie uns doch die Laboratorien, in (...) die Atombombe hergestellt worden ist. **2.** Wie heißt die Stadt, in (...) die Bombe zur Welt kam? **3.** Gehörten Sie zu dem Rat, (...) der Kriegsminister eingesetzt hatte? **4.** Kannten Sie die Städte, auf (...) die ersten Bomben abgeworfen wurden? **5.** Welches sind die großen Entdeckungen, von (...) ein fürchterlicher Gebrauch gemacht wurde? **6.** (...) für die Atombombe ist, (...) ist ein Tor. **7.** Ich kenne niemanden, (...) für die Atombombe ist. **8.** Die Kernenergie ist etwas, (...) sehr gefährlich sein kann. **9.** Ist das alles, (...) übrig ist?

b/ *Mettez les segments soulignés au singulier :*

1. Die Bombe kam zur Welt in den Laboratorien, die Sie gegründet haben und deren Direktor Sie waren. **2.** Wie heißen die deutschen Physiker, von denen die Rede ist? **3.** Sind das die Ziele, welche Sie ausgesucht haben?

4 *Traduisez les phrases ci-dessous :*

a/ **1.** Brauchen wir einen Übermenschen? **2.** Sie wußten natürlich, daß die Atombombe Zehntausende von Zivilisten töten würde. **3.** Der Mensch ist etwas, das überwunden werden soll.

b/ **1.** « Aide-moi, maître ! » s'écria l'apprenti sorcier. **2.** Qui a construit la bombe qui fut lancée sur Hiroshima? **3.** Est-ce que le professeur Oppenheimer savait que la bombe détruirait complètement (völlig zerstören) la ville?

3. VOM GRAUSEN UND GRUSELN

Und wie ich am Kirchhof vorübergehen will,
Da winken die Gräber ernst und still...
Da steigt's aus dem Grabe nebelbleich.

(H. Heine)

Man weiß nie, was man im eigenen Haus vorrätig hat.

(F. Kafka)

© Sylvie Desportes

Besuch aus dem Jenseits

Ullstein Bilderdienst

Die Stern-Menschen kommen!

Unsere Nachbarn am Himmel : Sie waren schon bei uns auf der Erde ! Sie können täglich wiederkommen ! Bald können wir auch zu ihnen reisen !

Dieser sensationelle Bericht bringt alle Tatsachen über die Lebewesen im All[1], die bisher bekannt geworden sind ! Dieser Bericht schildert unsere Zukunft im Weltall, zusammen mit außerirdischen „Menschen" !

George Adamski : „30 Meter von mir entfernt landete das Ufo, eine Luke[2] wurde geöffnet, eine Hand erschien und warf eine Kassette mit einer Zeichenschrift in den Sand"

Tag für Tag werden in aller Welt hundert „Unbekannte Flug-Objekte" gesichtet[3]. Die UFOs narren[4] uns seit 30 Jahren. Und jetzt nimmt die Zahl der Meldungen[5] noch zu.

Bunte, 5 (1978)
© Burda GmbH

D. Lointier

Ein Polizist sagt: "Die Außerirdischen haben mein Leben zerstört." Ein Oberst[6] berichtet: "Ich habe mit Wesen[7] aus dem All gesprochen." Ein Professor behauptet: "Seit 29 Jahren liegen 16 Astronauten in einer Tiefkühltruhe[8]." Unglaubliche Geschichten? Lesen Sie selbst:

Begegnungen mit Außerirdischen[9]

© Fischer Verlag

1 **das All (-s) :** l'univers; → das Weltall.
2 **die Luke (-n) :** le hublot.
3 **etwas sichten :** repérer qqch.
4 **jemanden narren :** mystifier qqn., se jouer de qqn.
5 **die Meldung (-en) :** le rapport; → (sich) melden.
6 **der Oberst (-en) :** le colonel.
7 **das Wesen (-) :** l'être; → das Lebewesen.
8 **die Tiefkühltruhe (-n) :** le congélateur.
9 **die Außerirdischen** (Pl.) : les extra-terrestres.

George Grosz, *Apokalyptischer Reiter* © Spadem 1981

36

ZUR DISKUSSION

WENN NUR DIESE ANGST NICHT WÄRE!

Angst? Daß ich nicht lache!
Angst? Das ist ein ganz normales Gefühl.
Jeder Mensch hat schon einmal Angst gehabt
oder wird einmal Angst haben.

DIE ANGST VOR DEM SCHEINTOD.

Lebendig begraben zu werden – dieser Gedanke hat die Menschen zu allen Zeiten beschäftigt, gequält und mißtrauisch gemacht. So legte der dänische Märchendichter Hans Christian Andersen jeden Abend einen kleinen Zettel auf seinen Nachttisch, auf den er geschrieben hatte: „Ich bin nur scheintot".

(Stern, Nr. 19/1979)

POLTERGEISTER MELDEN SICH UND VERSTORBENE GRÜSSEN AUS DEM JENSEITS.

Haben Sie schon einmal gehört oder vielleicht selber erlebt, daß es gespukt hat? Glauben Sie an Poltergeister und Gespenster?
Halten Sie es für möglich, daß es Vorzeichen für den Tod eines Verwandten oder eines Freundes gibt?
Es soll Medien geben, die mit Toten Kontakt aufnehmen können. Sind Sie auch dieser Ansicht?
Es soll auch Menschen geben, die zu fremden Wesen Kontakt haben.
Glauben Sie überhaupt an außerirdische Wesen?

Erlkönig[1]

Wer reitet so spät durch Nacht und Wind?
Es ist der Vater mit seinem Kind;
er hat den Knaben wohl in dem Arm,
er faßt ihn sicher, er hält ihn warm.

5 „Mein Sohn, was birgst du so bang dein Gesicht?"
„Siehst, Vater, du den Erlkönig nicht?
Den Erlenkönig mit Kron und Schweif?"[2] –
„Mein Sohn, es ist ein Nebelstreif." –

„Du liebes Kind, komm, geh mit mir!
10 Gar schöne Spiele spiel' ich mit dir;
manch bunte Blumen sind an dem Strand,
meine Mutter hat manch gülden Gewand."

„Mein Vater, mein Vater, und hörest du nicht,
was Erlenkönig mir leise verspricht?" –
15 „Sei ruhig, bleibe ruhig, mein Kind;
in dürren Blättern säuselt der Wind." –

„Willst, feiner Knabe, du mit mir gehn?
Meine Töchter sollen dich warten[3] schön;
meine Töchter führen den nächtlichen Reihn[4]
20 und wiegen und tanzen und singen dich ein."

„Mein Vater, mein Vater, und siehst du nicht dort
Erlkönigs Töchter am düstern Ort?" –
„Mein Sohn, mein Sohn, ich seh' es genau,
es scheinen die alten Weiden so grau." –

25 „Ich liebe dich, mich reizt deine schöne Gestalt;
und bist du nicht willig, so brauch ich Gewalt."
„Mein Vater, mein Vater, jetzt faßt er mich an!
Erlkönig hat mir ein Leids getan!" –

Dem Vater grauset's[5], er reitet geschwind,
30 er hält in den Armen das ächzende Kind,
erreicht den Hof mit Müh und Not;
in seinen Armen das Kind war tot.

Johann Wolfgang von Goethe (1749-1832)

---

1 **der Erlkönig :** le roi des aulnes.
  die Weide (-n) : le saule
2 **der Schweif (-e) :** la traîne.
3 **jemanden warten** (archaïque) :
  prendre soin de qqn.
4 **der Reihn (-)** = **der Reigen :**
  ein Rundtanz.
5 **mir graust (es) :** j'ai peur;
  → **das Grausen.**

EIN LANDARZT

Ich war in großer Verlegenheit[1] : eine dringende[2] Reise stand mir bevor; ein Schwerkranker wartete auf mich in einem zehn Meilen entfernten Dorfe; starkes Schneegestöber füllte den weiten Raum zwischen mir und ihm; einen Wagen hatte ich, leicht, großräderig,
5 ganz wie er für unsere Landstraßen taugt; in den Pelz gepackt, die Instrumententasche in der Hand, stand ich reisefertig schon auf dem Hofe; aber das Pferd fehlte, das Pferd. Mein eigenes Pferd war in der letzten Nacht, infolge der Überanstrengung[3] in diesem eisigen Winter, verendet; mein Dienstmädchen lief jetzt im Dorf umher, um
10 ein Pferd geliehen[4] zu bekommen; aber es war aussichtslos, ich wußte es, und immer mehr vom Schnee überhäuft, immer unbeweglicher werdend, stand ich zwecklos[5] da. Am Tor erschien das Mädchen, allein, schwenkte die Laterne; natürlich, wer leiht jetzt sein Pferd her zu solcher Fahrt? Ich durchmaß noch einmal den Hof; ich
15 fand keine Möglichkeit; zerstreut, gequält stieß ich mit dem Fuß an die brüchige Tür des schon seit Jahren unbenützten Schweinestalles. Sie öffnete sich und klappte in den Angeln auf und zu. Wärme und Geruch wie von Pferden kam hervor. Eine trübe Stallaterne schwankte drin an einem Seil[6]. Ein Mann, zusammengekauert in
20 dem niedrigen Verschlag[7], zeigte sein offenes blauäugiges Gesicht. „Soll ich anspannen?" fragte er, auf allen vieren hervorkriechend. Ich wußte nichts zu sagen und beugte mich nur, um zu sehen, was es noch in dem Stalle gab. Das Dienstmädchen stand neben mir. „Man weiß nicht, was für Dinge man im eigenen Hause vorrätig[8] hat",
25 sagte es, und wir beide lachten. „Holla, Bruder, holla, Schwester !" rief der Pferdeknecht, und zwei Pferde, mächtige flankenstarke Tiere, schoben sich hintereinander […] aus dem Türloch. Aber gleich standen sie aufrecht, hochbeinig, mit dicht ausdampfendem Körper[9]. „Hilf ihm", sagte ich, und das willige Mädchen eilte, dem
30 Knecht das Geschirr[10] des Wagens zu reichen.

> Franz Kafka (1883-1924), *Erzählungen*,
> Gesammelte Werke, Schocken Verlag, Berlin
> by permission of Fischer Verlag, Frankfurt

1 **in Verlegenheit sein :**
→ verlegen sein (être embarrassé).
2 **dringend :** urgent.

3 **die Überanstrengung :** le surmenage; → überanstrengt sein; die Anstrengung.
4 **jemandem etwas leihen (ie, ie) :** prêter qqch. à qqn.
5 **zwecklos :** sans savoir que faire.

6 **das Seil (-e) :** la corde.
7 **der Verschlag (⸚e) :** le réduit.

8 **was für Dinge man im eigenen Hause vorrätig hat :** tout ce qu'on peut trouver chez soi;
→ der Vorrat : la réserve, les provisions.
9 **mit dicht ausdampfendem Körper :** le corps tout fumant.
10 **das Geschirr (-e) :** (ici) ·le harnais.

Wie Konrad[1] das Fürchten lernt

Konrad ist im Wald. Pflückt Himbeeren in seinen Hut hinein. Dann findet er noch Pilze[2]. Frühe Pfifferlinge. Am Abend macht er ein Feuerchen, schmort die Pilze in seinem Topf mit dem Stück Butter, das er noch hat. Dazu ißt er Brot.

5 Jetzt donnert es. Fern, dann näher. Der Blitz macht sein Zeichen. So dunkel ist es plötzlich geworden, daß man meinen könnte, es sei Nacht.
Jetzt schlitzt der Blitz wie ein Messer die schwarze Dunkelheit auf. Da sieht Konrad die Umrisse der Hütte.

10 Es ist eine verfallene, schiefe Holzhütte. Konrad kriecht rein, durch Gesträuch durch, hochgewachsenes, trockenes Gras und Unkraut[3]. Er wischt sich die Spinnweben aus dem Gesicht.
Er tastet den Boden ab und macht sich sein Lager. Dann wird's langsam ruhiger. Regnet nur ein bißchen. Und der Wind geht noch.

15 Was das Gewitter angeht[4], könnte Konrad jetzt schlafen. Aber da hört er das andere Geräusch.
Es ist etwas, das er nie zuvor gehört hat. Strenggenommen sind es zwei verschiedene Geräusche, die wohl zusammengehören. So ein Knarren[5] und Ächzen und dann das Klappern. Konrad bemüht sich,

20 nicht hinzuhören. Es schlägt halt was gegen die Wand. Der Wind macht das. Wird er morgen noch früh genug sehen.
Aber es ist gar nicht so einfach, einzuschlafen bei diesem Ächzen, Klappern und Knarren. In der Nacht dringt es Konrad bis in die Träume hinein.

25 Am Morgen fühlt sich Konrad nicht wohl. Und noch ehe er die Augen aufschlägt, fällt es ihm ein. Er horcht. Nichts. Nur die Vögel zwitschern draußen.
Er gräbt den Kopf noch mal in sein Bündel[6]. Hustet den Morgenhusten. Dann will er es aber wissen. Er macht die Augen auf. Im

30 selben Moment weiß er es, springt hoch.
Da hängt nämlich einer. In der Ecke hängt einer. Hat sich da aufgehängt. Nicht gestern und nicht vorgestern. Der muß schon Jahre da hängen. Ist kein Fleisch mehr dran, nur die Knochen und ein paar Fetzen von den Kleidern.

35 Das war mal ein Mann. Was von ihm übrig ist, hat heute nacht an die Wand geklopft. Auf einmal spürt Konrad das Gruseln, das Grausen.
Konrad reißt sein Zeug an sich und macht, daß er rauskommt. Rennt und rennt und rennt.

Gina Ruck-Pauquèt,
Ich sage ja nicht, daß ihr leben sollt wie ich

1 **Konrad :** = ein Landstreicher.
2 **der Pilz (-e) :** le champignon;
der Pfifferling (-e) : la girolle.

3 **das Unkraut :** les mauvaises herbes; → Unkraut verdirbt nicht.

4 **was mich angeht :** was mich betrifft : en ce qui me concerne.

5 **das Knarren :** le craquement;
das Ächzen : le crissement;
das Klappern : le claquement.

6 **das Bündel (-) :** le balluchon
→ binden.

Die Sonnenrosen des Herrn S.

Herr Seffrin wohnte schon ein paar Jahre etwas außerhalb unserer Stadt, als ich das Nachbarhaus mietete. [...]

Wir grüßten uns, sprachen gelegentlich auch ein
5 paar belanglose Worte miteinander. [...]
Wir waren beide Junggesellen und fanden keinen Grund, uns zu befreunden.

Dem Augenschein nach[1] mußte Herr Seffrin in einem gewissen Wohlstand leben, ich sah ihn
10 keinem Gewerbe und keinem Beruf nachgehen, es sei denn[2], daß er gelegentlich Früchte aus seinem Garten verkaufte, doch erschien mir dies eher eine Laune[3] als eine Notwendigkeit. Das Merkmal seines Gartens waren kleine Beete[4],
15 auf denen er Sonnenrosen züchtete, Sonnenrosen ganz besonderer Art[5], mit blutroten Blättern, leuchtend wie Sonnen beim Untergang, wenn ein Unwetter aufzieht, riesenhafte Sonnen, wie ich sie in dieser Vollkommenheit noch
20 nie gesehen hatte. Immer wieder legte er neue Beete an, im Geviert, nur wenig mehr als zwei Meter in der Länge und einen Meter in der Breite. Eine zweite Gewohnheit meines Nachbarn möchte ich gleich hier aufzeichnen, da sie
25 eine wichtige Rolle spielen wird : Herr Seffrin sammelte Teppiche, besonders schöne und antike Stücke. [...]

Wir lebten fast zwei Jahre nebeneinander, ohne daß sich irgend etwas in unseren Häusern er-
30 eignete, das des Erzählens wert wäre. Gelegentlich sah ich einen Besucher in das Haus meines Nachbarn gehen, Männer, die ich nicht kannte und die auch nicht aus unserer Stadt schienen, denn manchmal fragten sie mich am Garten-
35 zaun nach dem Weg. [...] Und erst am nächsten Morgen sah ich Herrn Seffrin wieder in seinem Garten arbeiten und ein neues Sonnenrosenbeet anlegen.

Der Zufall spielte mir eines Tages einen offe-
40 nen Brief zu, als Geschäftspapiere bezeichnet, der versehentlich[6] in meine Post geraten und an Herrn Seffrin adressiert war. Ich fand die Rechnung einer großen süddeutschen Zeitung darin für ein sechsmal in Monatsfolge eingerücktes
45 Inserat : „Echte Orientteppiche, Sammlerstücke, weit unter Preis nur gegen bar[7] abzugeben, Chiffre[8]...“

Ich grübelte nicht lange darüber nach, sondern benutzte die Gelegenheit, als ich den Brief hinü-
50 bertrug, ihn darum anzusprechen. Nein, sagte er überraschend heftig, er verkaufe keine Teppiche, die Sache mit dem Inserat beruhe auf einem Irrtum. Ich gab so leicht nicht nach[9] und wiederholte meinen Wunsch und deutete auf einen
55 Wandteppich mit ländlichen Szenen, für den ich jederzeit bereit wäre, ein Vermögen zu zahlen. Er sah mich eine Weile stumm von der Seite an, dann fragte er heiser :
„Würden Sie den Teppich in bar bezahlen?“
60 „Natürlich. Wenn Sie es wünschen?“
Er nannte einen Preis, der durchaus human war. Aber er wiederholte seine Bedingung, daß der Kauf Zug um Zug[10] gehen müsse, in bar auf den Tisch, es wäre am besten, ich käme heute
65 abend auf ein Glas Wein zu ihm herüber, um das Geschäft perfekt zu machen. Ich könnte dann den Teppich gleich mitnehmen, aber wie gesagt – Zug um Zug !
Herr Seffrin empfing mich am Abend mit einer
70 Gastfreundschaft, wie ich sie nicht vorausgesehen hatte. Er hatte den Tisch festlich gedeckt, Kerzen brannten und er wies mir einen Stuhl an, von dem aus ich den Wandteppich unmittelbar vor mir hatte. Ich dankte ihm für die Auf-
75 merksamkeit, er hob den kostbaren Pokal mit dem roten Wein und deutete mir an, es ihm gleichzutun.
„Ich hoffe, den richtigen Burgunder für diese Stunde gefunden zu haben“, sagte er ein wenig
80 feierlich, „ich nehme an, Sie haben das Geld bei sich.“
„Ja. Einen Scheck auf meine Bank.“
Er ließ den Pokal sinken.
„Einen Scheck?“
85 „Ja.“
„Wir hatten bares Geld vereinbart ![11]“ sagte er scharf und sprang auf, „ich konnte annehmen, daß Sie sich an unsere Vereinbarung halten !“
Damit griff er zornig nach meinem Glas, riß es
90 mir aus der Hand und schleuderte es so heftig zu Boden, daß es zerklirrte. Er war mit eins so verwandelt, wie ich ihn noch nie gesehen hatte.
„Sie haben Ihre Chance verpaßt, mein Herr ! Betreten Sie in Zukunft mein Haus nicht mehr !
95 Guten Abend !“ (...)

---

1 **dem Augenschein nach :** selon toute apparence, apparemment.
2 **es sei denn, daß... :** si ce n'est que...
3 **die Laune (-n) :** (ici) le caprice; → launenhaft.
4 **das Beet (-e) :** le parterre, la plate-bande.
   ein Beet an/legen : aménager un parterre.
5 **die Art (-en) :** (hier) die Sorte.
6 **versehentlich :** aus Versehen : par erreur.

7 **gegen bar :** comptant;
8 **die Chiffre (-n) :** → unter der Chiffre... : unter der Nummer...
9 **nach/geben (a, e) :** céder, capituler;
10 **Zug um Zug :** donnant, donnant.
11 **etwas vereinbaren :** convenir de qqch.;
   → die Vereinbarung (-en) : l'accord.

Es ist jetzt eigentlich nichts mehr zu berichten bis auf die Tatsache, daß einige Monate später zwei Herren der Kriminalpolizei bei mir erschienen, um mich in der Mordsache Seffrin zu 100 vernehmen. Herr Seffrin hatte durch Inserate, die er in verschiedenen großen Zeitungen aufgab, Interessenten für Teppiche in sein Haus gelockt und sie während der Kaufverhandlung durch vergifteten Wein ermordet und beraubt. 105 Man fand über zwanzig Leichen in seinem Garten vergraben. Sie lagen unter kleinen Blumenbeeten, im Geviert, zwei Meter lang, einen Meter breit. Auf diesen Beeten blühten Sonnenrosen.

Jo Hanns Rösler, Beste Geschichten,
F.A. Herbig Verlagsbuchhandlung, München, 1974

✳ Ein unheimlicher[1] Landgasthof oder Das Geheimnis des Eiskellers

Der Ich-Erzähler und seine Frau Vera sind seit acht Stunden unterwegs. Sie müssen ihre Fahrt unterbrechen und in einem abgelegenen Gasthof übernachten.

Die Wirtin kam mit unserem Essen aus der Küche. Sie balancierte ein riesiges Tablett um den Tresen[2] herum, versetzte der Katze einen gezielten Fußtritt und erreichte keuchend unseren 5 Tisch.
Es schmeckte ausgezeichnet, aber es war einfach zuviel für uns. Zum Glück half uns der Rotwein. Bei der dritten Karaffe stellte Vera plötzlich fest, daß sie kalte Füße hatte. Nicht nur 10 kalte Füße – ausgesprochene Eisbeine!
Sie übertreibt[3] grundsätzlich. Ich deutete auf den gewaltigen Kachelofen.
Aber – auf einmal hatte ich auch kalte Füße. Ich bückte mich und fühlte die Holzbohlen[4] an. Eis-15 kalt.
„Ist was?" Der Wirt schlurfte langsam heran.
„Der Fußboden – er ist schrecklich kalt!"
„Ja...", sagte er gedehnt, „da kann man nichts machen. Da drunten – da drunten ist nämlich 20 unser Eiskeller. Aber ich kann noch eine Karaffe Wein bringen, dann spüren Sie die Kälte gar nicht mehr."
„Und oben im Zimmer", warf seine Frau hastig ein, „da ist es ja sowieso warm, weil es direkt 25 über der Küche liegt." [...]
„Wozu brauchen Sie denn einen so riesigen Eiskeller?"
Der Wirt blickte seine Frau an. [...]
„Aber warum..."
30 Er schien immer noch unschlüssig[5]; immer noch sah er zu seiner Frau hinüber.
Sie nickte.

„Ja, also..."
„Ja?"
35 „Wenn Sie mit dem Essen fertig sind..."
„Wir sind fertig."
Umständlich[6] nestelte er ein Schlüsselbund aus der Hosentasche.
„Kommen Sie."
40 Er ging voraus. Aus der Wirtsstube, durch den Flur, eine krumme Stiege hinunter. Vor einer dicken Metalltür blieben wir stehen...
„Machen Sie schon auf!" Ich wurde ungeduldig.
45 An dem großen Schlüsselbund war ein winzig kleiner Schlüssel, der in ein ebenso winziges Loch paßte, ein Tresor[7]-Schlüsselloch. Ein Eiskeller, verschlossen wie eine Schatzkammer. Ein tiefgekühlter[8] Sesam, der sich nun öffnete.
50 Lautlos glitt die Tür zurück. Der Wirt drückte auf einen Knopf; Neonröhren flammten auf. Vor uns lag ein langgestreckter Raum in gleißendem Licht.
Vera und ich blieben stehen.
55 Keiner von uns spürte die beißende Kälte.
Wir starrten die Wände dieses unheimlichen Eiskellers an.
Dort – nebeneinander, hochaufgerichtet – lehnten Menschen. Tiefgefrorene, guterhaltene, 60 nackte Menschen. Männer, Frauen und Kinder. Ihre Augen waren geschlossen, die Hände angelegt.
„Sie schlafen", flüsterte der Wirt, „wir dürfen sie nicht aufwecken. Kommen Sie!" [...]
65 Vera zitterte vor Kälte, doch sie schien es nicht zu spüren. Ihre Augen waren weit aufgerissen.

Helmut M. Backhaus,
aus : Das Stundenglas und andere unheimliche Geschichten

---

1 **unheimlich** : étrange et inquiétant.
2 **der Tresen (-)** : le comptoir; → **die Theke.**
3 **übertreiben (ie, ie)** : exagérer; → **die Übertreibung.**
4 **die Holzbohle (-n)** : (ici) la lame de parquet.
5 **unschlüssig sein** : être indécis.

6 **umständlich** : (hier) langsam.
7 **der Tresor (-e)** : le coffre-fort;
  die Schatzkammer (-n) : (ici) la caverne aux trésors.
8 **tiefgekühlt, tiefgefroren** : surgelé.

Fragen

I Zum Textverständnis

A. Die Personen

1. Wer führt in diesem Gasthof das Regiment?
Belegen Sie Ihre Antwort mit Textstellen.
2. **a)** Analysieren Sie das Verhalten des Wirtes und der Wirtin.
   b) Inwiefern wirkt dieses Verhalten unheimlich?
   c) Inwiefern ist der Wirt ein Außenseiter oder ein Sonderling?

B. Die Atmosphäre im Wirtshaus

1. **a)** Welche Atmosphäre herrscht in diesem Wirtshaus?
   b) Welche Wörter, bzw. Textstellen tragen dazu bei, diese Atmosphäre zu veranschaulichen?
2. Wie wirkt diese Atmosphäre auf die Gäste?

II Zur Stellungnahme

1. Wie sind Ihrer Meinung nach die „tiefgefrorenen Menschen" in diesen Keller gekommen?
2. Wie könnte die Geschichte weitergehen?

III Zum Wortschatz

Beispiel : Vera tremblait <u>de</u> froid = Vera zitterte <u>vor</u> Kälte
Übersetzen Sie nach obigem Beispiel :

1. Elle tremblait de peur.   : _____

2. Il pleurait de rage.   : _____

3. Je meurs de curiosité.   : _____

4. Ils mouraient d'ennui.   : _____

IV Zum Übersetzen

1. **a)** Bei der dritten Karaffe stellte Vera fest, daß sie kalte Füße hatte. (Z. 8-9) **b)** Wenn Sie mit dem Essen fertig sind. (Z. 35) **c)** Ich wurde ungeduldig. (Z. 43-44).
2. **a)** Il se pencha pour toucher de la main les lames du parquet. **b)** La chambre était située juste au-dessus de la cuisine.

Märchen von einem, der auszog, das Fürchten zu lernen

1 **aus/ziehen (o, o) :** (ici) partir, s'en aller.
2 **gescheit :** intelligent.
3 **begreifen (i, i) :** verstehen (a, a).
4 **mit jemandem seine Last haben :** avoir bien du mal avec qqn.
5 **seufzen :** soupirer; **jemandem seine Not klagen :** confier ses soucis à qqn.; **jammern :** gémir.
6 **der Küster (-) :** le sacristain; **die Glocke läuten :** sonner la cloche; **das Glockenseil :** la corde de la cloche.
7 **Wenn's weiter nichts ist... :** Si ce n'est que cela...
8 **der ehrliche Kerl :** l'honnête homme ≠ **der Spitzbube (-n) :** le coquin.
9 **es ist vergeblich :** cela ne sert à rien.
10 **einen Anlauf nehmen (a, o) :** prendre son élan.
11 **ein Unglück an/richten :** causer un malheur.
12 **jemanden aus/schelten (a, o) :** gronder qqn.
13 **ein gottloser Streich :** un tour pendable.

Ergänzen Sie den Text mit den untenstehenden Wörtern und Ausdrücken.

Dieses Märchen _____ einen Jungen, der sehr dumm war. Er wollte _____ lernen,

denn er glaubte, daß er damit _____ könnte. „Das kann' er bei mir lernen", sagte

einmal _____ zum Vater des Jungen. Und so nahm der Küster den Jungen ins Haus.

Nach ein paar Tagen _____ der Küster den Jungen um Mitternacht und _____ ihm,

in den Kirchturm zu steigen und _____ .

Der Küster ging _____ voraus. Als der Junge nun oben war und _____ , sah er eine

weiße Gestalt, die er _____ .

Da die weiße Gestalt auf seine Fragen keine Antwort gab, _____ und stieß das

Gespenst die Treppe hinab. Dann läutete er die Glocke, ging heim und _____

_____ .

Die Küstersfrau fand ihren Mann, der unten im _____ lag und jammerte, weil er

_____ . Als der Vater dies erfuhr, schalt er den Jungen wegen _____ aus.

---

der Kirchturm - der Küster - befehlen - einen Anlauf nehmen - heimlich - berichten über - sich ein Bein brechen - wecken - das Gruseln - für einen Spitzbuben halten - sich ins Bett legen - sein Brot verdienen - die Glocke läuten - der gottlose Streich - sich umdrehen.

44

Ein Passagier zu seinem Nachbar :

„Haben Sie das hier gelesen? Die Zeitung berichtet über ein weiteres Flugzeugunglück."

„Ja, ich habe es gesehen. Wir stehen auf der Liste der Toten."

Reinhard Federmann, *ibid.*

Der Schloßherr :

„Wie finden Sie das Schloß? Sie haben es jetzt gesehen."

Der Millionär :

„Einfach fabelhaft !"

Der Schloßerr :

„Wollen Sie es nun kaufen?"

Der Millionär :

„Ich würde es ja ganz gern kaufen, aber es soll hier spuken !"

Der Schloßherr :

„Wer hat Ihnen denn das erzählt? Ich habe noch kein Gespenst gesehen, und ich wohne schon über zweihundert Jahre hier."

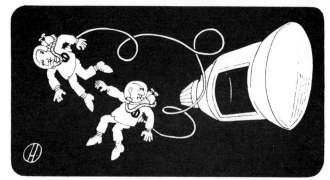

Zeichnung: Harald R. Sattler

GRAMMAIRE / FAISONS LE POINT

1   La transformation infinitive de la complétive
Transformez les déclaratives ci-dessous selon les exemples :

Ex. : **1.** Ich finde den richtigen Wein. (Ich hoffe...)
→ Ich hoffe, daß ich den richtigen Wein finde.
→ Ich hoffe, den richtigen Wein zu finden. *(infinitif I)*

2. Ich habe den richtigen Wein gefunden.
→ Ich hoffe, daß ich den richtigen Wein gefunden habe.
→ Ich hoffe, den richtigen Wein gefunden zu haben. *(infinitif II)*

N.B. La transformation infinitive n'est possible que si le sujet de ces deux propositions est identique.

1. Ich bekomme heute abend ein gutes Essen. (Ich hoffe...)
2. Konrad hat den Weg zur alten Hütte gefunden. (Konrad ist froh...)
3. Er hat zwei verschiedene Geräusche gehört. (Er glaubt...)
4. Etwas schlägt gegen die Wand. (Er glaubt...)

2   La dépendante infinitive avec um, anstatt, ohne (AG, p. 247)

a/ *Complétez les phrases ci-dessous à l'aide de ces éléments :*

1. Das Mädchen lief im Dorf umher, (...) ein Pferd für den Landarzt zu suchen.
2. Konrad verließ die verfallene Hütte, (...) zurückzuschauen.
3. (...) seinem Vater zu helfen, spielte der Junge den ganzen Tag Geige.

b/ *Répondez aux questions en utilisant la proposition indiquée entre parenthèses en reliant les deux propositions, selon le cas, par* **um... zu** *ou par* **ohne... zu** :

1. Wozu trat der Landarzt in den Stall? (Er sah nach, was es noch darin gab.)
2. Wie verließ der Taugenichts das Elternhaus? (Er sagte kein einziges Wort.)
3. Wozu ging der Erzähler zu seinem Nachbarn? (Er wollte einen Orientteppich kaufen.)
4. Wozu kamen zwei Herren der Kriminalpolizei zu ihm? (Sie wollten ihn in der Mordsache vernehmen.)

c/ *Réunissez les deux propositions à l'aide de* **um... zu, anstatt... zu** *ou de* **ohne... zu** :

1. Der arme Mann verkaufte seinen Schatten. Er dachte nicht an die Konsequenzen.
2. Der Taugenichts lief noch einmal ins Haus hinein. Er holte seine Geige.
3. Der Landstreicher machte sich auf den Weg. Er wollte seine Heimat noch einmal besuchen.
4. Der Landarzt wollte wegfahren. Er wollte einen Schwerkranken besuchen.

3   La dépendante de conséquence (AG, p. 223)

Reliez les deux propositions par **so... daß** :

Ex. : Der Wind war so stark. Der Wanderer kam nicht vorwärts.
→ Der Wind war so stark, daß der Wanderer nicht vorwärts kam.

1. Das Geräusch war leise. Man hörte es kaum.
2. Konrad lief schnell. Er verlor fast sein Bündel.
3. Er hustete. Man könnte meinen, er sei krank.
4. Der Mann ohne Schatten war enttäuscht. Er weinte heftig.

4 *Complétez à l'aide d'une des prépositions suivantes :* **auf, aus, in, nach, zu** (AG, p. 236) :

1. Der Kranke wartet ungeduldig (...) den Arzt.   **2.** Der Bettler wischt sich den Staub (...) den Augen.   **3.** Warum wohnen Sie lieber (...) der Stadt als (...) dem Land?   **4.** Der Nachbarn verkauft Gemüse (...) seinem Garten.   **5.** (...) dem Unterricht gehe ich sofort (...) Hause.   **6.** Abends bleibe ich gern (...) Hause.

5 *Traduisez les phrases ci-après :*

1. Pourquoi le malade se sent-il mieux (sich wohler fühlen), lorsqu'il aperçoit le médecin?   **2.** Je suis prêt à payer une fortune (das Vermögen) pour ce tapis d'Orient.   **3.** Le clochard était si effrayé (erschrocken) qu'il quitta la hutte sans plus attendre.

4. RITTER, TOD UND TEUFEL

Habt ihr nicht von jenem tollen Menschen gehört,
der am hellen Vormittage eine Laterne anzündete,
auf den Markt lief und unaufhörlich schrie:
„Ich suche Gott! Ich suche Gott!"

(F. Nietzsche)

Wir haben's schwer.
Denn wir wissen ungefähr,
woher,
jedoch die Frommen
wissen gar, wohin wir kommen!
Wer glaubt, weiß mehr.   (E. Kästner)

Albert Dürer,
Ritter, Tod und Teufel
© Hachette

Wer glaubt noch an den lieben Gott?

54 %	hoffen auf ein Leben nach dem Tod
46 %	fürchten das Jüngste Gericht
69 %	bekennen sich zu Gott
79 %	zweifeln an der Hölle

Quick, Nr. 48 (1977)

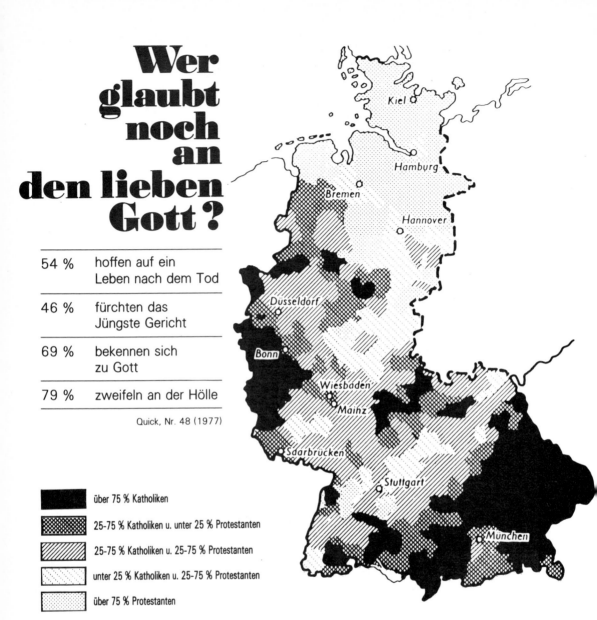

über 75 % Katholiken

25-75 % Katholiken u. unter 25 % Protestanten

25-75 % Katholiken u. 25-75 % Protestanten

unter 25 % Katholiken u. 25-75 % Protestanten

über 75 % Protestanten

Religionen in Zahlen (1978)

	BRD	DDR	ÖSTERREICH	SCHWEIZ
Einwohnerzahl	61.310 000	16.760 000	7.510 000	6.340 000
Protestanten	51 %	49,5 %	6 %	55 %
Katholiken	44 %	7,5 %	88 %	43 %

Woran die Deutschen glauben

**Gibt es Engel und
ein Leben nach dem Tod,
Wunderheiler und Teufel?
Die Antworten auf diese Glaubensfragen sind
reichlich verblüffend**

100 000 MAL „EXISTIERT GOTT?"

44 Prozent der Deutschen glauben nicht an ein Jenseits[1] nach dem Tod.
Aber rund 88 Prozent der Bevölkerung gehören der katholischen oder
protestantischen Kirche an. Allerdings : Nur wenige von ihnen lassen
sich sonntags regelmäßig in der Kirche sehen. Richtig „fromm" werden
sie erst bei ihrer Hochzeit : In der evangelischen Kirche zum Beispiel
lassen sich siebzig Prozent der Paare kirchlich trauen[2]. In den letzten
Jahren sind viele, vor allem wegen der Kirchensteuer[3], aus der Kirche
ausgetreten. Inzwischen hat sich die Austrittswelle abgeschwächt. Die
Kirche gewinnt an Boden – nicht zuletzt auch dank einer engagiert-kri-
tischen Jugend. Gleichzeitig wächst das Interesse an religiösen Themen,
nicht nur bei kirchlich-traditionellen Veranstaltungen wie zum Beispiel
der Fronleichnams-Prozession auf dem bayrischen Staffelsee – auch
theologische Bücher, die früher in kleinen Fachverlagen[4] verkümmert[5]
wären, werden heute zu Bestsellern. Hans Küng zum Beispiel erreichte
mit seinem Buch „Existiert Gott?" eine Erstauflage von 100 000 Exemplaren.

Scala, Nr. 5/6 (1979)

1 **das Jenseits :** l'au-delà.
2 **ich lasse mich kirchlich
trauen :** je me marie à
l'église.
3 **die Kirchensteuer :** « l'im-
pôt d'église ».
4 **der Verlag(-e) :** la maison
d'édition;
die Auflage (-n) : le
tirage.
5 **verkümmern :** (ici) moisir

	Männer/Frauen glauben		Männer/Frauen bezweifeln		Männer/Frauen bestreiten	
Gott lebt	46	57	25	22	28	19
Es gibt Engel	14	23	27	23	57	51
Es gibt einen Teufel	16	20	25	26	59	52
Es gibt Menschen, die vom Teufel besessen sind	16	20	26	30	58	50
Es gibt Menschen mit übersinnlichen Kräften	37	46	38	33	24	20
Es gibt Menschen, die Gedanken lesen können	46	59	34	26	21	15
Es gibt Menschen, die die Zukunft vorhersagen können	29	54	41	32	30	14
Es gibt Menschen, die Wunder tun können	18	30	35	37	46	31
Es gibt ein Leben nach dem Tod	31	42	33	32	34	26
Nach dem Tod sieht man früher Verstorbene wieder	15	25	28	31	56	44
Es gibt Menschen, die mit Toten in Verbindung treten können	11	16	28	37	60	47
Es gibt Ufos	23	23	44	38	33	38

So viel Prozent

© Burda GmbH/Bunte, Nr. 36 (1978)

Der Acterman.

HOLBEIN,
Totentanz

Der Edelman.

Hachette / B.N.

Der Ritter.

50

ZUR DISKUSSION

GOTT IST WIEDER „IN"

Was meinen Sie dazu?

WIE IST DIE WELT ENTSTANDEN?
WIE IST DAS LEBEN AUF DER WELT ENTSTANDEN?

Ist das Leben durch Zufall und Notwendigkeit aus toter Materie entstanden?
Woher kam diese Materie?
Brauchte das Leben einen Gott, einen Schöpfer?

GIBT ES EIN LEBEN NACH DEM TOD?
WAS KOMMT NACH DEM TOD?

Das Nichts oder das ewige Leben? Das Paradies oder die Hölle?
„Die Wissenschaft hat festgestellt, daß nichts spurlos verschwinden kann. Die Natur kennt keine Vernichtung, sondern nur Verwandlung, und alles, was Wissenschaft mich lehrte und noch lehrt, stärkt meinen Glauben an ein Fortdauern unserer geistigen Existenz über den Tod hinaus", hat Wernher von Braun einmal gesagt. (Bunte, *Nr. 25/1978*)

BETEN – WAS IST DAS?

Beten ist nichts anderes als Meditation und Reflexion.
Beten ist Gespräch, Kommunikation mit Gott.
Beten? Ich weiß nicht, was das ist.

„Glaubst du an Gott?"

*Fausts beständiger Umgang mit dem zynischen Mephisto
beunruhigt Gretchen. Nun will das fromme Mädchen
wissen, ob Faust selbst kein gottloser Mensch sei.*

*Faust und Gretchen vor dem Dom
von Gustav Heinrich Näke
Goethe Museum Düsseldorf*

Margarete : Nun sag, wie hast du's mit der Religion?
Du bist ein herzlich guter Mann,
Allein ich glaub', du hältst nicht viel davon[1].

Faust : Laß das, mein Kind! Du fühlst, ich bin dir gut :
5 Für meine Lieben ließ' ich Leib und Blut,
Will niemand sein Gefühl und seine Kirche rauben.

Margarete : Das ist nicht recht, man muß dran glauben!

Faust : Muß man?

Margarete :   Ach! wenn ich etwas auf dich könnte![2]
10 Du ehrst[3] auch nicht die heil'gen Sakramente.

Faust : Ich ehre sie.

Margarete :   Doch ohne Verlangen.
Zur Messe, zur Beichte bist du lange nicht gegangen.
Glaubst du an Gott?

15 *Faust :*   Mein Liebchen, wer darf sagen :
Ich glaub' an Gott?
Magst Priester oder Weise[4] fragen,
Und ihre Antwort scheint nur Spott
Über den Frager zu sein.

20 *Margarete :*   So glaubst du nicht?

Faust : Mißhör[5] mich nicht, du holdes Angesicht!
Wer darf ihn nennen?
Und wer bekennen :
„Ich glaub' ihn"!

Johann Wolfgang von Goethe (1749-1832), *Faust I*

---

1 **von etwas nicht viel halten (ie, a) :** keinen großen Wert auf
   etwas legen : ne pas faire grand cas de qqch.
2 **wenn ich etwas auf dich könnte :** wenn ich dich beein-
   flussen könnte : si je pouvais avoir quelque influence sur toi.
3 **du ehrst nicht die heiligen Sakramente :** tu ne fréquentes
   pas les sacrements.
4 **der Weise (-n) :** le sage; → weise; die Weisheit.
5 **jemanden mißhören :** jemanden falsch verstehen.

Und sie sprachen miteinander

„Was für ein schlechter Kerl bin ich gewesen!" fing Knulp wieder zu klagen an.

Aber Gott ließ ihn nicht weiterreden.

Siehst du denn immer noch nicht, du Kindskopf,
5 was der Sinn von dem allen war? Siehst du nicht, daß du deswegen ein Leichtfuß[1] und ein Vagabund sein mußtest, damit du überall ein Stück Kindertorheit und Kinderlachen hintragen konntest? Damit überall die Menschen dich ein wenig lieben und
10 dich ein wenig hänseln und dir ein wenig dankbar sein mußten?"

„Es ist am Ende wahr", gab Knulp nach einigem Schweigen halblaut zu. „Aber das ist alles früher gewesen, da war ich noch jung! Warum hab ich
15 aus dem allen nichts gelernt und bin kein rechter Mensch geworden? Es wäre noch Zeit gewesen."

Es gab eine Pause im Schneefall. Knulp rastete wieder einen Augenblick und wollte den dicken Schnee von Hut und Kleidern schütteln. Aber er kam nicht
20 dazu, er war zerstreut und müde, und Gott stand jetzt nahe vor ihm, seine lichten Augen waren weit offen und strahlten wie die Sonne.

„Nun sei einmal zufrieden", mahnte Gott, „was soll das Klagen nützen? Kannst du wirklich nicht sehen,
25 daß alles gut und richtig zugegangen ist und daß nichts hätte anders sein dürfen? Ja, möchtest du denn jetzt ein Herr oder ein Handwerksmeister sein und Frau und Kinder haben und am Abend das Wochenblatt lesen? Würdest du nicht sofort wieder
30 davonlaufen und im Wald bei den Füchsen[2] schlafen und Vogelfallen[3] stellen und Eidechsen zähmen?"

Wieder fing Knulp zu gehen an, er schwankte vor Müdigkeit und spürte doch nichts davon. Es war
35 ihm viel wohler zumute geworden, und er nickte dankbar zu allem, was Gott ihm sagte.

„Sieh", sprach Grott, „ich habe dich nicht anders brauchen können, als wie du bist. In meinem Namen bist du gewandert und hast den seßhaften
40 Leuten immer wieder ein wenig Heimweh nach Freiheit mitbringen müssen. In meinem Namen hast du Dummheiten gemacht und dich verspotten lassen; ich selber bin in dir verspottet und bin in dir geliebt worden. Du bist ja mein Kind und ein Bruder
45 und ein Stück von mir, und du hast nichts gekostet[4] und nichts gelitten, was ich nicht mit dir erlebt habe."

„Ja", sagte Knulp und nickte schwer mit dem Kopf.

„Ja, es ist so, ich habe es eigentlich immer ge-
50 wußt."

Er lag ruhend im Schnee, und seine müden Glieder waren ganz leicht geworden, und seine entzündeten Augen lächelten.

Und als er sie schloß, um ein wenig zu schlafen,
55 hörte er noch immer Gottes Stimme reden und sah noch immer in seine hellen Augen.

„Also ist nichts mehr zu klagen?" fragte Gottes Stimme.

„Nichts mehr", nickte Knulp und lachte schüchtern[5].
60 „Und alles ist gut? Alles ist, wie es sein soll?"

„Ja", nickte er, „es ist alles, wie es sein soll."

Gottes Stimme wurde leiser und tönte bald wie die seiner Mutter

H. Hesse (1877-1962), *Knulp*,
Suhrkamp Verlag, Frankfurt/Main, 1949

---

1 **der Leichtfuß ((ᵘe)** : la tête de linotte.
2 **der Fuchs (ᵘe)** : le renard; **die Eidechse (-n)** : le lézard; **ein Tier zähmen** : apprivoiser un animal.

3 **die Vogelfalle (-n)** : le piège à oiseaux.
4 **kosten** : (hier) genießen (o, o).
5 **schüchtern** : timide; → die Schüchternheit.

Reklame

Wohin aber gehen wir
ohne sorge sei ohne sorge
wenn es dunkel und wenn es kalt wird
sei ohne Sorge
5 aber
mit musik
was sollen wir tun
heiter und mit musik
und denken
10 *heiter*
angesichts eines Endes[1]
mit musik
und wohin tragen wir
am besten
15 unsre Fragen und den Schauer[2] aller Jahre
in die Traumwäscherei[3] ohne sorge sei ohne sorge
was aber geschieht
am besten
wenn Totenstille

20 eintritt

Ingeborg Bachmann (1926-1973),
aus *Gedichte, Erzählungen, Hörspiele, Essays,*
R. Piper & Co Verlag, München, 1964

---

1 **angesichts eines Endes :** face à la mort.
2 **der Schauer aller Jahre :** l'angoisse de toute une vie.
3 **die Traumwäscherei :** « la laverie du rêve ».

Das letzte Gespräch

Aus Angst vor der Strafkompanie desertiert Baranowski mit Hilfe einer Ukrainerin namens Ljuba; drei Wochen später wird er wieder eingefangen. Der Militärgeistliche Goes soll hier den Deserteur auf die Erschießung vorbereiten.
Die Szene spielt in einem Militärgefängnis an der Ostfront im Jahre 1942.

„Los", hörte ich jetzt den Feldwebel[1] sagen, „machen Sie die Decken zurecht[2]." Dann trat er einen Schritt zur Tür her und rief mich. „Bitte, Herr Pfarrer."

5 Die Tür schloß sich hinter mir. Baranowski sah mich starr und ungläubig an, er vergaß die Ehrenbezeigung.

„Sie können sich nicht denken, warum ich zu so früher Stunde noch einmal komme?"

10 „Ist es wegen des Todesurteils?"

„Ja."

„Ist mein Gnadengesuch[3] abgelehnt worden?"

„Ja."

„Und wann komme ich dran?"

15 „Heute."

„Heute… wann?"

„In einer Stunde."

„Und wo?"

„Hier, vor der Stadt draußen."

20 „Werde ich geköpft?"

„Aber nein, Sie sind doch Soldat, Baranowski."

„Also eine Kugel."

„Ja."

„Herr Gott… und das Gnadengesuch ist abge-
25 lehnt worden."

Pause. Ich setze mich auf den Stuhl in der Zelle, den einzigen Stuhl, und rücke den Tisch so, daß auch Baranowski an ihm sitzen kann, wenn er auf seiner Pritsche Platz nimmt. Die Kerze
30 erhellt nur eben gerade den kleinsten Kreis. Ich öffne mein Zigarettenetui, biete Baranowski an
35 und nehme selbst. Ich gebe ihm die Kerze als Feueranzünder. Eine vorzügliche Einrichtung[4], das Rauchen. Es geschieht etwas dort, wo es unerträglich sein würde, wenn nichts geschähe.

„Nur weil man auch einmal ein paar Wochen
40 lang ein Mensch sein wollte, muß man jetzt dran glauben[5]."

Das war das Stichwort[6]. Mehr : das Thema. War Über- und Unterschrift.

„Ich habe nichts Schlechtes getan, Herr Pastor."

45 Dann, nach einem langen Zug an der Zigarette :

„Aber ich lasse mich nicht in eine Strafkompanie sperren." Es klang, wie wenn er nicht gehört hätte, daß er in einer Stunde allen Kompanien dieser Welt entronnen[7] sein wird.

50 „Da waren zwei in unsrer Einheit, die haben von der Strafkompanie erzählt. So'n Stückchen Brot und Kohlsuppe, Arbeit von halb fünf in der Frühe bis abends um sieben, und bei dem einen Wachtmeister immer im Laufschritt. Da sollen
55 sie einen doch gleich fertig machen."

Er übertrieb[8] nicht. Ich hatte genug Berichte gesammelt, um zu wissen, was Strafkompanie im Jahr neunzehnhundertzweiundvierzig bedeuten konnte. So war es also : die Angst
60 vor dem langsamen Tod hat ihn hierher gebracht, stracks in den schnellen Tod hinein, fünf Uhr fünfundvierzig bei der Kiesgrube[9]. Und da sitze ich nun und soll die letzte Stunde mit ihm

---

1 **der Feldwebel** (-) : l'adjudant;
  der Wachtmeister (-) : (ici) le sous-officier.
2 **die Decken zurecht/machen** : plier les couvertures.
3 **das Gnadengesuch** (-e) : le recours en grâce; → **ein Gnadengesuch ab/lehnen** : rejeter un recours en grâce.
4 **eine vorzügliche Einrichtung** : (ici) une très bonne chose.

5 **dran glauben müssen** (fam.) : y passer.
6 **das Stichwort** (⸗er) : le mot-clef.
7 **jemandem oder einer Sache entrinnen** (a, o) : échapper à qqn ou à qqch.
8 **übertreiben** (ie, ie) : exagérer; → **die Übertreibung.**
9 **die Kiesgrube** (-n) : la carrière de gravier.

teilen, soll dieses letzte Gespräch mit ihm führen. Es war ein Gespräch an der Grenze, und ich trug die Verantwortung dafür, daß es ein richtiges Gespräch wurde. Ich mußte ihm die

65 Freiheit lassen, alles zu sagen, was er wollte, und mußte doch auch wieder das Gespräch in der Hand behalten. Es ging ja um beides : um den Tod und um die Ewigkeit[10]. Tod ist Freiheit, aber Ewigkeit ist Bindung; der Abschied ist ein

70 Schmerz, aber die Ankunft ist das Glück.

„Wir haben noch eine Stunde Zeit miteinander, Kamerad, und es käme darauf an, daß wir die nützen." Ist das ein Anfang? Es ist mehr zu mir selber gesagt.

75 „Könnte ich Ihnen noch einen Wunsch erfüllen[11]? vielleicht schreiben wir miteinander an jemand, der Ihnen lieb ist und den Sie grüßen möchten."
Die Antwort kam nicht gleich. Dann hieß es :

80 „Nein, danke, es ist niemand da."
Jetzt : Wahrheit. Kein Schleichen mehr, keine Winkelzüge[12].
„Ich habe teilweise in den Gerichtsakten[13] gelesen, Baranowski, ich mußte das ja wohl tun."

85 „Ja. Dann wissen Sie ja Bescheid."
„Schon. Aber bei solchen Akten weiß man ja nie, ob sie ein richtiges Bild geben."
„Na, ist ja auch egal, jetzt-"

„Freilich. Ich frage nur : möchten Sie nicht — der

90 Ljuba noch ein Wort schreiben?"
Baranowski schaute auf. Der Name Ljuba hier — in dieser Zelle. Aber gleich irrte der Blick wieder zur Seite, zuletzt heftete er sich an die Kerzenflamme : „Es hat ja keinen Sinn, daß ich schrei-

95 be. Der Brief kommt nicht an."
„Doch."
„Wie?"
„Ich werde dafür sorgen."
„Sie?"

100 „Ja."
(Es ist verboten. Natürlich ist es verboten. Es ist überhaupt verboten, ein Mensch zu sein. Aber es ist der Wille eines Sterbenden, ein Testament. Hol der Teufel diesen Krieg und seine Be-

105 fehle.)
„Haben wir noch Zeit?"
„Ja, gut Zeit."
„Haben Sie Schreibpapier bei sich, Herr Pastor?"
„Hier."

Albrecht Goes (geb. 1908),
Unruhige Nacht,
Friedrich Wittig Verlag,
Hamburg, 1950

---

10 **die Ewigkeit :** l'éternité.
11 **jemandem einen Wunsch erfüllen :** exaucer le vœu de qqn.
12 **kein Schleichen mehr, keine Winkelzüge :** plus d'hésitations, plus de faux-fuyants.
13 **die Gerichtsakten** (Plur.) **:** le dossier judiciaire.

Das Gleichnis von den Arbeitern im Weinberg

DAS Himelreich ist gleich einem Hausvater
der am morgen ausgieng / Erbeiter zu
mieten[1] in seinen Weinberg. Vnd da er mit den
Erbeitern eins[2] ward / vmb einen Grosschen
5 zum Taglohn / sandte er sie in seinen Weinberg. Vnd gieng aus vmb die dritte stunde / vnd
sahe andere an dem Marckte müssig[3] stehen /
vnd sprach zu jnen / Gehet jr auch hin in den
Weinberg / Jch wil euch geben / was recht ist.
10 Vnd sie giengen hin. Abermal gieng er aus /
vmb die sechste vnd neunde stunde / vnd thet
gleich also. Vmb die eilffte stund aber gieng er
aus / vnd fand andere müssig stehen / vnd
sprach zu jnen / Was stehet jr hie den gantzen
15 tag müssig? Sie sprachen zu jm / Es hat vns
niemand gedinget. Er sprach zu jnen / Gehet jr
auch hin in den Weinberg / Vnd was recht sein
wird / sol euch werden.
Da es nu abend ward / sprach der Herr des
20 Weinbergs zu seinem Schaffner[4] / ruffe den Erbeitern / vnd gib jnen den Lohn / Vnd heb[5] an /
an den letzten / bis zu den ersten. Da kamen die
vmb die eilffte stunde gedinget waren / vnd
empfieng ein jglicher seinen Grosschen. Da aber
25 die ersten kamen / meineten sie / sie würden
mehr empfahen / Vnd sie empfiengen auch ein
jglicher seinen Grosschen. Vnd da sie den empfiengen / murreten sie wider den Hausvater /
vnd sprachen / Diese letzten haben nur eine
30 stunde geerbeitet / Vnd du hast sie vns gleich[6]
gemacht / da wir des tages Last vnd die Hitze
getragen haben.
Er antwortet aber / vnd saget zu einem vnter
jnen / Mein Freund / ich thu dir nicht vnrecht /
35 Bistu nicht mit mir eins worden vmb einen
Grosschen?
Nim was dein ist / vnd gehe hin. Jch wil aber
diesem letzten geben / gleich wie dir. Oder habe
ich nicht macht zu thun / was ich wil / mit
40 dem meinen? Sihestu darumb scheel[7] / Das ich
so Gütig bin?
Also werden die letzten die ersten / Vnd die
ersten die letzten sein. Denn viel sind beruffen /
Aber wenig sind auserwelet.

Arbeiter

um

ihnen ihr

tat

ihnen

jeglicher

empfangen

bist du

Macht
siehst du daß

auserwählt

> D. Martin Luther (1483-1546),
> *Die gantze Heilige Schrift*
> (Euangelium S. Mattheus, 20)

---

1 **jemanden mieten, jemanden dingen :** embaucher qqn.
2 **mit jemandem eins werden :** se mettre d'accord avec qqn.
3 **müßig stehen :** nichts tun.
4 **der Schaffner (-) :** (ici) l'intendant.
5 **an/heben (u, o)** (veraltet) : beginnen (a, o).
6 **du hast sie uns gleich gemacht :** tu les as traités exactement comme nous.
7 **scheel sehen (a, e) :** être jaloux; regarder d'un mauvais œil.

Eine kleine Muttergottes

1 **Rast machen :** faire une halte.
2 **die Scheune (-n) :** la grange.
3 **jemanden an/starren :** dévisager qqn.
4 **auf Abstand stehen (a, a) :** se tenir à distance.
5 **sich an/stupsen :** se pousser du coude.
6 **der Stiefel (-) :** la botte.
7 **sich hocken :** s'accroupir.
8 **das Bündel (-) :** le balluchon.
9 **extra :** à part.
10 **der Kopf ist ab :** il n'y a plus de tête.
11 **sich etwas aus/denken (a, a) :** imaginer qqch.
12 **jemanden beschützen :** protéger qqn.
13 **seinen Kopf für jemanden hin/halten (ie, a) :** payer de sa tête pour qqn.
14 **nicken :** hocher la tête.

Ergänzen Sie den Text mit den untenstehenden Wörtern und Ausdrücken.

Wenn der Landstreicher Konrad irgendwo _____ , kommen Kinder von überallher und

starren ihn an. Einerseits beneiden sie ihn, weil er frei ist wie _____ . Er braucht

nämlich weder ins Büro noch in _____ zu gehen. Außerdem hat er _____ und kann

gehen, wohin er will. Andererseits aber möchten sie vielleicht doch nicht so sein wie

Konrad, weil er keine Familie, _____ und keine Religion hat.

Nun wollen die Kinder wissen, was Konrad in _____ seiner Jacke habe. „Eine Mutter-

gottes", sagt Konrad, aber das _____ sie nicht. Tatsächlich holt aber Konrad eine

winzige _____ aus der Tasche und _____ sie den Kindern. Es fällt ihnen auf, daß

sie _____ hat. Und nun erzählt Konrad, warum der Kopf ab ist : Im Krieg hat die

Madonna ihren Kopf für ihn _____ . Und wenn sie nicht gewesen wäre, dann wäre er

vielleicht _____ .

Jetzt denken die Kinder, daß Konrad _____ ist, als sie es sich vorgestellt haben. Er hat

zwar kein Haus und keine Familie, aber er hat _____ .

---

tot - die Zeit - anders - glauben - Rast machen - die Religion - die Fabrik - der Kopf - die Madonna -
hinhalten - der Vogel - zeigen - die Tasche - das Haus.

Schmied und Teufel

Wilhelm Busch

Ein kleiner Teufel, bös und frech,
Kommt aus der Hölle, schwarz wie Pech.

Der Schmied tut sich entsatzen,
Der Teufel will ihn kratzen.

Durch eine hohle Tonnen
Ist ihm der Schmied entronnen.

Der Schmied sitzt bei der Schraube,
Der Teufel zupft die Haube.

Der Teufel nähert der Klammer sich:
Ja, siehst du wohl! Da hat er dich!

Er faßt ihn mit der Zange,
Dem Teufel wird es bange.

Er legt ihn über den Amboß quer,
Au, au! Da schreit der Teufel sehr.

Der Schwanz wird abgekniffen.
Der Teufel hat gepfiffen.

Er heult und fährt zur Hölle nieder:
„Das sag' ich meiner Großmutter wieder!!"

GRAMMAIRE / FAISONS LE POINT

1 La dépendante de but (AG, p. 223 et p. 247)

(Elle répond généralement à la question **wozu?** et parfois à la question **warum?**)

a/ *Reliez les deux propositions par* **damit** (= pour que, afin que)

Ex. : Knulp muß als Vagabund leben. So kann er den Leuten ein wenig Heimweh nach Freiheit bringen.
→ Knulp muß als Vagabund leben, damit er den Leuten ein wenig Heimweh nach Freiheit bringen kann.

N.B. La construction infinitive avec <u>um... zu</u> est possible ici, car les deux propositions ont un sujet identique : Knulp muß als Vagabund leben, um... bringen zu können.

1. Ein Clown macht allerlei Faxen. So müssen die Zuschauer lachen. **2.** Der Militärgeistliche gab dem Soldaten Schreibpapier. So konnte dieser einen Brief an seine Geliebte schreiben. **3.** Er versprach, alles zu tun. Der Brief kam an. **4.** Der Vagabund nahm seine Geige und spielte. So konnten die Dorfleute tanzen. **5.** Der arme Schlemihl ging nicht mehr in die Sonne. So merkten die Leute nicht, daß er keinen Schatten hatte. **6.** Der Vater schickte seinen Sohn in die weite Welt. So mußte dieser sich sein Brot selber verdienen.

b/ *Répondez aux questions à l'aide de la proposition donnée entre parenthèses, selon le cas, en dépendante conjonctive avec* **damit**, *ou, si possible, en infinitive avec* **um** :

1. Wozu schließt er die Augen? (Er schläft ein wenig.)
2. Warum desertiert der Soldat Baranowski? (Er kommt nicht in die Strafkompanie.)
3. Wozu geht der Militärgeistliche ins Gefängnis? (Er bereitet den Deserteur auf den Tod vor.)
4. Wozu spricht er so leise? (Niemand kann etwas hören.)

2 La dépendante de comparaison avec wie wenn, als ob, als (= comme si) :

Ex. : Er tat, als ob... (Er hat die Stimme nicht gehört.)
    —→ Er tat, als ob er die Stimme nicht gehört hätte.
    —→ Er tat, als hätte er die Stimme nicht gehört. (als est suivi du noyau verbal)

1. Seine Stimme klingt, als ob... (Er hat Angst.) **2.** Er tat, als ob... (Er hatte die Frage nicht verstanden.) **3.** Er sah aus, als ob... (Er ist schwerkrank.) **4.** Er tat, wie wenn... (Er hat die Akten nicht gelesen.) **5.** Es war, als ob... (Er wollte nichts sagen.) **6.** Er sprach, als ob... (Er hat nichts von der Sache gewußt.) **7.** Er tut, als ob... (Er sieht nichts.)

3 Le participe II à forme d'infinitif (AG, p. 247)

a/ *Mettez les phrases ci-dessous au parfait ou au plus-que-parfait selon que le noyau verbal est au présent ou au prétérit :*

1. Ich sah ihn mit dem Kopf nicken. **2.** Er wollte mich verspotten. **3.** Ich lasse ihn nicht weiterreden. **4.** Ich hörte ihn lachen. **5.** Er darf nicht ausgehen.

b/ *Complétez les amorces de phrases à l'aide des propositions indiquées entre parenthèses que vous mettrez, comme ci-dessus, soit au parfait, soit au plus-que-parfait :*

1. Bist du sicher, daß... (Er kann den Brief schreiben.) **2.** Ich war sicher, daß... (Er wollte nichts Schlechtes tun.) **3.** Sag mir, warum... (Er kann den Schnee nicht mehr von Hut und Kleidern schütteln.) **4.** Weißt du, wie lange... (Er will hier bleiben.)

4 *Traduisez les phrases ci-après :*

a/ **1.** Was für ein schlechter Kerl bin ich gewesen! **2.** Es war ihm viel wohler zumute geworden. **3.** Ich habe genug gehört, um zu wissen, was eine Strafkompanie ist.
b/ **1.** Il fit semblant (tun, als ob...) de n'avoir pas compris ce que j'avais voulu dire. **2.** J'ai apporté du papier pour que tu puisses écrire une lettre. **3.** Qu'aurais-tu fait à ma place (an meiner Stelle)?

5. HINAUS IN DIE FERNE!

I. O Wan-dern Wan-dern mei-ne Lust, O Wan-dern Wan-dern mein-ne Lust, O Wan - dern!

(Wilhelm Müller)

Sonntagsausflug

Sonntagsausflug um die Jahrhundertwende

Ullstein Bilderdienst

Unter den vielen Berliner Ausflugslokalen gab es nicht wenige, die mit dem Schild „Hier können Familien Kaffee kochen" eine Menge sparsamer Familien anlockten : Hier durfte man, an des Gastwirts Tischen sitzend, die mitgebrachten Stullen oder den selbstgebackenen Kuchen auspacken und auch noch den Kaffee selbst kochen, für den Geschirr und heißes Wasser geliefert wurden — für 10 Pfennige. Das war das Sonntagsvergnügen der unzähligen „kleinen Leute".

Ausflüge wurden mit dem Fahrrad oder sogar mit einem offenen, viersitzigen Wagen unternommen. Die Herren mit Wickelgamaschen[1], die Damen mit Sonnenhut genossen auf mitgebrachten Klapptischen und Klappstühlen das köstliche Picknick mitten im Walde. Die Mütter packten Körbe voller Eßwaren, voller gebratener Hühnchen, voller hartgekochter Eier, Kartoffelsalat, Butter, Brot, und Radieschen.

nach : *Die gute alte Zeit im Bild*,
Alltag im Kaiserreich 1871-1914,
in Bildern und Zeugnissen präsentiert von Gert Richter,
Bildarchiv Preussischer Kulturbesitz, Berlin.

---

1 **die Wickelgamasche (-n) :** la bande molletière.

Mein schönstes Foto

Von unseren Lesern   entdeckt oder fotografiert

1910

Mit Sack und Pack und Kind und Kegel
schritt eilig man zur Eisenbahn.
Man wollt' von Velbert bis nach Wedel
und mußte manche Stunde fahrn!

In diesem Städtchen dann in Holstein
Verwandte standen schon am Zug.
Und dann ging's weiter mit der Kutsche:[2]
Der schöne Tag verrann im Flug! Wilhelm Krämer, Velbert

1910

Das bleibt wohl wirklich unbestritten:[3]
Besonders flott[4] war Opas „Schlitten!"
Paul Wickop, Dreveneck

Eile mit Weile.[1]...

Wie war sie doch einmal weit und groß – unsere schöne Welt! Die Reise von Berlin bis in den Harz war ein vielbesprochenes Ereignis, und wen es im Urlaub von den Bergen gar bis an die Nordsee trieb, der galt als halber Abenteurer. Man ließ sich Muße[6] beim Reisen, und das bevorzugte[7] Verkehrsmittel war die Eisenbahn. Und wer Oma damals erzählt hätte, daß ihre Enkel ohne Unterbrechung nach Spanien durchrasen oder sich gar in ein Flugzeug nach Thailand schwingen würden, dem hätten sie nicht geglaubt. Denn das Motto[8] der Zeit hieß: Eile mit Weile! Doch ans Ziel sind sie trotzdem alle gekommen...

Machen Sie doch einmal mit bei unserem Fotowettbewerb. Wir zahlen für jedes veröffentlichte Foto DM 50. Unsere Anschrift:
DAS NEUE BLATT
Mein schönstes Foto
Postfach 10 04 44
2000 Hamburg 1

1914

Es muß ja nicht ein Auto sein,
auch in der Kutsche reist's sich fein!
Lucie Mathieu, par Ville, Frankreich

1925

Zwei, die verbinden Herzensbande,
die brausen[5] froh hier durch die Lande!
Margret Brechtmann, Bochum

Fotos : Wilhelm Krämer, Paul Wickop, Das *Neue Blatt*

1 **Eile mit Weile :** Hâte-toi lentement.
2 **die Kutsche :** la calèche.
3 **unbestritten :** indéniable.
4 **flott :** (fam.); (hier) schick.
5 **brausen** (fam.) : filer à toute allure.
6 **sich Muße lassen :** prendre son temps.
7 **etwas bevorzugen :** préférer qqch.
8 **das Motto (-s) :** la devise.

Bilderdienst Burda Verlag

Abenteuerlust treibt diese drei Bremer nach Amerika. „Wir müssen weg, solange wir noch jung sind", sagen sie, „in Deutschland wollen wir nicht versauern[1]".

Lieb'Heimatland, ade!

Immer mehr Deutsche wollen auswandern. Etwa 50 000 suchen pro Jahr in der Ferne eine neue Heimat.

Facharbeiter haben die besten Chancen

Australien ist das beliebteste Auswandererland. Doch auch auf dem Fünften Kontinent hat nur der Chancen, der einen Mangelberuf ausübt – also Facharbeiter zum Beispiel. Weniger gefragt sind Akademiker wie Ärzte, Lehrer und Juristen. Bei den Frauen haben Sekretärinnen, Daten-Typistinnen[2] und Friseusen die besten Aussichten. Von allen Einwanderern wird erwartet, daß sie Englisch sprechen, gesund und möglichst nicht älter als 48 sind.

Im Reisegepäck sind 3000 Bücher – gegen das Heimweh

Sie wollen weg, weil es ihnen in Deutschland zu gut geht

Der Fließbandarbeiter[3] Jürgen Kuß möchte in Australien als Wildhüter „ein bißchen menschlicher leben und nicht wie eine Maschine ackern".

Sie suchen in Australien die große Freiheit – wenigstens zum Motorradfahren

Da halten uns keine Zäune[4] mehr auf. Und kein schlechtes Wetter kann uns die Tour vermasseln[5].

---

1 **versauern** (fam.) : moisir, s'encroûter.
2 **die Daten-Typistin (-nen) :** la programmeuse.
3 **das Fließband (¨er) :** la chaîne de montage.
4 **der Zaun (¨e) :** la clôture.
5 **jemanden die Tour vermasseln** (fam.); gâcher à qqn. sa sortie (à moto).

ZUR DISKUSSION

WER WANDERT,
HAT MEHR VOM LEBEN.
WER WANDERT,
ERLEBT DIE NATUR DIREKT.

AUSLANDSREISEN?

*Ist es nicht schick, ins Ausland zu fahren?
Bei Reisen ins Ausland bekommt man einen besseren Blick
für die eigenen Dinge. Man lernt nicht nur viel über die
anderen. Man lernt auch viel über sich selbst.*
(Scala-Jugendmagazin, Nr. 1/1980)

AUTO, EISENBAHN ODER FLUGZEUG?

Mit dem Auto komme ich überall hin,
mit der Eisenbahn nicht. Eisenbahnfahren macht Spaß: Man trifft viele Reisende.
Die Eisenbahn ist noch immer das sicherste Verkehrsmittel. Fliegen ist nicht nur
schöner, sondern auch viel schneller.
Was meinen Sie dazu?

**Die Flut des Tourismus ist eine einzige
Fluchtbewegung aus der Wirklichkeit.
Jede Flucht aber kritisiert das, wovon
sie sich abwendet.** (Hans Magnus Enzensberger)

Mignon

In den Roman „Wilhelm Meisters Lehrjahre"
(1796) hat Goethe zehn Lieder eingestreut. Mi-
gnon singt hier das Lied des Heimwehs und der
Sehnsucht; das Lied ist zugleich auch Ausdruck
von Goethes Italienliebe.

Kennst du das Land, wo die Zitronen blühn,
im dunkeln Laub die Goldorangen glühn,
ein sanfter Wind vom blauen Himmel weht,
die Myrte[1] still und hoch der Lorbeer steht,
5 kennst du es wohl?
　　　　　　Dahin ! dahin
möcht' ich mit dir, o mein Geliebter, ziehn.

Kennst du das Haus? Auf Säulen ruht sein Dach,
es glänzt der Saal, es schimmert das Gemach[2],
10 und Marmorbilder stehn und sehn mich an :
Was hat man dir, du armes Kind, getan?
Kennst du es wohl?
　　　　　　Dahin ! dahin
möcht' ich mit dir, o mein Beschützer, ziehn,

15 Kennst du den Berg und seinen Wolkensteg?
Das Maultier sucht im Nebel seinen Weg;
in Höhlen[3] wohnt der Drachen alte Brut[4],
es stürzt der Fels und über ihn die Flut.
Kennst du ihn wohl?
20　　　　　　Dahin ! dahin
geht unser Weg ! o Vater, laß uns ziehn !

Johann Wolfgang von Goethe (1749-1832),
Wilhelm Meister

---

1 **die Myrte (-n) :** le myrte; **der Lorbeer (-en) :** le laurier.
2 **das Gemach (⁼er)** (poet.) : das Zimmer, der Wohnraum.
3 **die Höhle (-n) :** la caverne.
4 **die Brut :** l'engeance.

Sehnsucht[1]

Es schienen so golden die Sterne,
Am Fenster ich einsam stand,
Und hörte aus weiter Ferne
Ein Posthorn im stillen Land.
5 Das Herz mir im Leib entbrennte,
Da hab ich mir heimlich gedacht :
Ach, wer da mitreisen könnte
In der prächtigen Sommernacht !

Zwei junge Gesellen gingen
10 Vorüber am Bergeshang,
Ich hörte im Wandern sie singen
Die stille Gegend entlang :
Von schwindelnden[2] Felsenschlüften[3],
Wo die Wälder rauschen so sacht,
15 Von Quellen, die von den Klüften
Sich stürzen in die Waldesnacht.

Sie sangen von Marmorbildern,
Von Gärten, die überm Gestein
In dämmernden Lauben[4] verwildern,
20 Palästen im Mondenschein,
Wo die Mädchen am Fenster lauschen,
Wann der Lauten[5] Klang erwacht,
Und die Brunnen verschlafen rauschen
In der prächtigen Sommernacht.

Joseph von Eichendorff (1788-1857),
Wanderlieder, 1837

L. RICHTER : *Wanderschaft*

---

1 **die Sehnsucht :** la nostalgie;
  → sich nach jemandem oder etwas sehnen.
2 **schwindelnd :** vertigineux;
  → der Schwindel : le vertige.
3 **die Felsenschluft (⁻e) :** le gouffre;
  die Kluft (⁻e) : l'abîme.
4 **die Laube (-n) :** la tonnelle.
5 **die Laute (-n) :** le luth.

✳ Erste Eisenbahnfahrt

Etliche Wochen später, als noch immer keine Brücke eingestürzt und kein Dampfkessel[1] zerborsten war, ließ sich die Mutter überreden[2], mit uns eine Fahrt durch das Tal hinaus zu wagen. Wie jedesmal, wenn etwas Ungewöhnliches herankam, wurden wir alle den Abend zuvor gebadet, denn wir sollten wenigstens was die Hälse und Füße betraf, nicht zu Schanden kommen[3], falls uns der Zug über das Ziel hinaus ins Jenseits beförderte.

In jener frühen Zeit hielt man noch darauf[4], dem ungewohnten Neuen ein vertrautes und gefälliges Ansehen zu geben. Deshalb sahen die Wagen alle wie Postkutschen aus, und auch die Maschine war kein seelenloses Ungeheuer, sondern ein fast zierliches Wesen, sie hieß ja auch Rosa. Gleichsam in ein träumerisches Selbstgespräch versunken, leise summend und zischelnd, stand sie auf dem Geleise in der Sonne. Dann und wann entschlüpfte ihr ein Wölkchen weißen Dampfes aus irgendeinem Rohr, aber auch das stand ihr nicht übel[5].

Der Vorstand[6] kam herbei, um sie aufzuwecken, nicht nach Menschenart natürlich, mit groben Worten, sondern mit einem zärtlichen Triller aus seiner Pfeife. Sie antwortete ihm sogleich, und im selben Augenblick warf uns ein unerwarteter Stoß in die Sitze zurück. Mir war nicht wohl ums Herz. Gegenüber sah ich die Mutter sitzen, sie hielt sich aufrecht wie immer, aber sie schloß die Augen, nur ihre Lippen bewegten sich lautlos. Und was sich vor den Fenstern zutrug, war nicht weniger unheimlich. Es schien, als bewegten wir uns gar nicht von der Stelle, als würden wir nur von Geisterhand hin

und her gerüttelt, während draußen die Bäume und Stauden in wilder Flucht davonliefen. Täuschung, sagte der Vater. Er zog mich an das Fenster, und nun sah ich, was später auch die Wissenschaft entdeckte : daß es im Grunde einerlei ist, ob man selber läuft oder die Dinge laufen läßt.

Es war köstlich, den scharfen Wind zu spüren, das Wasser schoß mir in die Augen, und meinen Hut mußte ich mit beiden Händen festhalten. Dem Zug voran eilte Rosa, sie riß uns sozusagen über Stock und Stein[7] mit sich in ihrem fröhlichen Ungestüm[8], durch Wald und Wiesen, und von Zeit zu Zeit pfiff sie einmal durchdringend, weil es ihr auch Vergnügen machte, wenn die Kühe auf der Weide ihre Schwänze zum Himmel warfen und beinahe Purzelbäume schlugen[9] vor Entsetzen...

Unversehens hielt der Zug, und der jähe Ruck brachte uns aus dem Gegengewicht. Wir waren am Ziel. Hals über Kopf[10] mußten wir das Nötigste zusammenraffen und aus dem Wagen klettern. Hinterher standen wir noch eine Weile auf dem Bahnsteig beisammen, alle ein wenig verwirrt und atemlos. Keine zehn Vaterunser hatte die Fahrt gedauert, und schon fanden wir uns an das Ende der Welt verschleppt[11] und mußten stundenweit nach Hause gehen. Der Vater sagte freilich, das sei nur von Nutzen : auf diese Weise begriffen wir das Wunder wenigstens mit den Füßen, wenn schon nicht mit dem Kopf.

Karl Heinrich Waggerl (geb. 1897), *Fröhliche Armut*
Otto Müller Verlag, Salzburg, 1959

---

1 **der Dampfkessel (-)** : la chaudière à vapeur.
2 **jemanden überreden** : convaincre qqn.
3 **zu Schanden kommen (a, o)** : avoir à rougir de honte.
4 **man hielt noch darauf...** : man legte noch Wert darauf : on tenait encore à...
5 **das stand ihr nicht übel** : cela ne lui allait pas mal.
6 **der Vorstand (ᵉe)** : le chef de gare.

7 **über Stock und Stein** : (ici) à travers champs.
8 **das Ungestüm** : la fougue.
9 **einen Purzelbaum schlagen (u, a)** : faire une culbute.
10 **Hals über Kopf** : sehr eilig, sehr schnell.
11 **an das Ende der Welt verschleppt werden** : an das Ende der Welt gebracht werden.

5 Aus der Frühzeit des Autos

Ich war auf dem Wege nach einem Luftkurort[1]. Wohlgemut wanderte ich durch das sanft ansteigende Tal; es war so grün, und aus dem Buchenwald wehte frische Kühlung. Aber nicht lange – da begegneten mir viele Automobile, Staub und Stank hinter sich
5 lassend. Da verging mir schnell das Lächeln, und ich schimpfte[2] mit den andern. Fast hätte ich den Lausbuben entschuldigt, der nach dem Automobil und seinen Insassen warf, und den tückischen[3] Fuhrmann[4], der rechts fuhr statt links und zögernd und fluchend auswich[5].
10 Da kam aber auf einmal ein äußerst freundlicher Automobilführer hinter mir her. Er hielt still und fragte, ob ich nicht mitfahren wolle, es sei Platz neben ihm. Ich überlegte wohl, ob ich mich dem Teufelswerk anvertrauen sollte. Auf einmal aber saß ich oben neben dem freundlichen Führer, und die Sache
15 schnurrte vorwärts. „Fahren Sie langsam, Herr Schofför, oder wie man Sie nennt; der Weg zur Ewigkeit[6] ist gar nicht weit !" Er fuhr auch mir zulieb wirklich langsam; bald kam es mir vor, als ob die Automobile doch nicht so übel seien, als man sie verschreit. Kein Staub und Stank belästigt[7] den, der darauf sitzt; es war doch gar
20 so schön, dahinzufahren durch das Land. Ob die Holzfuhrwerke richtig auswichen, das machte mir freilich jetzt schon Sorgen, und ich fing schon an zu schimpfen über die Fuhrknechte, die halb oder ganz auf ihren Wagen schliefen und ihre Gäule laufen ließen rechts und links und mitten auf der Straße, wie die Viecher
25 wollten. Wir kamen aber gut vorbei, und Schimpfwörter huschten mit vorbei. Als ein Bube eine Bierflasche nach dem Auto warf, da stieg der Führer ab und ohrfeigte ihn; das fand ich nun ganz gerecht. Als die Landstraße schnurgerade vor uns lag und auch kein Fuhrwerk in Sicht war, meinte ich, man könnte es schon ein
30 wenig laufen lassen; dem Führer war's auch recht. Hei, wie flog das so schön dahin ! Das sind halt zwei gar verschiedene Standpunkte[8], ob man auf dem Automobil sitzt oder auf der staubigen Landstraße geht.

Hans Thoma (1829-1924),
Im Herbst des Lebens

---

1 **der Luftkurort (-e) :** la station climatique.

2 **schimpfen, fluchen :** pester, jurer; → das Schimpfwort, der Fluch.

3 **tückisch :** malin, sournois.
4 **der Fuhrmann (-leute), der Fuhrknecht (-e) :** le conducteur d'un chariot; → **das Holzfuhrwerk :** le chariot avec un chargement de bois.
5 **aus / weichen** (intrans.) **(i, i) :** aus dem Wege gehen, Platz machen.

6 **die Ewigkeit (-en) :** l'éternité; → ewig.

7 **jemanden belästigen :** (ici) incommoder qqn.

8 **der Standpunkt (-e) :** die Ansicht, die Meinung.

5. Mercedes-Gordon-Bennet-Wagen mit 120 pferdigem Vierzylindermotor, der von Jenatzy beim Rennen 1905 in der Auvergne gefahren wurde.

✻ Auf deutscher Autobahn

Ferienzeit, Badezeit — das zieht uns jetzt mächtig in den Süden. Sonne, Wasser, Amore, das drängt sich jetzt auf der Autobahn [...] Schon kurz hinter Frankfurt herrscht drangvolle Enge[1]. Es stockt. Das sind so die Nöte des Wohlstands[2], sagt man.

5 Es kriecht eine Schlange duch unser Land, eine blitzende Kobra windet sich auf dem Asphalt. Es ist die Urlaubsschlange, kilometerlang. Sie hat viel Gift und Galle[3] in sich. Es blitzen böse Augen aus manchem Glied[4]. Gesichter, die hart und verbissen[5] sind...

Manchmal ist es ein Rätsel, wie solche Schlangen entstehen, wie sie
10 liquidiert werden. Nun müßte doch etwas kommen, [...] das alles erklärte : eine Baustelle, eine Umleitung, ein Unfall wäre jetzt gut. Man fiebert zersplittertem Glas, einer richtigen Karambolage entgegen [...]

Plötzlich ist man vorn. [...] Plötzlich sieht man alles : ein Unglück wird
15 vorn serviert, ein blutiges Schauspiel[6] liegt ausgebreitet wie auf einer Bühne, wie Shakespeare im vierten Akt — schwer zu beschreiben. Die Helden sind niedergestreckt : auch Romeo, auch Julia. Das war einmal ein Auto, das war einmal eine Liebe, das war einmal ein verborgenes Ferienglück, das gen Süden wollte, und liegt jetzt da auf dem
20 Grünstreifen und rührt sich nicht mehr. Das Auto, ach, [...] dieses winzige Ferienglück eines Liebespaars, kleine Leute, die wie die Großen auch in den Süden wollten — es liegt zerfetzt an der verbogenen Leitplanke[7]. Einen Augenblick mutet es wie eine moderne Drahtplastik[8] an. [...]

25 Auf dem Gras liegt ein Mädchen in einem weißen, hellgeblümten Kleid. Sie liegt wie im Urlaub im Gras, blond und still, und das Ganze sieht aus wie von einem Sonntagsmaler gemalt. [...] Neben ihr liegt ein junger Mann, der Romeo. Das weiße Sporthemd ist auf der rechten Seite aufgerissen, ist rot, ist braun, ist schwarz von Blut. [...]

30 Sanitäter[9] sind eben dabei, ihm den Arm abzubinden. Blut versickert am Straßenrand. Sie tragen eine Bahre herbei — und ich? Ich fahre ganz langsam vorbei, gleite lautlos und stumm über die Bühne des Todes. Will alles sehen, will alles mitbekommen, will nichts versäumen[10] : halt das doch fest. Uraltes Lied : Mitten im Leben sind wir —
35 und rasch tritt der Tod uns an. Uraltes Lied : das ist sein Zeichen — heute. Nicht Kruzifix, nicht Sense[11], kein Knochenmann. Das war nur Vorgeschichte. Der Totentanz in unserer Zeit spielt auf der Autobahn. Und seine Geige ist der Wagen.

Nun los, nun Gas, nun haut doch schon ab !
40 Nun los, ihr Leute, Ferienvieh. Es warten der Süden, das Meer und die Sonne.

Horst Krüger (geb. 1919),
Deutsche Augenblicke

1 **es herrscht drangvolle Enge :** on roule pare-chocs contre pare-chocs; → **in drangvoller Enge** : dicht gedrängt.
2 **die Nöte des Wohlstands :** les misères de la prospérité.
3 **sie (die Schlange) hat viel Gift und Galle :** il (le serpent, ici : la file de voitures) est plein de venin.
4 **aus manchem Glied :** (hier) aus manchem Auto.
5 **verbissen sein :** grimmig, zornig sein.
6 **das Schauspiel (-e) :** le spectacle; → **die Bühne (-n) : die Szene;** → **der Held (-en) :** le héros.
7 **die Leitplanke (-n) :** la glissière de sécurité.
8 **die Drahtplastik (-en) :** le mobile.
9 **der Sanitäter (-) :** l'infirmier, le brancardier; → **jemandem den Arm ab/binden (a, u) :** poser un garrot sur le bras de qqn.; → **die Bahre (-n) :** la civière; → **die Erste Hilfe :** les premiers soins.
10 **ich will nichts versäumen :** (ici) je ne veux laisser échapper aucun détail.
11 **die Sense (-n) :** la faux; **der Knochenmann (⸚er) :** personifizierter Tod in Gestalt eines Skeletts.

Fragen

I Zum Textverständnis

1. a) In welcher Jahreszeit spielt die Handlung des vorliegenden Textes? Belegen Sie Ihre Antwort mit Textstellen.
b) Welches Land ist mit dem „Süden" gemeint? Begründen Sie Ihre Antwort.
c) Welche Wörter, bzw. Ausdrücke weisen auf den Massentourismus hin?
2. Was erfahren wir über die beiden Verunglückten?
3. Welche Wörter, bzw. Ausdrücke werden hier leitmotivisch gebraucht?
Welche Wirkung entsteht dadurch?

II Zur Stellungnahme

1. Welchen Eindruck hinterläßt dieser Text?
2. Welches ist die Absicht des Verfassers?

III Zum Übersetzen

1. Manchmal ist es ein Rätsel, wie solche Schlangen entstehen. (Z. 9)
2. Das Ganze sieht aus wie von einem Sonntagsmaler gemalt. (Z. 26-27)
3. Sanitäter sind eben dabei, ihm den Arm abzubinden. (Z. 29)

---

8 Autobahn

Sieben Tote,
fünf Schwerverletzte
verliest der Nachrichtensprecher,
und dann folgen die Bilder
5 von den Wracks
auf der Autobahn Frankfurt – Köln,
und am Bildrand
liegt ein Mann
noch ohne die übliche Decke,
10 sogar ein bißchen Rotes
ist sichtbar,
und ich denke,
vor drei Stunden
bist du dort
15 noch gefahren,
und jetzt sitzt du
in einer Raststätte
bei Bratwurst
mit Kohl und Kartoffeln,
20 und gerade jetzt
ist ein Bus mit Amerikanern

vorgefahren, die ersten
sind schon herein
und holen Bier
25 aus den Automaten,
und ich sehe noch drei, vier
junge farbige Frauen
aussteigen, zwei
sind schon ganz fett,
30 aber eine
hat noch den federnden Gang,
im Fernsehen folgt
der Wetterbericht,
gleich
35 kommt sie zur Tür rein,
ich
werde noch etwas trinken
vor der Weiterfahrt.

Gerhard Tänzer, *Hier und Anderswo*,
Queißer-Verlagsgesellschaft, Dillingen, 1979

71

Wer bestimmt, wohin die Reise geht?

(Eine Mini — Umfrage)

1 **bestimmen :** décider.
2 **etwas beraten (ie, a) :** discuter de qqch.
3 **einmal..., zum zweiten... :** einerseits..., andererseits...
4 **sich einig werden :** se mettre d'accord; → sich einig sein;
bei uns herrscht immer die große Übereinstimmung : nous sommes toujours tout à fait
d'accord.
5 **träge sein :** être un peu mou, manquer d'énergie.
6 **es kracht** (fam) : il y a des bagarres.
7 **sich nach jemandes Wünschen richten :** tenir compte des souhaits de qqn.
8 **das Los entscheiden lassen (ie, a) :** laisser au sort le soin de décider.

Ergänzen Sie den Text mit den untenstehenden Wörtern.

_____ dieser Mini-Umfrage geht es _____ das Urlaubsplanen.

Wer _____ ist, kann _____ seine Ziele und Pläne allein bestimmen.

Wer _____ ist, muß alles gemeinsam _____ dem Partner beraten; es kann

nämlich „_____" , wenn die beiden nicht die _____ Interessen haben und sich nicht

_____ sind. Wenn der eine Partner die Initiative _____ und sich der andere nicht

willig _____ , läßt man das Los _____ .

Ehepaare mit Kindern suchen _____ Lösungen, die die Kinder _____ , versuchen

aber auch, sich nach ihren _____ Wünschen zu _____ .

- (sich) anpassen - befriedigen - entscheiden - ergreifen - krachen - richten.
- alleinstehend - eigen - einig - gleich - verheiratet.
- in - mit - nach - über - um.

Herrlich ist ein Wandertag

Auf großer Fahrt

„Wenn es bis übermorgen
nicht klappt, bleiben wir
halt in Wuppertal"

„Kalkutta ist noch
so weit – würde Salzburg
nicht reichen?"

© Reisinger

73

GRAMMAIRE / FAISONS LE POINT

1 La dépendante de cause (AG, p. 223)

Ex. : 1. Wir können heute (deshalb) nicht spazierengehen, weil es regnet.
Weil es regnet, können wir heute nicht spazierengehen. (parce que)
2. Da er schwerkrank war, mußte er das Bett hüten. (comme, puisque, étant donné que)

N.B. 1. La dépendante avec weil peut être annoncée ou reprise par les adverbes darum, deshalb (= pour cette raison).
2. La dépendante avec da est généralement en tête de phrase.

a/ *Complétez les phrases ci-dessous avec* **weil** *ou* **da** :

1. (...) es schon spät war, wollte er weitergehen. **2.** (...) er seine Bekannten noch einmal treffen wollte, deshalb war er in sein Heimatdorf zurückgekommen. **3.** Die Eltern waren so böse und bitter, (...) ihr einziger Sohn Clown werden wollte. **4.** (...) der Junge allerlei Faxen und Chaplin-Imitationen machen konnte, glaubte er, schon ein berühmter Clown zu sein. **5.** (...) noch keine Eisenbahnbrücke eingestürzt war, war die Mutter bereit, eine Eisenbahnfahrt zu unternehmen.

b/ *Répondez aux questions ci-après en utilisant les propositions données entre parenthèses :*

1. Warum sind die Kinder schon am Abend zuvor gebadet worden? (Sie sollten am nächsten Tag eine Eisenbahnfahrt machen.) **2.** Warum sollte der Soldat erschossen werden? (Er war desertiert.) **3.** Warum hatte der Physiker schreckliche Skrupel? (Er hatte am Bau der Atombombe teilgenommen.) **4.** Weshalb hat der Vater seinen Sohn zum Teufel gejagt? (Dieser hat nicht in der Mühle arbeiten wollen.)

2 Le discours indirect ou discours rapporté (AG, p. 225)
a/ *Mettez les verbes donnés entre parenthèses à la forme qui convient :*

1. Die Kinder wollten wissen, wohin die Eisenbahn (fahren) und wie lange die Fahrt dauern (werden). **2.** Der Autofahrer fragte den Jungen, wie er (heißen), wo er (wohnen) und warum er eine Flasche nach dem Wagen geworfen (haben). **3.** Der Junge antwortete, daß es ihm leid (tun) und er es nie wieder tun (werden).

b/ *Transposez les phrases ci-après au discours rapporté :*
1. Mignon fragte ihren Beschützer : „Kennst du mein Heimatland? Willst du mich dorthin führen?"
2. Der Steinklopfer fragte den Landstreicher : „Wo bist du so lange Jahre gewesen? Wie hast du dir dein Brot verdient? Warum willst du nicht in deinem Heimatdorf bleiben?"

3 La négation porte sur un membre de phrase : (AG, p. 224)
Répondez aux questions en faisant porter la négation sur l'élément souligné :

Ex. : Fährst du heute nach Berlin? (morgen) ⟶ Nein, nicht heute, sondern morgen fahre ich nach Berlin.

1. Hatte der Vater Angst vor der Eisenbahn? (die Mutter) **2.** Wurden die Kinder am Morgen gebadet? (am Abend) **3.** Zog der Landstreicher nach Hause? (in die weite Welt) **4.** Sind die Kinder mit der Eisenbahn nach Hause zurückgekehrt? (zu Fuß) **5.** Hat er zweimal gepfiffen? (dreimal) **6.** Wird der Deserteur geköpft? (erschossen)

4 Traduisez les phrases ci-après :

1. Jadis les voitures de chemin de fer ressemblaient à (aussehen wie) des diligences. (die Postkutsche) **2.** As-tu réussi à convaincre ton ami de rouler lentement? **3.** Tous les passagers (der Insasse) de la voiture ont été blessés. **4.** Un pont de chemin de fer s'était écroulé sur l'autoroute. **5.** Ils avaient l'impression que le train les avait conduits au bout du monde. **6.** Un chauffeur d'automobile fort aimable me demanda si je voulais monter dans sa voiture. (einsteigen) **7.** Il voulait savoir si j'étais en route pour une station climatique (der Luftkurort). **8.** Le chauffeur descendit de voiture pour gifler (ohrfeigen) le gamin.

6. LIEBESLUST, LIEBESLEID!

Und doch, welch Glück, geliebt zu werden!
Und lieben, Götter, welch ein Glück!

(W.v. Goethe)

Liebe kommt lautlos.
Aber du spürst, wenn sie da ist:
Weil du auf einmal nicht mehr allein bist.

(J. Walsh Anglund)

Lohengrin
© Festspielleitung Bayreuth

Der Heiratsantrag

Bewerbung bei einem Vater um die Hand seiner Tochter (1843)

Hochzuverehrender Herr ![1]
Wohl nie habe ich die Feder mit so bangem[2] und doch so freudigem Gefühle ergriffen, als dießmal. Es ist der entscheidendste Schritt meines Lebens, und von Ihrer Antwort hängt das Glück meines ganzen künftigen Lebens ab. Es sind nun beinahe zwei volle Jahre, daß ich die Ehre genieße, Ihr Haus besuchen zu dürfen, und ich kann mich wohl rühmen[3], daß es mir gelungen ist, Ihr Wohlwollen, ja selbst Ihre Freundschaft zu erwerben. Sie kennen mich nun ganz mit allen meinen Fehlern[4] und Tugenden. [...] Verstellung[5] ist mir fremd; ich gebe mich so wie ich bin; Sie wissen auch, mit welcher Verehrung ich Ihrer liebenswürdigen Tochter ergeben[6] bin, und daß ich so glücklich bin, die Neigung dieses liebenswürdigen Mädchens zu besitzen. So lange ich noch nicht im Stande war, eine Frau zu versorgen, machte ich keine Erwähnung von meinen redlichen[7] Absichten; doch jetzt, wo ich so glücklich war, endlich eine Anstellung zu erhalten, beeile ich mich, Ihnen mein Herz zu eröffnen und Sie zu bitten, mir die Hand Ihrer Tochter zu schenken. Sie können überzeugt seyn, daß mein ganzes Bestreben stets dahin gerichtet seyn wird, das holde Kind so glücklich zu machen, als sie es verdient. Versagen Sie mir daher Ihren väterlichen Segen[8] nicht, um den ich Sie hiemit inständig[9] bitte, und machen Sie mich durch eine baldige und gewährende Antwort zum glücklichsten aller Sterblichen. Meine Dankbarkeit wird eben so unbegrenzt seyn, als es meine Liebe zu Ihrer Tochter ist. Ich sehe Ihrer gütigen Antwort mit klopfendem Herzen entgegen, und verharre[10] in Erwartung derselben mit gewohnter Hochachtung[11]

Ihr ergebenster
N. N.

Antwort

Schätzbarster Freund !
Ihr Antrag hat mein väterliches Herz mit wahrer Freude erfüllt. Sie wissen, daß das Glück meiner guten Therese der höchste Wunsch meiner Seele[12] ist. [...]

Belehrendes und erbauliches Lexikon
der Sittsamkeit von A bis Z,
Lexikothek-Verlag,
Gütersloh, Berlin, München, 1974

1 **Hochzuverehrender Herr :** très honoré Monsieur
→ die Ehre (-n) : l'honneur; die Verehrung : le respect.
2 **ein banges Gefühl :** un sentiment d'angoisse.
3 **sich rühmen :** se vanter, se flatter.
4 **der Fehler (-) :** (ici) le défaut; ≠ die Tugend.
5 **die Verstellung :** la dissimulation, l'hypocrisie.
6 **jemandem ergeben sein :** être dévoué à qqn.
7 **redlich :** ehrlich (honnête).
8 **der Segen :** la bénédiction.
9 **inständig :** instamment.
10 **verharren :** bleiben.
11 **die Hochachtung :** le profond respect;
→ hochachtungsvoll.
12 **die Seele (-n) :** l'âme.

---

1 **die Vermittlung :** la mise en relation avec un partenaire.
2 **salopp** (fam.) : négligé, débraillé. ▶
3 **strebsam :** ambitieux.
4 **die Voraussetzung (-en) :** la condition préalable.

Kontakt-Coupon

1.

Was interessiert Sie?

Kreuzen Sie zuerst Ihre Freizeitbeschäftigungen an. Eine erfüllte Freizeit, sich ergänzende Interessen sind auch Garantien für ein glückliches Leben zu zweit.

Kreuzen Sie an, was Sie in Ihrer Freizeit bevorzugen. Denn Ihr Idealpartner soll in seinen Interessen zu Ihnen passen.

Sehr interessiert	gelegentlich	kein Interesse	
☐	☐	☐	aktiv Sport treiben
☐	☐	☐	Besuch von Sportveranstaltungen
☐	☐	☐	Funk und Fernsehen: Unterhaltungssendungen
☐	☐	☐	Sendungen über Politik und Wissenschaft
☐	☐	☐	Krimis
☐	☐	☐	Musiksendungen
☐	☐	☐	Naturwissenschaft/Technik
☐	☐	☐	Problemfilme
☐	☐	☐	Sportsendungen
☐	☐	☐	III. Programm
☐	☐	☐	berufliche Weiterbildung
☐	☐	☐	Geisteswissenschaften
☐	☐	☐	Basteln/Handarbeiten
☐	☐	☐	Musizieren
☐	☐	☐	ernste Musik hören
☐	☐	☐	Unterhaltungsmusik hören
☐	☐	☐	Bildungslektüre
☐	☐	☐	Unterhaltungslektüre
☐	☐	☐	Theater, Oper, Konzert
☐	☐	☐	Tanzen
☐	☐	☐	Parties
☐	☐	☐	Diskussionen
☐	☐	☐	Wandern, Bergsteigen
☐	☐	☐	mit Auto spazierenfahren
☐	☐	☐	Urlaub: Körperl. Betätigung u. Sport
☐	☐	☐	Faulenzen
☐	☐	☐	Bildung
☐	☐	☐	Vergnügungen
☐	☐	☐	Familienfeiern

2.

☐ Sind Sie ledig
☐ verwitwet
☐ geschieden

☐ konfessionslos
☐ evangelisch
☐ katholisch

andere _____

3.

Wie schätzt man Sie ein?

Der Eindruck, den andere von Ihnen haben, vervollständigt das Gesamtbild, das dieser Test von Ihnen ermittelt.

Wie werden Sie innerhalb Ihres Bekanntenkreises eingeschätzt?
☐ temperamentvoll   ☐ zurückhaltend
☐ selbstbewußt   ☐ kühl
☐ kontaktfreudig   ☐ natürlich

Wenn Sie mit einem Partner ausgehen, was würden Sie bevorzugen:
☐ Kino   ☐ Oper/Theater
☐ Party   ☐ Kunstausstellung
☐ Musikveranstaltungen/ Discothek

4.

Wie sollte Ihr Partner sein?

Ihr Idealpartner soll nicht nur in seinen Interessen zu Ihnen passen. Ihre ganz persönlichen Vorstellungen von Ihrem idealen Partner sind deshalb von großer Bedeutung für die Vermittlung[1].

Erscheinung

☐ sportlich   ☐ repräsentativ
☐ modisch   ☐ solide
☐ elegant   ☐ salopp[2]

Figur

☐ schlank   ☐ stattlich
☐ mittelschlank   ☐ korpulent
☐ kräftig

Eigenschaften

Wählen Sie aus den folgenden Eigenschaften 5 aus, die Sie von Ihrem zukünftigen Partner erwarten:
☐ temperamentvoll   ☐ strebsam[3]
☐ fröhlich   ☐ natürlich
☐ intelligent   ☐ gütig
☐ ehrlich   ☐ sportlich
☐ sparsam   ☐ gutaussehend
☐ häuslich   ☐ selbstbewußt

Sollte Ihr Partner aus den gleichen oder ähnlichen gesellschaftlichen Kreisen stammen wie Sie?

☐ ja   ☐ ist mir gleichgültig   ☐ nein

Altmann Verlag, Hamburg

An der „Erotischen Normaluhr[1]"

Der Jüngling wartet. An der „Erotischen Normaluhr", wo alle Berliner Jünglinge warten.

Ob sie kommt?

Und sie kommt nicht!

Warum kommt sie nicht?

Weil ein anderer ernste Absichten dem Mädchen vorspiegelt.[2] Der Freund hat es ihm eben im Vorübergehen mitgeteilt.

„Er wird sie doch nicht heiraten." höhnt der Versetzte.[3]

„Das tut nichts zur Sache ... sie aber glaubt daran."

„Weiber!" stößt der Gefoppte heraus. „Lachhaft! Geschieht den Weibern recht."

Da lächelt eine Andere ihn an ... eine versetzte Dame. Er spricht ganz leise: „Frei den Abend?" Sie nickt und wird gesprächig:

„Denken Sie sich, mein Bräutigam hat mich hier zum Narren[4] ge-halten ... Männer!" stößt sie heraus.

Und Arm in Arm verschwinden sie von der Bildfläche. Die „Erotische Uhr" bewahrt ihre philosophische Großstadtruhe.

aus : *Berlin Kaleidoskop,*
Heinz Moos Verlagsgesellschaft

Ehewunschanzeigen

Sie sucht Ihn — Er sucht Sie

NORDDEUTSCHLAND
Bin : 37/1,65, schlank, gesch.,
in soz. päd. Beruftätig.
Mag : Kinder, Musik, Natur (bes. die Nordseeküste), Reisen.
Suche : Partner mit Einfühlungsvermögen[5] und Humor.
Zuschriften an ZI 4840 DIE ZEIT,
Postfach 10 68 20, 2000 Hamburg 1

Raum 84 :
Typ, 34, Faulenzer und Tunichtgut,
prom. Sozialwiss., sucht Frau.
ZH 5748 DIE ZEIT, Postfach 10 68 20,
2000 Hamburg 1

**33, sogen.
Akademikerin[6]**
norddeutsch, launisch, mürrisch,[7]
dicklich, kinderfeindlich,
sucht trotzdem Ehemann.
Zuschriften unter AL 331402 an
die Frankfurter Allgemeine,
Postfach 2901, 6 Ffm.L.

1 **die Normaluhr (-en) :** l'horloge.
2 **jemandem etwas vor/spie-geln :** faire miroiter qqch. à qqn.
3 **der Versetzte (-n) :** celui à qui on a posé un lapin;
der Gefoppte (-n) : celui dont on s'est payé la tête.
4 **jemanden zum Narren halten (ie, a) :** se moquer de qqn., (fam.) se payer la tête de qqn.
5 **ein Partner mit Einfühlungsver-mögen :** un partenaire compréhen-sif, qui a l'esprit large.
6 **die Akademikerin (-nen) :** l'uni-versitaire;
→ der Akademiker.
7 **mürrisch :** grincheux.

ZUR DISKUSSION

WAS IST LIEBE?

– Ein wundersames Gefühl.
– Liebe kommt lautlos.
Aber du spürst, wenn sie da ist:
Weil du auf einmal nicht mehr allein bist-
Und keine Traurigkeit ist mehr in dir.

(Joan Walsh Anglung)

KEINE FREUNDE HAT NUR DER, DER KEIN FREUND SEIN KANN.

FREUNDE FÜRS LEBEN.

Schüleraustausch ist die beste Brücke über Grenzen und Ozeane. Austauschschüler sein, heißt nicht nur fremde Länder kennenlernen, sondern Freund, Kind, Bruder oder Schwester in einer Familie im Ausland werden. Austauschschüler sein, bedeutet auch Mitschüler werden in einer fremden Schule, als Klassenkamerad alles miterleben, Freud und Leid, Erfolg und Enttäuschung. ...Viele Freundschaften entstehen auf diese Weise.

(Scala-Jugendmagazin, Nr. 1/1980)

DER HUND IST DER EINZIGE KAMERAD, DEN MAN SICH KAUFEN KANN.

(Ulrich Klever)

Delacroix, *Marguerite*
Bibl. des Beaux Arts,

Gretchen am Spinnrad

Meine Ruh'ist hin,
Mein Herz ist schwer,
Ich finde sie nimmer
Und nimmermehr.

5 Wo ich ihn nicht hab',
Ist mir das Grab,
Die ganze Welt
Ist mir vergällt[1].

Mein armer Kopf
10 Ist mir verrückt[2],
Mein armer Sinn
Ist mir zerstückt.

Meine Ruh' ist hin,
Mein Herz ist schwer,
15 Ich finde sie nimmer
Und nimmermehr.

Nach ihm nur schau'ich
Zum Fenster hinaus,
Nach ihm nur geh' ich
20 Aus dem Haus.

Sein hoher Gang,
Sein' edle Gestalt,
Seines Mundes Lächeln,
Seiner Augen Gewalt,

25 Und seiner Rede
Zauberfluß,
Sein Händedruck,
Und ach, sein Kuß !

Meine Ruh' ist hin,
30 Mein Herz ist schwer,
Ich finde sie nimmer
Und nimmermehr.

Mein Busen drängt
Sich nach ihm hin.
35 Ach, dürft' ich fassen
Und halten ihn,

Und küssen ihn,
So wie ich wollt',
An seinen Küssen
40 Vergehen sollt' !

Johann Wolfgang von Goethe (1749-1832),
Faust I

---

1 **die ganze Welt ist mir vergällt :** j'ai le monde entier en horreur.
2 **mein armer Kopf ist mir verrückt :** ma pauvre tête est toute dérangée.

Dichterliebe

Im wunderschönen Monat Mai...

Im wunderschönen Monat Mai,
Als alle Knospen[1] sprangen,
Da ist in meinem Herzen
Die Liebe aufgegangen.

5 Im wunderschönen Monat Mai,
Als alle Vögel sangen,
Da hab' ich ihr gestanden[2]
Mein Sehnen und Verlangen.

1 **die Knospe (-n) :** le bourgeon.

2 **jemandem etwas gestehen (a, a) :** avouer qqch. à qqn.; → das Geständnis (-se).

*

Ein Jüngling liebt ein Mädchen...

Ein Jüngling liebt ein Mädchen,
Die hat einen andern erwählt;
Der andre liebt eine andre,
Und hat sich mit dieser vermählt.

5 Das Mädchen heiratet aus Ärger
Den ersten besten Mann,
Der ihr in den Weg gelaufen,
Der Jüngling ist übel dran.

Es ist eine alte Geschichte,
10 Doch bleibt sie immer neu;·
Und wem sie just passieret,
Dem bricht das Herz entzwei.

Heinrich Heine (1797-1856),
Lyrisches Intermezzo

„Verliebt, verlobt, verheiratet..."

Die Liebe war nicht geringe,
Sie wurden ordentlich blaß :
Sie sagten sich tausend Dinge
Und wußten noch immer was.

5 Sie mußten sich lange quälen,
Doch schließlich kam's dazu,
Daß sie sich konnten vermählen.
Jetzt haben die Seelen Ruh.

Bei eines Strumpfes Bereitung
10 Sitzt sie im Morgenhabit;
Er liest in der Kölnischen Zeitung
Und teilt ihr das Nötige mit.

1 **sie mußten sich lange quälen :** (ici) ils eurent bien du mal.

2 **sich vermählen :** heiraten.

Wilhelm Busch (1832-1908), *Kritik des Herzens*

81

Die Sentaballade

Wagner,
*Der fliegende
Holländer,*
Bibl. de l'Opéra
Foto Josse

*In der Spinnstube sitzen Sentas Freudinnen beisammen, die Rädchen summen
und brummen. Unter dem Bild „des bleichen Mannes" singt Senta die Ballade
vom „Fliegenden Holländer"[1] und beschließt, den Unglücklichen durch Liebe
und Treue zu erlösen.*
*Die Grundlage für den Text der Oper bildet die Erzählung vom Gespenster-
schiff in Heinrich Heines „Memoiren des Herrn von Schnabelewopski".*

Bei bösem Wind und Sturmes Wut
umsegeln wollt er[1] einst ein Kap;
er flucht' und schwur[2] mit tollem Mut :
„In Ewigkeit laß ich nicht ab ![3]" –
5 Hui ! – Und Satan hört's ! Johohe ! – Johohe !
Hui ! – Nahm ihn beim Wort ! – Johohe ! Hojohe !
Hui ! – Und verdammt zieht er nun
durch das Meer ohne Rast, ohne Ruh !
Doch, daß der arme Mann noch Erlösung[4] fände auf Erden,
10 zeigt Gottes Engel an, wie sein Heil ihm einst könne werden !
Ach, möchtest du, bleicher Seemann, es finden !
Betet zum Himmel, daß bald
ein Weib Treue ihm hält !
Die Mädchen sind ergriffen[5] und singen den Schlußreim leise
15 *mit. Senta fährt mit immer zunehmender Aufregung fort*
Vor Anker alle sieben Jahr,
ein Weib zu frei'n[6], geht er ans Land : –
er freite alle sieben Jahr...
noch nie ein treues Weib er fand !
20 Hui ! – „Den Anker los !" – Johohe ! Johohe !
Hui ! – „Die Segel auf ! " – Johohe ! Johohe !
Hui ! – „Falsche Lieb, falsche Treu !
Auf in See ! Ohne Rast ! Ohne Ruh ! "—
Senta, zu heftig angegriffen, sinkt in den Stuhl zurück; die
25 *Mädchen singen nach einer Pause leise weiter*
Mädchen : Ach ! wo weilt sie, die dir Gottes Engel einst könne zeigen?
Wo triffst du sie, die bis in den Tod dein bliebe treueigen?
*Senta (von plötzlicher Begeisterung hingerissen, springt vom
Stuhle auf)* : Ich sei's, die dich durch ihre Treu erlöse !
30 Mög Gottes Engel mich dir zeigen !
Durch mich sollst du das Heil erreichen !

Richard Wagner (1813-1883),
Der fliegende Holländer, 1843

---

1 **er** = der fliegende Holländer, von dem in dieser Ballade die Rede ist.
2 **er flucht' und schwur :** il fit le serment.
3 **In Ewigkeit laß ich nicht ab :** jamais je ne renoncerai.
4 **die Erlösung :** la rédemption; → jemanden erlösen; der Erlöser; → **das Heil :** le salut.
5 **ergriffen sein :** être ému; → **die Aufregung :** l'excitation, l'émotion; → aufgeregt sein;
→ **angegriffen sein :** (hier) sehr ergriffen sein.
6 **ein Weib freien** (archaïque) : chercher femme.

Masken

1 **der D-Zug (ᴱe)** (kurz für : Durchgangszug) : le (train) rapide.
die Sperre (-n) : le portillon de contrôle.

2 **wenn man es zu etwas bringen will :** quand on veut arriver à qqch. dans la vie.

3 **das Versandhaus (ᴱer) :** la maison de vente par correspondance; → **senden.**

4 **durchgedreht sein** (fam.) : être à bout de nerfs.
5 **die Bombenstellung (-en) :** une brillante situation.

6 **um/satteln :** (hier) einen anderen Beruf ergreifen.
7 **die Werft (-en) :** le chantier naval.
8 **der Streit (-e) :** la dispute; → **sich streiten.**
9 **der Schlosser (-) :** le mécanicien;
→ **ölverschmiert :** barbouillé de cambouis.

Sie fielen sich unsanft auf dem Bahnsteig 3a des Kölner Hauptbahnhofes in die Arme und riefen gleichzeitig : Du?! Es war ein heißer Julivormittag und Renate wollte in den D-Zug[1] nach Amsterdam über Aachen, Erich verließ diesen Zug, der von Hamburg kam. [...]

Die beiden standen stumm, jeder forschte im Gesicht des anderen. Endlich nahm der Mann die Frau am Arm und führte sie die Treppen hinunter, durch die Sperre, und in einem Café in der Nähe des Doms tranken sie Tee.

Nun erzähle, Renate. Wie geht es dir. Mein Gott, als ich dich so plötzlich sah ... du ... ich war richtig erschrocken. Es ist so lange her, aber als du auf dem Bahnsteig fast auf mich gefallen bist...

Nein, lachte sie, du auf mich.

Da war es mir, als hätte ich dich gestern zum letzten Male gesehen, so nah warst du mir. Und dabei ist es so lange her ...

Ja, sagte sie. Fünfzehn Jahre.

Fünfzehn Jahre? Wie du das so genau weißt. Fünfzehn Jahre, das ist ja eine Ewigkeit. Erzähle; was machst du jetzt? Bist du verheiratet? Hast du Kinder? Wo fährst du hin?...

Langsam Erich, langsam, du bist noch genau so ungeduldig wie vor fünfzehn Jahren. Nein, verheiratet bin ich nicht, die Arbeit, weißt du. Wenn man es zu etwas bringen will[2], weißt du, da hat man eben keine Zeit für Männer.

Und was ist das für Arbeit, die dich von den Männern fernhält? Er lachte sie an, sie aber sah aus dem Fenster auf die Tauben. Ich bin jetzt Leiterin eines Textilversandhauses[3] hier in Köln, du kannst dir denken, daß man da von morgens bis abends zu tun hat und...

Donnerwetter ! rief er und klopfte mehrmals mit der flachen Hand auf den Tisch. Donnerwetter ! Ich gratuliere.

Ach, sagte sie und sah ihn an. Sie war rot geworden.

Du hast es ja weit gebracht, Donnerwetter, alle Achtung. Und jetzt? Fährst du in Urlaub?

Ja, vier Wochen nach Holland. Ich habe es nötig, bin ganz durchgedreht[4]. Und du Erich, was machst du? Erzähle. Du siehst gesund aus.

Schade, dachte er, wenn sie nicht so eine Bombenstellung[5] hätte, ich würde sie jetzt fragen, ob sie mich noch haben will. Aber so? Nein, das geht nicht, sie würde mich auslachen, wie damals.

Ich? sagte er gedehnt, und brannte sich eine neue Zigarette an. Ich ... ich ... Ach weißt du, ich habe ein bißchen Glück gehabt. Habe hier in Köln zu tun. Habe umgesattelt[6], bin seit vier Jahren Einkaufsleiter einer Hamburger Werft[7], na ja, so was Besonderes ist das nun wieder auch nicht.

O, sagte sie und sah ihn starr an und ihr Blick streifte seine großen Hände, aber sie fand keinen Ring. Sie erinnerte sich, daß sie vor fünfzehn Jahren nach einem kleinen Streit[8] auseinandergelaufen waren, ohne sich bis heute wiederzusehen. Er hatte ihr damals nicht genügt, der schmalverdienende und immer ölverschmierte Schlosser[9]. Er solle es erst zu etwas bringen, hatte sie

83

ihm damals nachgerufen, vielleicht könne man später wieder darüber sprechen. So gedankenlos jung[10] waren sie damals. Ach ja, die Worte waren im Streit gefallen, nicht? Und nun? Nun hatte er es zu etwas gebracht.

55 Dann haben wir ja beide Glück gehabt, sagte sie, und dachte, daß er immer noch gut aussieht. Gewiß, er war älter geworden, aber das steht ihm gut[11]. Schade, wenn er nicht so eine Bombenstellung hätte, ich würde ihn fragen, ja, ich ihn, ob er noch an den dummen Streit von damals denkt und ob er mich noch haben will.
60 Ja, ich würde ihn fragen. Aber jetzt?

Jetzt habe ich dir einen halben Tag deines Urlaubs gestohlen, sagte er und wagte nicht, sie anzusehen.

Aber Erich, das ist doch nicht so wichtig, ich fahre mit dem Zug um fünfzehn Uhr. Aber ich, ich halte dich bestimmt auf[12], du hast
65 gewiß einen Termin[13] hier.

Mach dir keine Sorgen, ich werde vom Hotel abgeholt. Weißt du, meinen Wagen lasse ich immer zu Hause, wenn ich längere Strecken fahren muß. Bei dem Verkehr heute, da kommt man nur durchgedreht an.
70 Ja, sagte sie. Ganz recht, das mache ich auch immer so. Sie sah ihm nun direkt ins Gesicht und fragte : Du bist nicht verheiratet? Oder läßt du Frau und Ring zu Hause? Sie lachte etwas zu laut für dieses vornehme Lokal.

Weißt du, antwortete er, das hat seine Schwierigkeiten. Die ich
75 haben will, sind nicht zu haben oder nicht mehr, und die mich haben wollen, sind nicht der Rede wert[14]. Zeit müßte man eben haben. Zum Suchen meine ich. Zeit müßte man haben. Jetzt müßte ich ihr sagen, daß ich sie noch immer liebe, daß es nie eine andere Frau für mich gegeben hat, daß ich sie all die Jahre nicht
80 vergessen konnte. Wieviel? Fünfzehn Jahre? Eine lange Zeit. Mein Gott, welch eine lange Zeit. Und jetzt? Ich kann sie doch nicht mehr fragen, vorbei, jetzt, wo sie so eine Stellung hat. Nun ist es zu spät, sie würde mich auslachen, ich kenne ihr Lachen, ich habe es im Ohr gehabt, all die Jahre. Fünfzehn? Kaum zu glauben.
85 Wem sagst du das? Sie lächelte. Entweder die Arbeit oder das andere, echote[15] er.

Jetzt müßte ich ihm eigentlich sagen, daß er der einzige Mann ist, dem ich blind folgen würde, wenn er mich darum bäte, daß ich jeden Mann, der mir begegnete, sofort mit ihm verglich. Ich sollte
90 ihm das sagen. Aber jetzt? Jetzt hat er eine Bombenstellung und er würde mich nur auslachen, nicht laut, er würde sagen, daß … ach … es ist alles so sinnlos geworden.

Sie aßen in demselben Lokal zu Mittag und tranken anschließend jeder zwei Cognac. Sie erzählten sich Geschichten aus ihren Kin-
95 dertagen und später aus ihren Schultagen. Dann sprachen sie über ihr Berufsleben und sie bekamen Respekt voreinander, als sie erfuhren, wie schwer[16] es der andere gehabt hatte bei seinem Aufstieg[17]. Jaja, sagte sie; genau wie bei mir, sagte er.

Aber jetzt haben wir es geschafft[18], sagte er laut und rauchte
100 hastig.

Ja, nickte sie. Jetzt haben wir es geschafft. Hastig trank sie ihr Glas leer.

Sie hat schon ein paar Krähenfüßchen[19], dachte er. Aber die stehen ihr nicht einmal schlecht. […]

84

10 **sie waren gedankenlos jung :** ils avaient l'inconscience de la jeunesse.

11 **das steht ihm gut :** cela lui va bien; → passen.

12 **jemanden auf/halten (ie, a) :** retenir qqn., faire perdre son temps à qqn.
13 **der Termin (-e) :** (ici) le rendez-vous.

14 **sie (= diese Frauen) sind nicht der Rede wert :** elles ne méritent pas qu'on parle d'elles, qu'on fasse état d'elles.

15 **echote er** (→ echoen) : répéta-t-il en écho à ses propos.

16 **ich habe es schwer :** ich habe große Schwierigkeiten.
17 **der Aufstieg :** (ici) la promotion sociale.
18 **wir haben es geschafft :** wir sind am Ziel.
19 **die Krähenfüßchen** (plur.) : les pattes-d'oie; → die Falte (-n) : (ici) la ride.

105 Kurz vor drei brachte er sie zum Bahnhof.

Ich brauche den Amsterdamer Zug nicht zu nehmen, sagte sie. Ich fahre bis Aachen und steige dort um. Ich wollte sowieso schon lange einmal das Rathaus besichtigen.

Wieder standen sie auf dem Bahnsteig und sahen aneinander
110 vorbei. Mit leeren Worten versuchten sie die Augen des andern einzufangen, und wenn sich dann doch ihre Blicke trafen, erschraken sie und musterten die Bögen der Halle. Wenn sie jetzt ein Wort sagen würde, dachte er, dann...

Ich muß jetzt einsteigen, sagte sie. Es war schön, dich wieder
115 einmal zu sehen. Und dann so unverhofft...

Ja, das war es. Er half ihr beim Einsteigen und fragte nach ihrem Gepäck.

Als Reisegepäck aufgegeben[20]. [...]

Wenn er jetzt ein Wort sagen würde, dachte sie, ich stiege sofort
120 wieder aus, sofort.

Sie reichte ihm aus einem Abteil erster Klasse die Hand. Auf Wiedersehen, Erich... und weiterhin... viel Glück.

Wie schön sie immer noch ist. Warum nur sagt sie kein Wort.

Danke Renate. Hoffentlich hast du schönes Wetter.

125 Ach, das ist nicht so wichtig, Hauptsache ist das Faulenzen, das kann man auch bei Regen.

Der Zug ruckte an. Sie winkten nicht, sie sahen sich nur in die Augen, so lange dies möglich war.

Als der Zug aus der Halle gefahren war, ging Renate in einen
130 Wagen zweiter Klasse und setzte sich dort an ein Fenster. Sie weinte hinter einer ausgebreiteten Illustrierten.

Wie dumm von mir, ich hätte ihm sagen sollen, daß ich immer noch die kleine Verkäuferin bin. Ja, in einem anderen Laden, mit zweihundert Mark mehr als früher, aber ich verkaufe immer noch
135 Herrenoberhemden, wie früher, und Socken und Unterwäsche. Alles für den Herrn. Ich hätte ihm das sagen sollen. Aber dann hätte er mich ausgelacht, jetzt, wo er ein Herr geworden ist. Nein, das ging doch nicht. Aber ich hätte wenigstens nach seiner Adresse fragen sollen. Wie dumm von mir, ich war aufgeregt wie
140 ein kleines Mädchen und ich habe gelogen, wie ein kleines Mädchen, das imponieren will. Wie dumm von mir.

Erich verließ den Bahnhof und fuhr mit der Straßenbahn nach Ostheim auf eine Großbaustelle[21]. Dort meldete er sich beim Bauführer.
145 Ich bin der neue Kranführer.

Na, sind Sie endlich da? Mensch, wir haben schon gestern auf Sie gewartet. Also dann, der Polier zeigt Ihnen Ihre Bude, dort drüben in den Baracken. Komfortabel ist es nicht, aber warmes Wasser haben wir trotzdem. Also dann, morgen früh, pünktlich sieben
150 Uhr.

Ein Schnellzug fuhr Richtung Deutz. Ob der auch nach Aachen fährt? Ich hätte ihr sagen sollen, daß ich jetzt Kranführer bin. Ach, Blödsinn, sie hätte mich nur ausgelacht, sie kann so verletzend lachen. Nein, das ging nicht, jetzt, wo sie eine Dame geworden
155 ist und eine Bombenstellung hat.

Max von der Grün (geb. 1926), *Masken*,
in : *Etwas außerhalb der Legalität und andere Erzählungen*,
Hermann Luchterhand Verlag, Darmstadt und Neuwied

20 **das Reisegepäck auf/geben (a, e) :** faire enregistrer ses bagages.

21 **die Baustelle (-n) :** le chantier; **der Kranführer (-) :** le grutier; **der Polier (-e) :** le contremaître.

✳ Ein Veilchenstrauß aus Wien

„Was ist dir geschehen, Christine?"

„Nichts, Papa."

„Aber du weinst doch?"

„Ich weine nicht. Schau her, wie ich lächle!"

5 Sie bemühte sich, zu lächeln. Aber dabei hatte sie auf ihre Augen nicht aufgepaßt, und da purzelten die Tränen gleich in Trauben herunter.

Es hätte mich schon stutzig[1] machen müssen, daß meine Tochter, die vierzehn Tage in Wien 10 bei ihrer Freundin gewesen war, um den Sommer in dieser Stadt zu erleben, ihr Heimkommen immer wieder um einen Tag verschoben[2] hatte. Das war sonst nicht ihre Art. Wenn sie am Mittwoch ankommen sollte, war sie bisher 15 lieber am Dienstag abgereist als einen Tag später. Diesmal aber schrieb sie in letzter Minute, sie möchte erst Donnerstag kommen. Am Donnerstag depeschierte[3] sie ihre Ankunft für Freitag, aus dem Freitag wurde der Samstag, und 20 am Sonntag kam sie endlich.   Verheult[4] und völlig verändert. Dabei hatte ich für sie eine große Freude im Sack. Aber ich durfte nichts verraten, ich hatte es versprochen.

„Fahren wir bitte gleich nach Hause, Papa", 25 sagte Christine.

„Wir werden zunächst einmal etwas essen gehen, etwas Gutes", antwortete ich.

Ich gehöre noch zu jener Generation, die glaubt, mit guten Bissen[5] Trost[6] spenden zu können. So 30 nahm ich meine Tochter am Arm und führte sie auf die Terrasse des Parkhotels. Ich hatte ihren großen Koffer genommen, sie trug den kleinen und ein armseliges Veilchensträußchen, das den Strapazen[7] der Reise nicht gewachsen gewesen 35 war. Müde ließ es die kleinen blauen Blütenköpfe hängen; wie eine Klasse der Kleinsten nach einem Schulausflug sahen die Veilchen aus.

Der Kellner kam.

40 Christine nahm einen Orangensaft.

„Was willst du essen?"

„Ich bringe keinen Bissen hinunter, Papa."

Ich ließ es nicht gelten[8].

„Zwei Pastetchen", sagte ich. [...]

45 Die Pasteten schmeckten königlich. Sie heißen ja auch so.

Christine war zuerst mit der ihren fertig.

„Ich dachte, du bekommst keinen Bissen hinunter, Christine?"

50 „In deiner Gegenwart, Papa – das Leben ist ganz anders, wenn du bei mir bist."

Solche Worte tun einem Vaterherzen gut.

„Erzähl weiter von deinem Architekten."

„Da ist nichts mehr zu erzählen."

55 „Liebst du ihn?"

„Ich weiß es nicht."

„Du sagst es nicht. Aber du weißt es. Und er? Liebt er dich?"

Ein tiefer Seufzer, ganz von unten.

60 „Ach, Papa!"

„Seufz nicht, sondern sprich! Weshalb hast du deine Abreise immer wieder verschoben?"

„Kann ich bitte noch ein Glas Orangensaft haben, Papa?"

65 „Du bist eine große Verzehrerin, Kind! Herr Ober, bitte einen Orangensaft! Nun beichte.[9]"

„Erst wenn der Kellner da war."

„Das kann eine Ewigkeit dauern. Also weshalb?" [...]

70 „Ich hatte Günter gesagt, daß ich Mittwoch heimfahre. Er war weder verzweifelt, noch sagte er irgend etwas. Aber das war es nicht, was mich verwirrte."

„Was war es dann?"

75 „Er fragte mich nicht nach meiner Adresse."

„Wie meinst du das?" fragte ich.

Christine sprach jetzt sehr schnell.

„Er fragte nicht, wo ich hinfahre und wohin er mir schreiben kann. Kannst du dir das vor80 stellen, Papa, daß ein Mensch, von dem du glaubst, daß er dich liebhat, nicht fragt, wohin er dir einen Brief schreiben kann? Er muß dir doch schreiben wollen, anders geht es doch gar nicht. Ich dachte zuerst, er hätte es vergessen, 85 deswegen blieb ich einen Tag länger. Morgen wird er dich fragen, dachte ich. Aber er fragte nicht am Donnerstag und nicht die anderen Tage. Nicht einmal am letzten, nicht einmal gestern. Also war ich weiter nichts für ihn 90 gewesen als lustige vierzehn Tage, ein verliebtes Abenteuer, nichts anderes. Ein Mann, der dich nicht nach deiner Adresse fragt, der dir gar nicht schreiben will. Kannst du mir nachfühlen, wie man sich darüber als junges Mädchen 95 kränkt[10]? Am liebsten möchte ich sterben!"

Wenn man mich jetzt genau angesehen hätte, hätte man ein Schmunzeln in meinem väterlichen Gesicht erblickt. Nicht daß ich die Herzensaffären einer meiner Töchter auf die leichte 100 Schulter genommen[11] hätte, man muß als Vater die Dinge immer ernst nehmen, die die Töchter an unserer Brust ausweinen. [...]

„Siehst du da oben das Flugzeug über uns?" fragte ich.

105 „Ja. Warum zeigst du es mir?"

„Es kommt aus Wien. Man ist mit dem Flugzeug dreimal so schnell hier wie mit dem Zug."

„Es ist auch dreimal so teuer."

„Das kann sein", sagte ich. Mehr sagte ich 110 nicht.

Daheim war natürlich Jubel, Trubel, Heiterkeit. Wenn eine unserer Töchter zurückkommt, feiern wir immer ein kleines Fest. Da stehen Blumen in ihrem Zimmer, da wird der Tisch
115 festlich mit Damast[12] gedeckt. [...]
Ich selbst nehme die guten schönen Gläser aus dem Schrank, das darf keiner tun als ich, es ist wie eine Zeremonie, wenn ich sie noch einmal sanft poliere und auf den Zentimeter genau vor
120 jedem auf seinen Platz stelle, das Glas für die Mutter, die drei Gläser für meine Töchter, das Glas für mich. Diesmal stellte ich sechs Gläser auf den Tisch, das volle halbe Dutzend.

Wir setzten uns aufgeregt – das heißt, wir wa-
125 ren es, die aufgeregt waren; meine Tochter Christine, in der Freude des Heimkommens und auch jetzt noch den Veilchenstrauß aus Wien in der Hand, nahm arglos[13] auf ihrem Stuhl Platz, während ich den Wein einschenkte.
130 Plötzlich rief sie :
„Papa ! Du schenkst ein Glas zuviel ein !"
„Wieso?" sagte ich. „Wir sind doch sechs."
„Nein", sagte Christine, "wir sind fünf."
„Wir sind sechs."
135 „Du kannst nicht zählen, Papa."
„Besser als du. Dreh dich doch einmal um." [...]

Jo Hanns Rösler, *Beste Geschichten,*
F.A. Ferbig, Verlagsbuchhandlung, München, 1974

---

1 **jemanden stutzig machen :** mettre la puce à l'oreille de qqn.
2 **etwas verschieben (o, o) :** remettre qqch. à plus tard.
3 **seine Ankunft depeschieren :** seine Ankunft telegrafieren; → die Depesche (-n) = das Telegramm.
4 **verheult sein :** avoir l'air éploré; → heulen : weinen.
5 **der Bissen (-) :** la bouchée, le morceau; ich bringe keinen Bissen hinunter : ich kann nichts essen.
6 **der Trost :** la consolation; → jemanden trösten.

7 **den Strapazen der Reise nicht gewachsen sein :** ne pas supporter les fatigues du voyage.
8 **etwas nicht gelten lassen (ie, a) :** mit etwas nicht einverstanden sein : ne pas accepter, ne pas admettre qqch.
9 **etwas beichten :** etwas eingestehen : avouer qqch.
10 **sich über etwas kränken :** s'affliger de qqch.
11 **etwas auf die leichte Schulter nehmen (a, o) :** prendre qqch. à la légère.
12 **der Damast (-e) :** le damas.
13 **arglos sein :** ne se douter de rien.

Fragen

I   Zum Textverständnis

1. Welches sind die verschiedenen Orte der Handlung?

a) _____ b) _____ c) _____
2. In welcher Gemütsverfassung ist Christine? Wie wirkt die Gegenwart des Vaters auf sie?
3. Wie reagierte Günter, als Christine ihm sagte, daß sie heimfahre?

a) _____

b) _____

c) _____

4. Was schließt Christine aus Günters Verhalten?

a) _____

b) _____

II   Zur Stellungnahme

1. Wen sah wohl Christine, als sie sich umdrehte? Welche Textstellen lassen das Ende der Geschichte erahnen?
2. Wie bewerten Sie das Verhältnis zwischen Eltern und Kindern in diesem Text? Belegen Sie Ihre Antwort mit Textstellen.

Wie wichtig ist Schönheit?

(Eine Mini – Umfrage)

1 **das ist eine Frage des Selbstbewußtseins :** cela dépend de l'idée que l'on se fait de soi-même,
2 **das ist Einstellungssache :** c'est affaire de point de vue.
3 **die Schönheit wahr/nehmen (a, o) :** remarquer la beauté.
4 **die Häßlichkeit :** la laideur; → häßlich.
5 **der Neider (-) :** l'envieux; → der Neid, auf jn. neidisch sein, jemanden beneiden.
6 **wandelbar :** variable.
7 **einer Sache einen hohen Wert ein/räumen :** accorder une grande valeur à qqch.
8 **zu einer Sache bei/tragen (u, a) :** contribuer à qqch.
9 **die innere Ausgeglichenheit :** l'équilibre psychique.
10 **die Eigenschaft (-en) :** la qualité.
11 **jemanden bevorzugen :** avantager qqn.
12 **jemanden verdächtigen :** soupçonner qqn.; → der Verdacht.
13 **der Begriff (-e) :** la notion.
14 **sich schön vor/kommen (a, o) :** se trouver beau.

Ergänzen Sie den Text mit den untenstehenden Wörtern und Ausdrücken.

Die Ergebnisse einer Mini-Umfrage zum Thema « Schönheit » könnte man folgender-
maßen zusammenfassen :

Schönheit ist eine sehr subjektive und _____ Sache.

Schönheit ist angenehm, wenn man sie _____ ; sie hat mit _____ nichts zu tun.

Schönheit trägt zur Selbstsicherheit und zur _____ bei; einer, der häßlich ist, kann

vielleicht _____ . Trotzdem sind Glück und _____ wertvoller als Schönheit.

Schönheit ist wohl auch _____ ; reine _____ existiert überhaupt nicht.

---

erlernbar - Komplexe entwickeln - erblicken - die Zufriedenheit - wandelbar - die innere
Ausgeglichenheit - die Häßlichkeit - die Dummheit.

Postkartenpoesie

99Wenn wir groß sind,
machen das natürlich
unsere Männer**99**

Playgirl der Woche

„Die Manuela läßt dir sagen,
wenn du heute nicht kommst, ist es aus"

© Reisinger

Schön
ist die Zeit
der ersten
Liebe

„Vati", ruft die Tochter ins Zimmer, „ich muß
eben mal zum Briefkasten." „Geh nur", ruft er
zurück, „ich hab' ihn auch pfeifen gehört ! "

Bella, Nr. 29 (1980)

◄ „Wenn ich nicht an Märchen
glauben würde, wärst du jetzt immer
noch ein Wetterfrosch ! "

Stern, Nr. 34 (1980)

89

GRAMMAIRE / FAISONS LE POINT

1 Le discours indirect ou discours rapporté (AG, p. 225) (suite)

A Le discours rapporté sans daß :

a/ *Transformez les phrases de discours rapporté ci-après en éliminant* **daß** :
Ex. : Sie sagte, daß sie bald in Urlaub fahren werde.
   ⟶ Sie sagte, sie werde bald in Urlaub fahren.

1. Sie behauptet, daß sie nichts gewußt habe.   **2.** Sie hatte erzählt, daß sie noch immer Hemden und Socken verkaufe.   **3.** Sie sagte, daß sie auf dem Land wohne.   **4.** Er erzählte, daß er Einkaufsleiter sei.   **5.** Er meinte, daß er ihr einen halben Tag Urlaub gestohlen habe.   **6.** Er war der Ansicht, daß er auch ein bißchen Glück gehabt habe.

b/ *Transposez les phrases ci-dessous au discours rapporté, d'abord* **avec daß**, *puis* **sans daß** :

1. Renate antwortete : „Ich bin nicht verheiratet. Ich habe ein bißchen Glück gehabt und bin Leiterin eines Textilversandhauses in Köln. Ich wohne in der Vorstadt. Ich fahre für vier Wochen in Urlaub, ich habe es wirklich nötig."
2. Sie sagte ihm : „Du siehst gesund aus. Du bist zwar älter geworden, aber das steht dir gut. Ich denke noch immer an dich. Ich bin froh, dich wiederzusehen."

B Le subjonctif II à côté du subjonctif I dans le discours rapporté : (AG, p. 225 et p. 248)

a/ *Mettez les verbes placés entre parenthèses à la forme qui convient :*

1. Dann erzählte ich ihm, ich (haben) viel zu tun und (haben) keine Zeit für Männer; deshalb (sein) ich nicht verheiratet.   **2.** Erich meinte, daß auch er ein bißchen Glück gehabt (haben), daß er Einkaufsleiter einer Hamburger Firma (sein) und oft in Köln zu tun (haben).   **3.** Der Bauführer erklärte, er (haben) schon am Tag zuvor auf ihn gewartet.   **4.** Er fügte hinzu, daß der Polier dem Kranführer die Bude zeigen (werden).

b/ *Transposez les phrases ci-dessous au discours rapporté :*

1. Der Bauführer sagte ihm : „Die Buden sind nicht komfortabel, sie haben aber warmes Wasser."   **2.** Der Bauführer fragte mich : „Warum kommen Sie so spät?"   **3.** Ich erklärte ihm : „Ich habe den Hauptbahnhof sofort verlassen und bin mit der Straßenbahn zur Baustelle gefahren. Ich habe mich gleich bei Ihnen gemeldet."   **4.** Erich hat dem Bauführer gesagt : „Ich bin der neue Kranführer."   **5.** Ich habe den Bauführer noch gefragt : „Wo kann ich wohnen? Wann soll ich mit der Arbeit beginnen? Was habe ich zu tun?"

C L'ordre et la prière dans le discours rapporté : (AG, p. 248)

a/ Ex. : **1.** Ich sagte ihm : „Geh in die weite Welt hinaus !"
   ⟶ Ich sagte ihm, er solle in die weite Welt hinausgehen.
   2. Ich bat ihm : „Geben Sie mir bitte ein Glas Wasser !"
   ⟶ Ich bat ihn, er möge mir ein Glas Wasser geben.

1. Der Vater sagte zu dem Jungen : „Geh zum Teufel !   **2.** Meine Frau sagte mir : „Laß den Jungen ruhig Clown werden !"   **3.** Er warnte mich : „Sei vorsichtig und fahre langsam "   **4.** Sie bat mich : „Bleib doch bitte, bis der Zug abfährt !"   **5.** Der Bauführer sagte dem Kranführer : „Kommen Sie morgen um sieben Uhr !"   **6.** Er fügte hinzu : „Seien Sie pünktlich !"   **7.** Er bat mich : „Gib mir doch bitte die Zeitung !"

b/ Ex. : Sie bat mich : „Bringe doch bitte meinen Koffer zum Bahnhof !"
   ⟶ Sie bat mich, ihren Koffer zum Bahnhof zu bringen.

1. Er riet mir : „Melde dich gleich beim Direktor !"   **2.** Er gab mit den Rat : „Nimm die Stelle an !"   **3.** Ich bat die Mutter : „Gib mir doch bitte noch ein Stück Kuchen !"   **4.** Dann hat mich mein Freund gebeten : „Sag meinen Eltern Bescheid, daß ich einen Unfall gehabt habe".

2 Traduisez les phrases ci-après :

1. Est-ce que Renate savait que son ancien ami n'était qu'un simple grutier (der Kranführer)?   **2.** Elle avait raconté qu'elle était la directrice (die Leiterin) d'une grande firme.   **3.** Il avait expliqué qu'il était le responsable des achats (der Einkaufsleiter) dans une firme de Hambourg.   **4.** Il m'a demandé si je voulais manger quelque chose.

7. LITERATUR HEUTE? -WOZU ÜBERHAUPT?

... plötzlich soll man etwas zu sagen haben, bloß weil man Schriftsteller ist.

(M. Frisch)

Worum geht es eigentlich in der Literatur?
– „Es geht um das Erfassen der Welt".
– „Wenn die Literatur nicht alles ist, ist sie nicht der Mühe wert".

(Heinrich Vormweg)

Carl Spitzweg, *Der Bücherwurm*
© F. Bruckmann A.G.

Vor 200 Jahren schrieb der junge Goethe die Love-Story seiner Epoche

Im Herbst 1774 erscheint in Leipzig der Roman „Die Leiden des jungen Werthers". Es ist die Geschichte eines empfindsamen Jünglings, der sich eine Kugel in den Kopf schießt, weil das geliebte Mädchen ihn zurückgewiesen hat.

Johann Wolfgang von Goethe

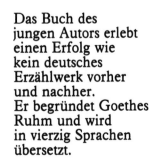

Lotte mit Geschwistern, in der Türe Goethe als Werther (Bild von Kaulbach)

Das Buch des jungen Autors erlebt einen Erfolg wie kein deutsches Erzählwerk vorher und nachher. Er begründet Goethes Ruhm und wird in vierzig Sprachen übersetzt.

Peter Haage, Stern, Nr 31 (1974)

FRANZ KAFKA :
Autor der Angst

Mit alptraumartigen Schreckensberichten hat der 1883 geborene Kafka der Literatur des 20. Jahrhunderts entscheidende Impulse gegeben. Er schrieb die Geschichte vom jungen Georg Samsa, der eines Morgens als riesiges Ungeziefer erwacht (*„ Die Verwandlung"*), und erfand die Vision eines „Apparates", der Menschen zu Tode foltert (*„ In der Strafkolonie"*). Er schildert Verurteilte, die von der Brücke springen (*„ Das Urteil"*) oder von zwei fetten Herren abgestochen werden (*„ Der Prozeß)*, und erzählt von einem Landvermesser, der vergebens Anstellung und Heimatrecht sucht (*„ Das Schloß"*).

Stern Nr. 12 (1975)

Foto Dr. Klaus Wagenbach

Das letzte Bild
von Franz Kafka.

HERMANN HESSE

Millionen haben Hermann Hesses Romane als literarische Droge genossen.

Hermann Hesse, mit einer Gesamtauflage von mehr als 30 Millionen Exemplaren erfolgreichster deutschsprachiger Schriftsteller dieses Jahrhunderts, lebte so, wie viele träumen : Fernab vom Menschengewühl, von der Hektik der Leistungsgesellschaft, von ihrer Ellenbogen — Mentalität genoß er im schweizerischen Montagnola Weltabgeschiedenheit. Er schrieb, las, ging spazieren. Er grub, jätete und pflanzte im Garten.
Hesse hinterließ ein literarisches Werk von nahezu 40 Büchern, darunter *„ Knulp"*, *„ Siddharta"*, *„ Der Steppenwolf"*, *„ Narziß und Goldmund"* und *„ Das Glasperlenspiel"*.

Stern Nr. 28 (1977)

„ Ich stehe heute und stehe immer bei denen, die an der Mauer stehen und erschossen werden, und nicht bei den Schießenden."

HEINRICH MANN
Der linke Bruder

Geboren 1871 in Lübeck, lebte in München und
Berlin. 1933 emigrierte der Gesellschaftskritiker
nach Kalifornien; 1950 starb er in Los Angeles.
In der DDR sind Heinrich Manns Bücher Best-
seller.
Mit der Lehrergroteske „Professor Unrat", in der
ein tyrannischer Schulmeister den Reizen einer
Barsängerin erliegt, profilierte er sich 1905 als bis-
sig – eleganter Kritiker der Spießbürgermoral.
1918 rechnete Heinrich Mann in dem satirischen
Roman „Der Untertan" mit dem Ungeist der Kai-
serzeit ab.
Der Titelheld Diederich Heßling (...) gilt bis heute
als Prototyp des kriechenden Staatsbürgers. (...)
1930 wurde er noch berühmter: Unter dem Titel
„Der blaue Engel" kam der „Professor Unrat" in
die Kinos; der Film machte die langbeinige
preußische Offizierstochter Marlene Dietrich über
Nacht zum Weltstar.
In der DDR gilt der Lübecker Senatorensohn als
Nationaleigentum. „Heinrich Mann ist unser!" erklärte Walter Ulbricht 1971.

Peter Meyer, *Stern*, Nr. 33 (1974)

Foto Gutscha

THOMAS MANN
Der jüngere Bruder

Geboren 1875 in Lübeck, lebte später als freier
Schriftsteller in München. 1933 emigrierte er in
die Schweiz, später in die USA. 1955 starb er in
Zürich. Keiner hat so meisterhaft die bürgerliche
Kultur geschildert wie Th. Mann.
„Buddenbrooks", 1901: Dieser Gesellschaftsroman
erzählt über vier Generationen Glanz und Nieder-
gang einer Lübecker Kaufmannsfamilie im 19.
Jahrhundert. 1979 als Fernsehspiel in 11 Teilen
verfilmt.
„Der Tod in Venedig", 1912; „Der Zauberberg",
1924; „Lotte in Weimar", 1939; „Joseph und seine
Brüder", 1933-1943; „Doktor Faustus", 1947;
„Bekenntnisse des Hochstaplers Felix Krull", 1954.

Foto New-York Times

Bücherverbrennung der Nationalsozialisten auf dem Opernplatz in Berlin 10.5.1933   Ullstein Bilderdienst

„ Dort, wo man die Bücher verbrennt, verbrennt man auch am Ende die Menschen."
Heinrich Heine

„ Die Flammen dieser politischen Brandstiftung[1] würden sich nicht löschen lassen."
Erich Kästner

Ein Scheiterhaufen[2] für den Geist

Am 10. Mai 1933 ging in Deutschland der freie Geist in „wabernder Lohe"[3] unter. Auf dem Opernplatz in Berlin verdammte Propagandaminister Goebbels den jüdischen und „undeutschen" Geist in der deutschen Literatur.

Wider den undeutschen Geist

... Von den Wagen, die das undeutsche Schriftmaterial bis zum Opernplatz in die Nähe des Scheiterhaufens gebracht hatten, bildete sich eine lange Kette von Studenten, und von Hand zu Hand gingen die Bücher, die dann dem Feuer übergeben wurden. Unter dem Jubel der Menge wurden um 11.20 Uhr die ersten Bücher in die Flammen geworfen...

in : *General-Anzeiger für Bonn und Umgegend* vom 11.5.1933

---

1 **die Brandstiftung (-en) :** l´incendie volontaire.
2 **der Scheiterhaufen (-) :** le bûcher.
3 **„wabernde Lohe" :** « flammes ondoyantes ».
4 **die Überschätzung des Trieblebens :** la trop grande importance accordée aux instincts.

Die Rufer

1. Rufer : Gegen Klassenkampf und Materialismus, für Volksgemeinschaft und idealistische Lebenshaltung ! Ich übergebe der Flamme die Schriften von Marx und Kautzky.
2. Rufer : gegen Dekadenz und moralischen Verfall ! Für Zucht und Sitte in Familie und Staat ! Ich übergebe der Flamme die Schriften von Heinrich Mann, Ernst Glaeser und Erich Kästner. (...)
4. Rufer : Gegen Überschätzung des Trieblebens,[4] für den Adel der menschlichen Seele ! Ich übergebe der Flamme die Schriften des Sigmund Freud. (...)

in : *Neuköllner Tageblatt* vom 12.5.1933

95

JETZT DICHTEN SIE WIEDER

Es ist nur ein paar Jahre her, da kannte Deutschlands Schriftsteller-Elite
nur ein Ziel : Machtwechsel in Bonn. Doch seit Brandt gescheitert ist,
ziehen sich die Poeten resigniert aus der Politik zurück. (...)
Die Literaten gehen nicht mehr auf die Straße, sie gehen in sich.

Polit-Poet
Günter Grass

Geboren 1927 in Danzig; lebte als Bildhauer, Gra-
phiker und Schriftsteller in Paris. Seit 1960 in Ber-
lin-West.
Prosa : „Danziger-Trilogie" : „Die Blechtrommel",
1959, in 16 Sprachen übersetzt, 1978 verfilmt; „Katz
und Maus", 1961; „Hundejahre", 1963. „Örtlich be-
täubt", 1969, „Der Butt", 1977; „Das Treffen in
Telgte", 1979; „Kopfgeburten", 1980.
Theater : „Die bösen Köche", 1961; „Die Plebejer
proben den Aufstand",1966.

Hans Magnus
Enzensberger

Geboren 1929 in Kaufbeuren/Allgäu. Redakteur am
Süddeutschen Rundfunk. Aufenthalte in Italien und
Norwegen, lebt in München.
Gedichte : „Verteidigung   der   Wölfe",   1957;
„Landessprache", 1960.
Essays : „Politik und Verbrechen", „Deutschland,
Deutschland unter anderm".
Theaterstück : „Der Menschenfeind", nach Molière,
1979.
Die Zeitschrift „Kursbuch" war jahrelang das Brevier
der demonstrierenden Studenten.

Siegfried Lenz

Geboren 1926 in Lyck/Ostpreußen. Freier Schrift-
steller in Hamburg. „So zärtlich war Suleyken", 1955;
„Deutschstunde", 1968; „Das Vorbild", 1973;
„Heimatmuseum", 1979.
Trat als Wahlkampfredner für die SPD auf; begleitete
zusammen mit Grass Bundeskanzler Willy Brandt nach
Warschau. Kümmert sich heute wieder nur um Litera-
tur.

Martin Walser

Geboren 1927 in Wasserburg/Bodensee, lebt in Fried-
richshafen/Bodensee. „Das Linke, Demokratiefreudige
war bei uns Intellektuellen nur eine Party-Attitüde." —
„Schriftsteller sind immer konservativ."
Prosa : „Ehen in Philippsburg", 1957; „Halbzeit",
1960; „Das Einhorn", 1966; „Das Schwanenhaus",
1980, Thema : Das Glück des Unterlegenen.
Theater : „Eiche und Angora", 1962; „Der Schwarze
Schwan", 1964.

Frauen schreiben

© Stern, Photo Moses

© Piper Verlag

Luise Rinser

Geboren 1911 in Pitzling/Oberbayern. 1944 aus politischen Gründen zum Tode verurteilt. Seit 1946 freie Schriftstellerin in München. „Die Kirche, die ich meine, ist revolutionär wie die Botschaft Christi : Radikal für Gott und die Welt.“
„Gefängnistagebuch“, 1946; „Jan Lobel aus Warschau“, 1948; „Mitte des Lebens“, 1950; „Abenteuer der Tugend“, 1957; „Weihnachts-Triptychon“, 1963; „Der schwarze Esel“, 1973; „Den Wolf umarmen“, 1981 (Autobiographie).

Ingeborg Bachmann

Die Österreicherin Ingeborg Bachmann war eine international bekannte Dichterin. Sie hatte in der Bundesrepublik alle renommierten Literatur-Auszeichnungen bis hin zum Büchner-Preis erhalten. Schon zu Lebzeiten war diese Schriftstellerin ihre eigene Legende. Ihr Ruhm gründete auf zwei schmalen Gedichtbänden : Dem Erstling „Die gestundete Zeit“, der 1953 erschienen war, und „Anrufung des großen Bären“ (1956).

Anna Seghers
oder ein Leben für den Sozialismus

Geboren 1902 in Mainz. 1933 Emigration nach Frankreich, 1941 nach Mexiko. Seit 1947 in Berlin-Ost.
„Das siebte Kreuz“, 1942; „Die Toten bleiben jung“, 1949; „Die Entscheidung“, 1959; „Sonderbare Begegnungen“, 1973.

Christa Wolf

Geboren 1929 in Landsberg/Warthe; Lebt in Kleinmachnow (DDR). „Der geteilte Himmel“, 1962 : Rita Seidel, die Hauptfigur des Romans, verwirft die Alternative Westen. Sie bleibt in der DDR, während ihr Freund Manfred nach West-Berlin geht.
„Nachdenken über Christa T.“. 1968; „Unter den Linden“, 1974.

aus : Stern, Nr. 47 (1980)

Foto Moses

97

Friedrich Dürrenmatt :
„Die Welt ist eine Panne"

© Stern Foto Peterhofen

© Stern Foto Zebeck

Max Frisch

„Die Panne" ist ein Stück mit klassischen Dürrenmatt–Helden, mit Richter und Staatsanwalt, Henker und Rechtsanwalt. Die vier sind längst pensioniert, sind Greise kurz vor hundert. Sie spielen alte Kriminalfälle durch. Aber das langweilt sie. Sie wollen einen echten Fall. Da hat Alfredo Traps, Reisender in Textilien, eine Panne just vor ihrem Haus. Natürlich will Traps den vieren Angeklagter sein...

Dürrenmatt liest Denker. Keine Dichter. Er liest Freud, Einstein, Leibniz, Descartes, Spinoza. „Ich kenne keinen Böll, ich konnte nie einen Walser zu Ende lesen, und Grass hat — Gott sei Dank — seinen ‚Dorsch' noch nicht geschickt."
Er meint den „Butt"?
„Butt, Barsch, Bäckling – ich wußte doch, es war ein Fisch."

„Winterkrieg in Tibet" erscheint im nächsten Jahr. Dürrenmatt beschreibt darin die Welt nach einem Atomkrieg. Die Politiker sitzen in sicheren Bunkern, das Volk macht draußen Revolution. „Die Welt ist eine Panne", sagt er, „ein kolossaler", irrationaler Kollaps.

Die Energiekatastrophe, auf die der Westen zusegelt, beschreibt er als die Situation eines Mannes, „der aus dem 20. Stockwerk springt und auf der Höhe der 3. Etage sagt : Bis jetzt ist ja noch nichts passiert".

Stern, Nr. 38 (1979)

In seinen frühen Stücken („Nun singen sie wieder", „Als der Krieg zu Ende war", „Die chinesische Mauer", „Graf Oderland") stellte er dar, daß der bürgerliche Mensch die Geschehnisse von 1933 bis 1945 weder geistig noch moralisch verarbeitet, sondern nur verdrängt hat. (...)
Artistik erreichte Max Frisch zweimal : In dem 1954 erschienenen Roman „Stiller", jener Geschichte eines Mannes, der schuldbewußt seine Identität leugnet, und dann in dem 1961 uraufgeführten Theaterstück „Andorra". Es zeigt das Schicksal eines Juden, der keiner ist, aber als solcher behandelt wird. Sein erfolgreichstes Stück ist zugleich sein schwächstes : „Biedermann und die Brandstifter", die Satire auf einen Spießer, der aus Hang zum Besitz dem Bösen nicht Widerstand leistet.
Er hat nach 1945 mit seiner Feder nie am Kalten Krieg teilgenommen. Den Sozialismus hat er mitsamt seinen Fehlern zu verstehen und zu erklären versucht. Und beide – Sozialismus und Kapitalismus – hat er beständig in Frage gestellt. Revolution versteht er als die tägliche Arbeit an der Veränderung. (...) Er ist dabei im Grunde ein Konservativer geblieben.

Ein Bericht von Jürgen Serke, mit Fotos von Robert Lebeck, *Stern*, Nr. 39 (1976)

© Stern Foto Peterhofen

BESUCH BEI BÖLL

Helfer im Exil
Nachdem der Schriftsteller und Regime-Kritiker Alexander
Solschenizyn 1974 aus der Sowjetunion ausgewiesen
worden war, beherbergte Böll den Freund und Kollegen die
ersten Tage in seinem Landhaus in der Eifel.

Bölls frühe Erzählungen, Hörspiele und Romane
(„Wo warst du Adam?", 1951, „Und sagte kein einziges Wort", 1953,
„Haus ohne Hüter", 1954, „Billard um halb zehn", 1959)
kreisen um zwei Themen : die Absurdität des Krieges
und das äußere und innere Elend der Nachkriegszeit.

In den späteren Romanen („Ansichten eines Clowns", 1963,
„Die verlorene Ehre der Katharina Blum", 1974,
„Fürsorgliche Belagerung", 1979) kritisiert Böll
die Mißstände und Schwächen der heutigen Leistungsgesellschaft.
Der grobe Materialismus, die Gewinnsucht, die Heuchelei
von Kirche und Staat, die Massenmedien, die Angst und die
Hilflosigkeit der bundesdeutschen Gesellschaft, nichts entgeht
seinem unbestechlichen Blick.
Böll ist der „Straßenkehrer des Zeitgeists".

„TERRORISMUS
UND KRIMINALITÄT
HABEN
WAHRSCHEINLICH
EINE GEMEINSAME
URSACHE"
Heinrich Böll

„DIE ANGST
IST IN UNSERER
GESELLSCHAFT
ZU EINER
EINRICHTUNG
GEWORDEN"
Heinrich Böll

99

Gefunden

1788, nach der Italienreise, begegnete Goethe Christiane Vulpius, einem Mädchen aus dem Volk, und nahm sie in sein Haus auf. Auf symbolische Weise schildert das Gedicht dieses Erlebnis.

Ich ging im Walde
So für mich hin,
Und nichts zu suchen,
Das war mein Sinn.

5 Im Schatten sah ich
Ein Blümlein stehn,
Wie Sterne leuchtend,
Wie Äuglein schön.

Ich wollt' es brechen,
10 Da sagt' es fein :
Soll ich zum Welken
Gebrochen sein?

Ich grub's mit allen
Den Würzlein aus,
15 Zum Garten trug ich's
Am schönen Haus.   Johann Wolfgang von Goethe (1749-1832)

Und pflanzt' es wieder
Am stillen Ort;
Nun zweigt es immer
20 Und blüht so fort.

Deutschstunden

Was
will der Dichter
damit sagen?
pflegte
5 unser Studienrat
zu fragen.

Meist war er
mit unseren Antworten
so unzufrieden
10 daß wir uns fragten
warum denn die Dichter   Helmut Lamprecht (geb. 1925)
nicht *gleich* das sagten
was sie gar nicht
sagen wollten.

Und nichts zu suchen...

„Ich ging im Walde
So für mich hin...“
J.W. v. Goethe

So für mich hin, so für mich hin –
Wie ist das zu verstehen?
Was hat der Kerl so für sich hin
Durch einen Wald zu gehen?

5 Wer gab den Auftrag[1], bitte, wer
Hat ihm den Gang[2] befohlen?
Und wo nahm er die Zeit sich her?
Wem hat er sie gestohlen?

Weil Goethe gut ins Schulbuch paßt,
10 Muß er seit Ewigkeiten
So für sich hin und ohne Rast
In jenem Walde schreiten...

Weswegen, wann, woher, wohin?
Was hat ihn inspirieret?
15 Wem bringt ein solcher Gang Gewinn[3]?
Hat er botanisiert?

Was fühlte, dachte, schmeckte er?
Warum – das ist die Frage –
Ging er nur hin und niemals her?
20 Wie war die Wetterlage?

So spekulieren kreuz und quer
Die wackren Interpreten.
Denn „Nichts zu suchen“ – das fällt schwer
Den deutschen Studienräten.

Mickhail Krausnick (geb. 1943)
aus : *Tagtäglich. Gedichte* [Weckbuch 3],
herausgegeben von Joachim Fuhrmann,
Rowohlt Taschenbuch Verlag,
Reinbek bei Hamburg, 1976

Carl Spitzweg, *Der Schmetterlingsfänger*
Foto Archiv

---

1 **Wer gab den Auftrag...?** : qui lui (en) a donné l'ordre...?
2 **der Gang (ᴱe)** : la promenade, la sortie.
3 **wem bringt das Gewinn?** qui en profite, qui en bénéficie?

ZUR DISKUSSION

LITERATUR– WAS IST DAS?

Ist Literatur ein Luxus?
Ist Literatur nur ein Amüsement?
Haben Bücher die Welt verändert?

LITERATUR TOT ODER AUFERSTANDEN?

Steht das Literaturbarometer auf Tief?
Sind wir literaturmüde geworden?

Weg von der politischen und theoretischen Literatur!
Zurück zur Schönen Literatur!
Zurück zu den Klassikern!
Die Literatur ist noch lange nicht tot!

LIEST MAN HEUTE NOCH GEDICHTE?

Wie beliebt ist Poesie heute?
Verschönert Poesie das Leben?
Ist Poesie Flucht aus der Wirklichkeit?
Wollen junge Menschen heutzutage wieder Gedichte lesen?
„Das Ende der Poesie wäre das Ende der Menschheit."

(Erich Fried)

„Jedes Gedicht hindert uns daran, ein Rädchen in einem Apparat zu werden."

(Hans Dieter Schmidt, Kulturbrief, 1974-D, 5)

LESEN SIE IN IHRER FREIZEIT?

Ist Lesen für Sie Spaß oder Anstrengung?
Lesen Sie nur Zeitungen, Illustrierte und Zeitschriften?

Bücher nach Maß

Von Bartak

L. Boris (1920)

Der König Erl
(Frei nach Johann Wolfgang von Frankfurt)

Wer reitet so spät durch Wind und Nacht?
Es ist der Vater. Es ist gleich acht.
Im Arm den Knaben er wohl hält,
er hält ihn warm, denn er ist erkält'.
Halb drei, halb fünf. Es wird schon hell.
Noch immer reitet der Vater schnell.
Erreicht den Hof mit Müh und Not – – –
der Knabe lebt, das Pferd ist tot !

Das große Heinz Erhardt Buch,
Fackelträger Verlag

© Bartak – Lüning
Das große Simplicissimus Album,
Fackelträger Verlag

Im Literatencafé
„Lesen Sie nicht so laut, der Herr am
Nebentisch kann nicht dichten"

Jux mit Büchern

Beim „Literatrubel" jedes Jahr im Juni verwandelt sich der Gerhart-Hauptmann-Platz für fünf Tage in einen bunten Jahrmarkt voller kleiner Buden, in denen Schriftsteller und Verleger vorlesen, diskutieren, Autogramme geben oder einfach nur Bücher zeigen. Dazwischen sind Jazz-Bands, Puppenspieler, Straßentheater, Würstchenverkäufer, Pflastermaler, Moritatensänger und ein bunter Harlekin anzutreffen. Er führt als zentrale Figur durch das Programm und wirbt auch auf dem Plakat des Graphikers Klaus Warwas für die äußerst erfolgreiche Kultur-Demonstration.

8. PANORAMA LAND UND LEUTE

Photo © J. Guillard, "Top"

Photo © M. Levassort

Photos © Böhmelmann

Kiel
SCHLESWIG-HOLSTEIN
Rostock
Hamburg Schwerin
HAMBURG Neubrandenburg
BREMEN
Bremen
DEUTSCHE
NIEDERSACHSEN
Berlin Berlin
Hannover (West) (Ost)
Magdeburg Potsdam Frankfurt an der Oder
Münster
BUNDESREPUBLIK **DEMOKRATISCHE**
NORDRHEIN- Halle Cottbus
Düsseldorf Leipzig
WESTFALEN Dresden
Köln Erfurt **REPUBLIK**
Bonn Gera Karl-Marx-Stadt
HESSEN Suhl
Maria Laach Wiesbaden
RHEINLAND- Bamberg
PFALZ Mainz
Worms
SAARLAND **DEUTSCHLAND**
Saarbrücken Speyer
BAYERN
Stuttgart **NIEDERÖSTERREICH**
BADEN- Ulm Linz **WIEN**
WÜRTTEMBERG München Melk Wien
OBERÖSTERREICH Eisenstadt
Salzburg **BURGENLAND**
Basel Zürich Bregenz **Ö S T E R R E I C H**
Bern Einsiedeln **SALZBURG** **STEIERMARK**
Luzern **VORARLBERG** Innsbruck Graz
S C H W E I Z **TIROL** **KÄRNTEN**
Lausanne Klagenfurt
Genf

Urlaub am Leuchtturm. Die Nordseeinsel Pellworm hat 1200 Einwohner und kann 2000 Gäste aufnehmen

Unser Luftbild zeigt eine von neun Warften auf Hallig Hooge. Die Warften sind vor Hochwasser schützende Erdhügel, auf denen die Halligbewohner ihre Häuser gebaut haben

Das leckerste Inselgericht sind immer noch die Krabben – frisch gefangen. Die Gäste müssen nur pulen

Nordfriesland:
Wunderwelt der Halligen und Inseln

Sie werden Vorposten der Erholung genannt: die fünf Inseln und zehn Halligen im nordfriesischen Wattenmeer. Ob sich der Urlauber für den vornehmen Badebetrieb auf Sylt entscheidet oder lieber für die Einsamkeit der kleinen Halligwelt – das wird zur Geschmacksfrage

In Schlüttsiel oder Dagebüll muß der Urlauber aufs Schiff umsteigen. Hallig-Gäste brauchen kein Auto

Fotos: Luftbild Klammert und Albert, freigegeben vom Reg.-Pr. Oberbayern, Nr. 6, 43, 359, Kurt Struve, Bavaria, roebild

Der Ruhrpott ist eine Reise wert

Das Ruhrgebiet.
Ein Land so schwarz wie die Kohle, die von dort kommt?
Vergessen Sie dieses Vorurteil — mit Bildern, wie man sie aus „dem
Kohlenpott" bestimmt nicht erwartet.

Bunte, Nr. 46 (1978)

Fördertürme und Hochöfen prägen zwar das Bild des Reviers.
Aber 60 Prozent der Fläche sind Wälder und Wiesen.

Bunte, Nr. 46 (1978)

Scala-Jugendmagazin, Nr. 4 (1979)

Schäfer Pollmeier lebt mit seinen 14 Schafen mitten in der Stadt.
In Castrop Rauxel. Früher hatte er eine Herde von 200 Tieren, mit denen er durchs ganze Revier zog.

© Burda Verlag

107

Die Deutsche Märchenstraße

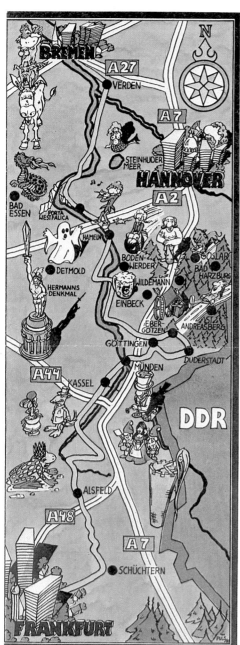

☐ Das ist die Deutsche Märchenstraße: Wer diese Route wählt, findet Märchen und Sagen aus der Kindheit wieder

☐ Am Steinhuder Meer – ein Paradies für Wassersportler und Angler. Auch für Schlemmer: Überall in den Restaurants gibt's frisch geräucherte Aale

☐ Schlösser und Burgen dürfen natürlich an der Märchenstraße nicht fehlen. Hier die Ruine der Krukenburg bei Helmarshausen im Weserbergland

NEUE REVUE begann die Märchenreise in Hanau, weil dort die Gebrüder Grimm geboren wurden. Vor dem Rathaus steht ihr in Bronze gegossenes Denkmal. Das Schloß Wilhelmsruhe sollten Sie sich schon ansehen, ehe Sie nach 26 Kilometer Fahrt in Gelnhausen Station machen. Im Geburtshaus des größten deutschen Dichters des Barock, des Freiherrn Grimmelshausen.

Rund 26 Kilometer weiter liegt Steinau. Hier verbrachten die Gebrüder Grimm ihre Jugend. Sie sollten nicht versäumen, eine Aufführung der Marionettenbühne Karl Magersuppe anzusehen. Auf dem Programm: Grimmsche Märchen. Es gibt, falls Magersuppe nicht gerade auf Auslandstournee

☐ Auf dem Bremer Marktplatz: das Denkmal der Bremer Stadtmusikanten

Wo Bayern am bayerischsten ist

München hat viele Namen. Die einen nennen München „Weltstadt mit Herz", die anderen „größtes Dorf Deutschlands" oder auch „heimliche Hauptstadt". Alle drei Namen übertreiben ein wenig. Aber in allen ist auch ein wenig Wahrheit.

Foto Lapad / Roger Viollet

Schloß Neuschwanstein

München : Rathaus

München : Stadtmitte

Foto Philippe

Foto Max Prugger

SPEYER

Die Dom-und Kaiserstadt am Rhein

Freundlichst überreicht durch

Verkehrsamt der Stadt Speyer
6720 Speyer, Maximilianstrasse 11
Fernruf (062 32) 1 43 92

Im silbernen Schild der rote Dom
mit drei blaugedeckten Türmen
und drei offenen Toren.

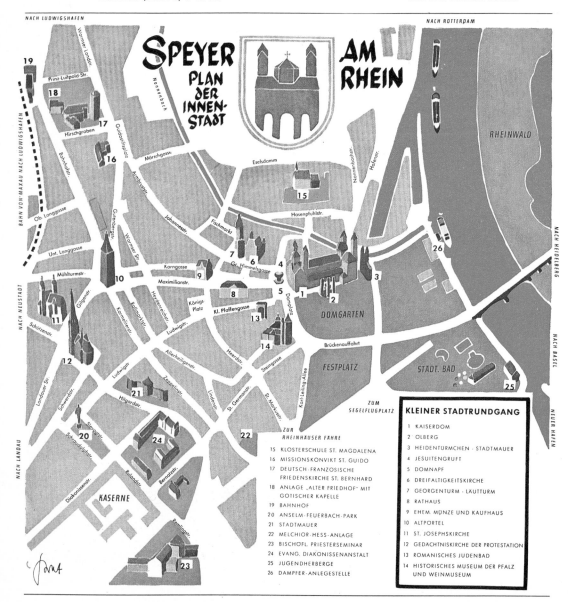

NACH LUDWIGSHAFEN

NACH ROTTERDAM

SPEYER
PLAN DER INNEN-STADT

AM RHEIN

RHEINWALD

BAHN VON-MAXAU NACH LUDWIGSHAFEN

NACH NEUSTADT

NACH LANDAU

NACH HEIDELBERG

NACH BASEL

NEUER HAFEN

Prinz-Luitpold-Str.
Wormer Landstr.
Nonnenbach
Hirschgroben
Bahnhofstr.
Guidostraplatz
Mörschgasse
Eselsdamm
Nonnenbachstr.
Hafenstr.
Ambruststr.
Ob. Langgasse
Gutenbergstr.
Wormser Str.
Johannestr.
Fischmarkt
Hasenpfuhlstr.
Unt. Langgasse
Korngasse
Mühlturmstr.
Maximilianstr.
Gr. Himmelsgasse
Grügenstr.
Königs-Platz
Kl. Pfaffengasse
Domplatz
DOMGARTEN
Karmeliterstr.
Rollingerstr.
Hardenackestr.
Ludwigstr.
Schützenstr.
Allerheiligenstr.
Heerdstr.
Brückenauffahrt
Ludwigstr.
Zeppelinstr.
Steingasse
FESTPLATZ
STADT. BAD
Hilgardstr.
Lindenstr.
St. Germanstr.
Karl-Leiling-Allee
Landauer Str.
Schwerdstr.
Silogasse
St. Markstr.
ZUM SEGELFLUGPLATZ
Schraudolphstr.
Rulandstr.
Bernartstr.
ZUR RHEINHÄUSER FÄHRE
Diakonissenstr.
KASERNE
Reenlingstr.

KLEINER STADTRUNDGANG

1 KAISERDOM
2 OLBERG
3 HEIDENTÜRMCHEN · STADTMAUER
4 JESUITENGRUFT
5 DOMNAPF
6 DREIFALTIGKEITSKIRCHE
7 GEORGENTURM · LÄUTTURM
8 RATHAUS
9 EHEM. MÜNZE UND KAUFHAUS
10 ALTPORTEL
11 ST. JOSEPHSKIRCHE
12 GEDÄCHTNISKIRCHE DER PROTESTATION
13 ROMANISCHES JUDENBAD
14 HISTORISCHES MUSEUM DER PFALZ
     UND WEINMUSEUM

15 KLOSTERSCHULE ST. MAGDALENA
16 MISSIONSKONVIKT ST. GUIDO
17 DEUTSCH-FRANZÖSICHE
     FRIEDENSKIRCHE ST. BERNHARD
18 ANLAGE „ALTER FRIEDHOF" MIT
     GOTISCHER KAPELLE
19 BAHNHOF
20 ANSELM-FEUERBACH-PARK
21 STADTMAUER
22 MELCHIOR-HESS-ANLAGE
23 BISCHÖFL. PRIESTERSEMINAR
24 EVANG. DIAKONISSENANSTALT
25 JUGENDHERBERGE
26 DAMPFER-ANLEGESTELLE

Die Gedächtniskirche : zur Erinnerung an die Protestation von 1529 (erbaut 1893-1904).

© Gebr. Metz, Bild-Verlag-Druckerei, Tübingen.

Der Kaiserdom-Ostchor.
Bedeutendstes und größtes romanisches Bauwerk aus dem 11. Jahrhundert.

Herz und Mitte der alten Reichsstadt SPEYER bildet der majestätische romanische *Kaiserdom.* Im Jahre 1027 soll Kaiser Konrad II. (aus dem Haus der Salier) den Grundstein für den Dom gelegt haben. Drei Jahrhunderte lang war der Dom die Grabeskirche der Herrscher des „Römischen Reiches Deutscher Nation"; acht Kaiser und Könige, und vier Königinnen sind darin begraben worden.

Zur Erinnerung an den Protest der evangelischen Fürsten auf dem Reichstag von 1529 in Speyer (daher der Name Protestanten) wurde 1893-1904 die *Gedächtniskirche* (im gotischen Stil) erbaut.

Andere Sehenswürdigkeiten :

Das *Altpörtel* (ein Torturm); beträchtliche Reste der alten Stadtmauer, darunter das *Heidentürmchen* hinter dem Dom; das monumentale rituelle *Judenbad* (fast 10 m unter der Erde) aus dem 12. Jahrhundert; das *Historische Museum der Pfalz* mit dem einzigartigen *Weinmuseum*; das *Staatsarchiv*; die *Friedenskirche* Sankt Bernhard (mit ihrem *Campanile*), die 1953/54 gemeinsam von Franzosen und Deutschen erbaut worden ist.

Judenbad (um 1100). Älteste erhaltene Anlage dieser Art in Deutschland.

WILLKOMMEN IN DER DDR !

Erzgebirge – ein deutsches Wintermärchen.
Das Erzgebirge liegt von Hamburg aus näher als der Schwarzwald.

Fotos : H. Fischer, Wolfgang Bera

Bekanntes Ausflugsziel ist die alte Berg-
baustadt Ehrenfriedersdorf mit den male-
rischen Häusern.

Im hohen Oberwiesenthal heißt es im
Winter fast immer „Ski und Rodel gut".

Höchster Punkt in der DDR : die Wetterstation auf dem Fichtelberg.
Die Schwebebahn braucht 6 Minuten zum Gipfel.

Die meisten
Nußknacker-
Schnitzer gibt es
in dem Kurort
Seiffen.

Die Leute sagen freundlich „Glück auf". So wird
hier schon seit dem Mittelalter gegrüßt. Die Hö-
hen tragen Namen wie Eisenberg oder Stahl-
berg.
Und dort wundert sich der Fremde : Erz wird
hier kaum noch gefunden, aber die Bräuche sind
geblieben.
Rund um den Fichtelberg, den höchsten Berg in
der DDR (1214 m), hat auch kein Klimawechsel
stattgefunden.
Die bewunderten Ski-Asse aus der DDR haben
hier ideale Trainingsmöglichkeiten.
Hier werden immer noch Nußknacker, Weih-
nachtsengel und Spielzeug geschnitzt, und die
Frauen klöppeln die zarten Seidenspitzen.

Neue Revue, Nr. 7 (1978)

Dresden

die frühere sächsische Hauptstadt an der Elbe

C. LE GALLO

Die Stadt Dresden wurde Anfang des 13. Jahrhunderts gegründet. Im Jahre 1485 wurde sie zur Residenzstadt und 1547 zur kurfürstlichen Hauptstadt. Von jener Zeit an setzte auf allen Gebieten der Kultur, des wirtschaftlichen, öffentlichen und sozialen Lebens eine großartige Entwicklung ein.
Mit seiner Oper wurde Dresden das wichtigste Musikzentrum Mitteldeutschlands.
Die großen Werke der Architektur (wie die Frauenkirche von Georg Bähr, die Oper und die Dresdner Galerie von Gottfried Semper, der Zwinger von Pöppelmann) waren bis zur Zerstörung Dresdens der Ruhm der sächsischen Hauptstadt.
In der Schreckensnacht vom 13. zum 14. Februar 1945 wurde die Innenstadt durch Flugzeugangriffe nahezu total zerstört.
Heute ist Dresden wieder zu einer blühenden Stadt geworden. Mit mehr als 500 000 Einwohnern ist Dresden die drittgrößte Stadt der DDR (Deutschen Demokratischen Republik), nach Berlin und Leipzig.

Theaterplatz mit Semper Oper

Dresdner Zwinger

113

WILLKOMMEN IN ÖSTERREICH !

Foto Evert/Rapho

Wien, Wien
nur du allein
Nachts erstrahlen
die Prachtbauten
der Stadt im
Scheinwerferlicht

Bild : der Stephansdom

Burg Greifenstein an der Donau

Salzburg

Foto Gritscher/Rapho

WILLKOMMEN IN DER SCHWEIZ !

Unter freiem Himmel versammeln sich die
wehrfähigen Männer zur Landsgemeinde.
Alle haben gleiches Recht.

© Paolo Koch / Rapho

© Everts / Rapho   Festung Tarasp   Bern

© Silberstein / Rapho

Stern. Nr. 38 (1978) Camera Press

Polit-Puzzle mit realem Hintergrund. Die beiden Deutschlands kommen sich näher

Wiedervereinigung

Gesamtdeutsche Bastelstunde

Durch immer engere wirtschaftliche
Beziehungen zur DDR will Bonn die Voraus-
setzungen für eine mögliche Zusammenführung
der beiden deutschen Staaten schaffen

EUROPA-
lohnt sich das ?

Die Länder der Europäischen
Gemeinschaft :

1	B	Belgien
2	D	Bundesrepublik Deutschland
3	DK	Dänemark
4	F	Frankreich
5	GR	Griechenland
6	GB	Großbritanien
7	I	Italien
8	IRL	Irland
9	L	Luxembourg
10	NL	Niederlande

Europäische Gemeinschaft

EG-Mitgliedschaft beantragt

EFTA (Europäische Freihandelszone)

COMECON (Rat für gegenseitige
Wirtschaftshilfe)

nicht in EG, EFTA, COMECON

Erasmus von Rotterdam (1466-1536)
ersehnte schon 1517 ein einiges Europa,
um den Kriegen ein Ende zu setzen

Victor Hugo, kündigte 1851 die Vereinigten
Staaten von Europa an. Er erntete Hohn
und Spott. Und den Appellen und Aufrufen
folgten immer nur neue Kriege. Denn Europa
war dem Krieg stets näher als dem Frieden.

Winston Churchill, britischer Premierminister
von 1940-1945 und 1951-1955. Er erkannte
bereits im Zweiten Weltkrieg die Notwendigkeit
der Einigung Europas und gab der Idee
durch seine 1946 in Zürich gehaltene Rede
einen starken Impuls.

Nostalgie

Werben bei Wind und Wetter

Alte Reklameschilder aus Emaille sind heute begehrte Sammelobjekte

Mit diesen Schildern begann die Imagewerbung der Markenartikel

Vorher hatte es beim Kaufmann einfach nur Margarine, Waschpulver oder Schuhcreme gegeben — jetzt verlangen die Kunden nach „Rama", „Persil" oder „Erdal"

Stern, Nr. 49 (1980)

9. PANORAMA
GESCHICHTE, KULTUR, GESELLSCHAFT

Anton von Werner, *Kaiserproklamation*, 1871
© Kleinhempel

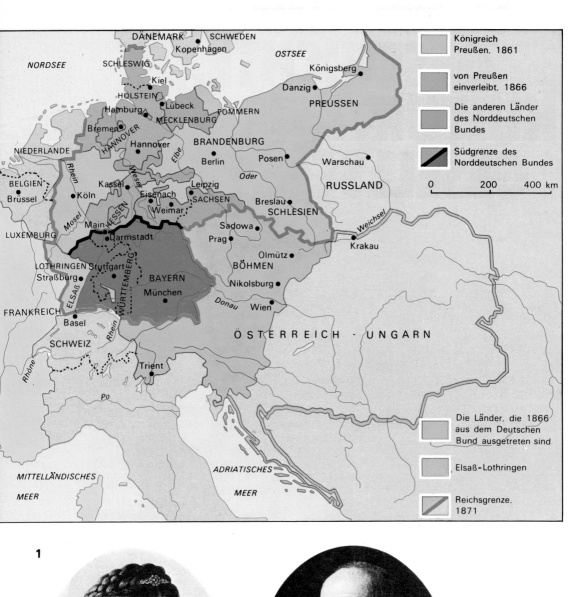

	Königreich Preußen, 1861
	von Preußen einverleibt, 1866
	Die anderen Länder des Norddeutschen Bundes
	Südgrenze des Norddeutschen Bundes

0   200   400 km

	Die Länder, die 1866 aus dem Deutschen Bund ausgetreten sind
	Elsaß-Lothringen
	Reichsgrenze, 1871

1

120

Deutschland	Österreich

1848-1916

Kaiser **Franz Joseph I.** (vermählt mit **Elisabeth**, genannt „**Sissi**")

1862
Otto von Bismarck wird zum preußischen Ministerpräsidenten und Außenminister berufen

1863
Die erste politische Partei der deutschen Arbeiterschaft, der **Allgemeine Deutsche Arbeiterverein**, wird von **Ferdinand Lassalle** gegründet

1865
Luise Otto-Peters und Auguste Schmidt gründen den **Allgemeinen Deutschen Frauenverein** in Leipzig

1866
Krieg gegen Österreich/Preußen siegt in der Schlacht von **Königgrätz**

1867
Unter der Führung Preußens wird der **Norddeutsche Bund** gegründet/**Werner von Siemens** erfindet die **Dynamo-Maschine**/**Karl Marx** gibt den ersten Band des „**Kapitals**" heraus

Schaffung der **Doppelmonarchie Österreich-Ungarn**

1869
In Eisenach wird die **Sozialdemokratische Arbeiterpartei** durch **Bebel** und **Liebknecht** gegründet

1870-1871
Deutsch-Französischer Krieg

1871
Die süddeutschen Staaten schließen sich mit dem Norddeutschen Bund zum **Deutschen Reich** zusammen/(18.Januar) König Wilhelm I. wird im Spiegelsaal von Versailles zum Deutschen Kaiser ausgerufen/Bismarck wird Reichskanzler/Im **Frieden von Frankfurt** muß Frankreich das Elsaß und Lothringen an Deutschland abtreten/Beginn der sogenannten **Gründerjahre** : Sie leiten eine ungeheure Entwicklung von Handel, Gewerbe und Industrie ein.

1872-1878
Kulturkampf

1873
Bismarck schließt das **Dreikaiser-Abkommen** zwischen Rußland, Österreich und dem Deutschen Reich

1876
Eröffnung des **Bayreuther Festspielhauses**

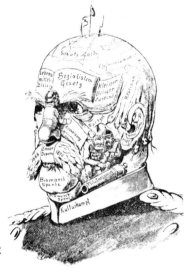

2

1 Kaiserin Elisabeth, „Sissi", und Kaiser Franz Joseph I.
Hachette

2 Otto von Bismarck (1858)
Ölgemälde von Jakob Becker
© Staatbild. Berlin

1

2

3

Deutschland   Österreich

1878
Sozialistengesetz (Verbot aller sozialistischen Vereine, Versammlungen und Druckschriften, bis 1890 in Kraft)/Erster deutscher Fußballverein in Hannover

1879
Bismarck schließt ein Verteidigungs-Bündnis mit Österreich-Ungarn **(Zweibund)**
Werner von Siemens baut die erste **Elektro-Lokomotive**

1881
Dreikaiservertrag zwischen Rußland, Österreich-Ungarn und dem Deutschen Reich

1882
Dreibundvertrag zwischen Italien, Österreich-Ungarn und dem Deutschen Reich
Robert Koch entdeckt den **Tuberkelbazillus**

1883-1889
Soziale Gesetzgebung

1 Otto von Lilienthal
Foto René Dazy

2 W. von Siemens baut die erste
Elektrolokomotive
© Heinz Moos Verlag

3 Gottlieb Daimler
Foto Roger Viollet

4 Wilhelm der I. „Wir Wilhelm,
von Gottes Gnaden
Deutscher Kaiser, König von Preußen"
© Archiv

1883
Friedrich Nietzsche : „Also sprach Zarathustra"

1884
Dreikaiser Abkommen

1885
Gottfried Daimler und **Carl Friedrich Benz** entwickeln den **Kraftwagen mit Benzinmotor**

1887
Rückversicherungsvertrag zwischen Deutschland und Rußland.

1888
Kaiser Friedrich III.

1888-1918
Kaiser Wilhelm II.

1890
Bismarcks Entlassung

1891
Der Reichstag regelt die Sonntagsruhe allgemein/**Otto Lilienthal** führt die ersten **Gleitflüge** mit einem selbst gebauten Gleitflugzeug durch

1893
Rudolf Diesel entwickelt den **Diesel-Motor/Emil von Behring** erfindet das **Diphterie-Heilserum**

1894
Mit dem Ziel, die Gleichberechtigung der Frau zu erkämpfen, wird der **Bund Deutscher Frauenvereine** gegründet

4

1

2

3

4

1 Zeppelin IV.
Foto Roger Viollet

2 Franz Marc, *Liegender Stier*
Foto James Purcell
© CNAC G. Pompidou

3 Deutschland Revolution 1918.
Bilderdienst Süddeutscher Verlag

4 Einstein in New-York (1921)
© Brown Brothers

5

Deutschland	**Österreich**

1895
Der Physiker **Wilhelm Conrad Röntgen** entwickelt die nach ihm benannten **X-Strahlen**/**Sigmund Freud** und **Josef Breuer** begründen die **Psychoanalyse**

1896
Gründung der **Wandervogelbewegung**

1900
Erster „**Zeppelin**"/ Erster „**Mercedes**"/ Deutscher Fußballbund in Leipzig gegründet

1905
Albert Einstein entwickelt seine spezielle **Relativitätstheorie**

1911
Wassily Kandinsky und **Franz Marc** gründen in München den „**Blauen Reiter**"

1912
Gerhard Hauptmann erhält den Literaturnobelpreis

1913
Baubeginn der ersten „Autobahn", **AVUS**, in Berlin

1914

(28. Juni) Der Mord am österreichisch-ungarischen Thronfolger Erzherzog Franz Ferdinand und seiner Gemahlin in **Sarajevo** löst den **Ersten Weltkrieg** aus

3. August : Anfang des ersten Weltkriegs

6

1918
März : Friede mit Sowjetrußland in **Brest-Litowsk**
Nov. : **Meuterei** der Flotte in Kiel/**Revolution** in Kiel und Berlin/**Abdankung Kaiser Wilhelms II.**/Ausrufung der **Deutschen Republik**/Reichskanzler **Friedrich Ebert**

Abdankung Karls I./**Auflösung der österreichisch-ungarischen Monarchie**/Proklamation der Republik Österreich

11. November : Ende des ersten Weltkriegs

1919
Spartakistenaufstand in Berlin/**Rosa Luxemburg** und **Karl Liebknecht** gelyncht/Frauen wählen zum erstenmal/Gründung der **Weimarer Republik**/Wahl **Friedrich Eberts** zum Reichspräsidenten/Unterzeichnung des **Versailler Vertrags**

1920
Kapp-Putsch/Unruhen im **Ruhrgebiet**/**Programm der Nationalsozialistischen Arbeiterpartei** (NSDAP)

Verfassung mit bundesstaatlichem Charakter/Aufnahme in den **Völkerbund**

1921
Albert Einstein erhält den Physiknobelpreis

1

2

3

4

5

6

7

1   21. März 1933 : „Tag der nationalen Erhebung". Hindenburg begrüßt Hitler auf den Stufen der Potsdamer Garnisonskirche
Foto Keystone

2   Hans Grundig, *Hungermarsch*
Foto Ph. Reinhold
© Staatl. Kunstsammlungen, Dresden

3   Oskar Schlemmer, *Bauhaus* (1932)
© Snark International

4   und 5   Geldschein und Briefmarken aus der Zeit der Inflation

6   und 7   Wahlplakate 1930 und 1932

Deutschland	Österreich
1922 **Vertrag von Rapallo** zwischen Deutschland und der Sowjetrepublik/Beginn der **Inflation**	
1923 **Besetzung des Ruhrgebietes** durch die Franzosen/Höhepunkt und Ende der **Inflation/Radikalisierung** von Rechts und Links/Der **November-Putsch Adolf Hitlers** scheitert in München	
1925–1934 Reichspräsident Generalfeldmarschall von **Hindenburg**	
1925 **Vertrag von Locarno** mit den Westmächten/**Adolf Hitler** : „Mein Kampf"	
1926 Freundschafts- und Neutralitätsvertrag mit der Sowjetunion/Aufnahme in den **Völkerbund/Walter Gropius** baut das „Dessauer Bauhaus"	
1926 **Gustav Stresemann** erhält den Friedensnobelpreis (zusammen mit **Aristide Briand)**	
1927	Unruhen in Wien
1929 **Young-Plan** (Reparationen)/**Zunehmende Radikalisierung** von Rechts und Links/In Berlin wird die erste Fernsehsendung ausgestrahlt	
1930 Räumung des Rheinlandes	
1932 Höchster Stand der **Arbeitslosigkeit** : 6 128 429 Arbeitslose/**NSDAP** stärkste Partei	
1933 (30. Januar) **Hitlers Machtergreifung/** Bücherverbrennungen/„Gleichschaltung" der Länder mit dem Reich/Auflösung der Gewerkschaften/Verbot aller bürgerlichen und linken Parteien/Reichskonkordat mit dem Vatikan/Austritt aus dem Völkerbund/**Reichstagswahlen** : 92 % der abgegebenen Stimmen für die Einheitsliste der NSDAP	
1934 Tod Hindenburgs/Hitler als „Führer und Reichskanzler" Oberhaupt des Deutschen Reiches und Oberbefehlshaber der Wehrmacht/(19. August) **Volksabstimmung** mit 90 % Ja-Stimmen	Nationalsozialistischer Pustchversuch. Ermordung des Bundeskanzlers **Dollfuß**

1

2

3

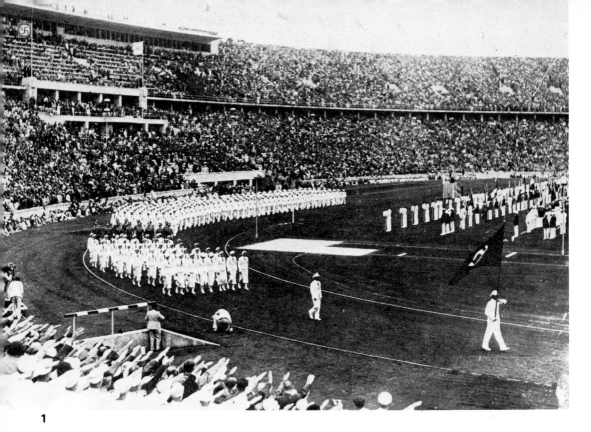

4

5

Deutschland

1935
Einführung der „Allgemeinen Wehrpflicht"/ Verkündung der „**Nürnberger Gesetze**": Beginn der systematischen Judenverfolgung

Carl von Ossietzky erhält den Friedensnobelpreis

1936
Kündigung des Locarno-Vertrags/Ausstellung „**Entartete Kunst**"/Besetzung des Rheinlandes durch die Wehrmacht/**Olympische Spiele** in Berlin und Garmisch/„**Achse**" Berlin-Rom

1938
(10. April) Volksabstimmung über den Anschluß

Sudetenkrise/Abkommen von **München**/ „**Reichskristallnacht**" (Judenpogrome)/ **Otto Hahn** entdeckt die **Kernspaltung des Urans**

Österreich

1938
(11. März) Rücktritt des Bundeskanzlers **Schuschnigg**/(12. März) die Wehrmacht marschiert in Österreich ein/ (13. März) **Anschluß** an Deutschland

(14. April) **Ostmark-Gesetz**: 7 Reichsgaue treten an die Stelle der Bundesländer

---

13·MÄRZ 1938
EIN VOLK EIN REICH
EIN FÜHRER

6

1939
Böhmen und **Mähren**, **Tschechoslowakei** und **Memel** besetzt/deutsch-sowjetischer **Nichtangriffspakt**/ (1. September)

Der Angriff auf Polen entfesselt **den Zweiten Weltkrieg**

Attentat auf Hitler im Bürgerbräukeller in München

1941
Einführung des **Judensterns**/„**Endlösung** der Judenfrage"

1943
Reichspropagandaminister Goebbels: „**Wollt Ihr den totalen Krieg?**"

1944
(20. Juli) **Putschversuch und Attentat auf Hitler**

1945
Konferenz von **Jalta**/(30. April) Hitler begeht in Berlin im Bunker der Reichskanzlei Selbstmord/(7. Mai) **Bedingungslose Kapitulation**/Deutschland von den vier Siegermächten USA, Sowjetunion, Großbritannien und Frankreich besetzt und in **vier Zonen** aufgeteilt, **Groß-Berlin Viersektorenstadt**/**Potsdamer Konferenz**/Saargebiet eigene Verwaltung unter französischem Protektorat/Beginn der Entnazifizierung und der **Nürnberger Prozesse** gegen Kriegsverbrecher

Wien von den Russen erobert. Österreich wird von den vier Siegermächten besetzt und in **vier Zonen** aufgeteilt, **Wien Viersektorenstadt**/Wiederherstellung Österreichs in den Grenzen von 1937/**Dr. Karl Renner** bildet eine Provisorische Regierung/Gründung der **Zweiten Republik**

---

1 Olympische Spiele, Berlin (1936)
Bilderdienst Süddeutscher Verlag

2 Nolde, *Groteskes Paar*
Foto James Purcell
© CNAC G. Pompidou

3 Hitler in Berlin (1940)
Foto Roger Viollet

4 Beginn der Nürnberger Prozesse
(20 nov. 1945)
Hachette

5 Volksabstimmung (1938)

6 Anschluß (1938)

1

2

3

4

1 Berlin : Luftbrücke (1948)
© Centre culturel américain

2 Deutscher Volkskongreß für Einheit und gerechten Frieden : Otto Grotewohl spricht über die Märzrevolution (1948)
© I.B.A.

3 Die Mauer (1961)
© Snark International

4 Konrad Adenauer
© I.B.A.

Westzonen	SBZ (sowjetische Besatzungszone)	Österreich
1945-1946 Vertreibung der Deutschen aus Ostmittel-europa		
1945	**Bodenreform** (Enteignung) / Vereinigung KPD-SPD zur **SED**	
1946		Pariser Abkommen über die **Autonomie Südtirols**
1947 **Marschall-Plan**		
1948 **Berliner Blockade und Luftbrücke/ Währungsreform**	**Währungsreform**	
1949 Gründung der **Bundesrepublik Deutschland**/Bundeskanzler : **Konrad Adenauer**	Gründung der **Deutschen Demokratischen Republik**/Ministerpräsident : **Otto Grotewohl**	
1950	**Görlitzer Abkommen** zwischen Polen und der DDR : **Anerkennung der Oder-Neiße-Linie**/Die DDR wird Mitglied des **Rates für Gegenseitige Wirtschaftshilfe** (RWG/COMECON)	
1951 Aufnahme in den **Europarat**		
1952 Erster Fernsehsender in Tätigkeit		
1953	(17. Juni) **Arbeiteraufstand** in Ost-Berlin und in der DDR, Einschreiten von Sowjettruppen	

BRD	DDR	Österreich
1955 **Deutschlandvertrag :** Souveränität der BRD/Aufnahme in den **Nordatlantikpakt** (NATO)	Aufnahme in den **Warschauer-Pakt**	**Staatsvertrag :** Wiederherstellung Österreichs als souveräner, unabhängiger und demokratischer Staat/Bundesverfassungsgesetz über die immerwährende **Neutralität** Österreichs/Aufnahme in die **UNO**
1956 Wehrpflichtgesetz	Gesetz über die Schaffung der Nationalen Volksarmee	Aufnahme in den **Europarat**
1957 Mitbegründung der **Europäischen Wirtschaftsgemeinschaft** (EWG) / Gleichberechtigungsgesetz für Mann und Frau		

BRD	DDR	Österreich
1961	(13 August) Aufbau der „**Mauer**" zwischen Ost- und West-Berlin	
1962	Allgemeine Wehrpflicht	
1963 **Freundschaftsvertrag** Bundesrepublik Deutschland-Frankreich über die deutsch-französische Zusammenarbeit / Rücktritt Adenauers		
1964	**Freundschaftsvertrag** mit der UdSSR	
1969	Treffen **Willy Brandt-Willy Stoph**	
1970 **Moskauer Vertrag** zwischen der BRD und der UdSSR/**Warschauer Vertrag** zwischen der BRD und der Volksrepublik Polen		
1971 **Viermächte-Abkommen** über Berlin		
1971 **Willy Brandt** erhält den Friedensnobelpreis		
1972 **Heinrich Böll** erhält den Literaturnobelpreis	**Grundvertrag mit der DDR**	
1973 Aufnahme in die **UNO**	Aufnahme in die **UNO**	**Konrad Lorenz** erhält den Medizinnobelpreis
1975	**Vertrag über Freundschaft, Zusammenarbeit und gegenseitigen Beistand** zwischen der DDR und der UdSSR	
1980 **Helmut Schmidt** wird zum zweitenmal Bundeskanzler		

...in der Schweiz

1864
Genfer Konvention : Gründung des **Internationalen Komitees vom Roten Kreuz** (IRK) aufgrund der Bemühungen des Genfer Kaufmanns **Henri Dunant**

1897
Erster **Zionistischer Weltkongreß** in Basel

1901
Henri Dunant erhält den Friedensnobelpreis

1912
Außerordentlicher Kongreß („Friedenskongreß") **der II. Internationalen** in Basel/Verfassung des **Völkerbundes** (Sitz in Genf)

1920
Aufnahme in den **Völkerbund**

1946
Hermann Hesse erhält den Literaturnobelpreis

1954
Das **Büro des Hohen UN-Kommissars für Flüchtlinge** (Genf) erhält den Friedensnobelpreis

1963
Aufnahme in den **Europarat**

0. ALLTAG VON HEUTE UND GESTERN

Die sieben Wunder eines Tages

Das Aufwachen.
Frühstück auf dem Balkon.
Der Morgenspaziergang.
Gespräch unter Bäumen um die Mittagszeit.
Nachdenken beim Abwaschen des Geschirrs.
Im Weinberg am Nachmittag.
Einkaufen, Abenddämmerung und eine Kleine
Nachtmusik.

(J. Stellina)

Bonn, Rathaus und Marktplatz
© Bundesbildstelle Bonn

REKLAME MUSS SEIN

aus : *Illustrierter Hauptkatalog, 1912*

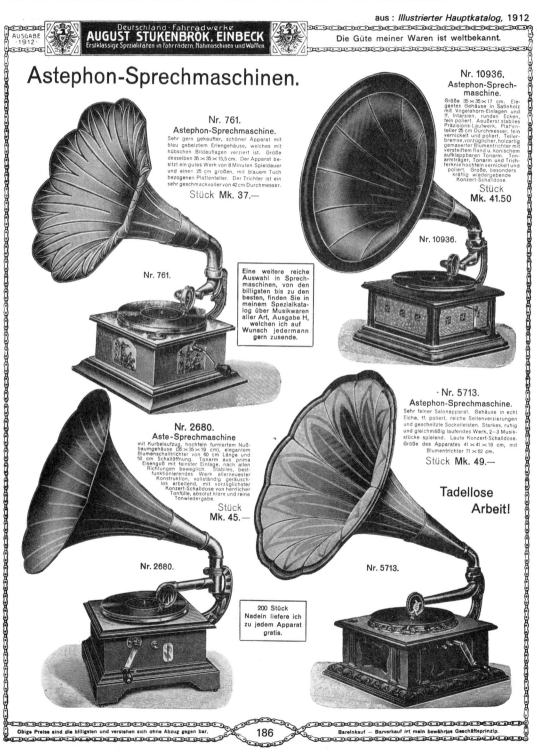

Astephon-Sprechmaschinen.

Nr. 761.
Astephon-Sprechmaschine.

Sehr gern gekaufter, schöner Apparat mit blau gebeiztem Erlengehäuse, welches mit hübschen Bildauflagen verziert ist. Größe desselben 35×35×15,5 cm. Der Apparat besitzt ein gutes Werk von 8 Minuten Spieldauer und einen 25 cm großen, mit blauem Tuch bezogenen Plattenteller. Der Trichter ist ein sehr geschmackvoller von 42 cm Durchmesser.

Stück Mk. 37.—

Nr. 761.

Nr. 10936.
Astephon-Sprech-maschine.

Größe 35×35×17 cm. Elegantes Gehäuse in Satinholz mit Vogelahorn-Einlagen und ff. Intarsien, runden Ecken, fein poliert. Äußerst stabiles Präzisions-Laufwerk. Plattenteller 25 cm Durchmesser, fein vernickelt und poliert. Tellerbremse, vorzüglicher, holzartig gemaserter Blumentrichter mit versteiftem Rand u. konischem aufklappbarem Tonarm. Tonarmträger, Tonarm und Trichterknie hochfein vernickelt und poliert. Große, besonders kräftig wiedergebende Konzert-Schalldose.

Stück Mk. 41.50

Nr. 10936.

Eine weitere reiche Auswahl in Sprechmaschinen, von den billigsten bis zu den besten, finden Sie in meinem Spezialkatalog über Musikwaren aller Art, Ausgabe H, welchen ich auf Wunsch jedermann gern zusende.

Nr. 2680.
Aste-Sprechmaschine.

mit Kurbelaufzug, hochfein furniertem Nußbaumgehäuse (35×35×19 cm), elegantem Blumenschalltrichter von 60 cm Länge und 50 cm Schallöffnung. Tonarm aus prima Eisenguß mit feinster Einlage, nach allen Richtungen beweglich. Stabiles, bestfunktionierendes Werk allerneuester Konstruktion, vollständig geräuschlos arbeitend, mit vorzüglichster Konzert-Schalldose von herrlicher Tonfülle, absolut klare und reine Tonwiedergabe.

Stück Mk. 45.—

Nr. 2680.

Nr. 5713.
Astephon-Sprechmaschine.

Sehr feiner Salonapparat. Gehäuse in echt Eiche, ff. poliert, reiche Seitenverzierungen und geschnitzte Sockelleisten. Starkes, ruhig und gleichmäßig laufendes Werk, 2–3 Musikstücke spielend. Laute Konzert-Schalldose. Größe des Apparates 41×41×18 cm, mit Blumentrichter 71×62 cm.

Stück Mk. 49.—

Tadellose Arbeit!

Nr. 5713.

200 Stück Nadeln liefere ich zu jedem Apparat gratis.

134

Schutz gegen Hunde für Radfahrer und Automobilisten. Radfahrer-Feuerwerk.

Nr. 3498. Hundebomben für Radfahrer.

Großes Modell. Bester Schutz gegen die Belästigungen[1] von Hunden, bestehend aus leicht explosiven, dabei völlig ungefährlichen Stoffen. Man hat nur nötig, die Hundebomben auf die Erde zu werfen, wobei sie schußähnlich explodieren. Verletzungen des Hundes oder des Radfahrers selbst, auch wenn die Bombe in unmittelbarer Nähe niederfällt, sind ausgeschlossen. In Kistchen zu 50 Stück verpackt. Kistchen **Mk. 1.30**

> Hundebomben dürfen nur per Bahn versandt werden.

Völlig gefahrlos, dabei doch starker Knall.
Im geeigneten Augenblick stets fertig zur Hand.

---

[1] **gegen die Belästigungen von Hunden :** contre les chiens qui vous importunent

aus Illustrierter Hauptkatalog 1912

Ja! Ja!

So ODER So

HANDFREI

So oder **So,** also ohne, oder mit aussen oder innen an- und **abknöpfbaren** Aermeln. Vierfacher Musterschutz und österr. Patent.

Wetterrad „Handfrei"

als der **brauchbarste** Wettermantel! Ia wasserdichte Loden! Von M. 16.50 an!

■ ■ **Ausschliesslicher Alleinverkauf:** ■ ■
Adalbert Schmidt, München B,
Residenzstr. 7/I, **gegenüber der K. Hauptpost.**

4 köstliche Bücher von Paul Schüler (100 000 Stück bisher verkauft)
Komm an mein Herz! Und andere Humoresken.

aus Kuckucksuhr mit Wachtel dtv

Ich lache

weil jedes System Füllfederhalter das beste sein soll???

Probieren Sie entweder „**Klio"** E. Reiserts Patent, für jede Feder passend und in jeder Lage zu tragen, zu Mark 3.— 5.— und 6.— pro Stück
oder
„**Regina"** ges. geschützt, Sicherheits-Goldfüllhalter, 14 karätige Goldfeder mit Iridiumspitze, in jeder Lage zu tragen, immer schreibfertig, von Mark 9.— an. Ueberall erhältlich. Kataloge gratis und franko

Klio-Werk, G. m. b. H. Hennef (Sieg) 2

Grösste und leistungsfähigste Füllfeder-Spezialfabrik des Kontinents.

Es sind verschied. ähnlich lautende minderwertige Nachahmungen im Handel, achten Sie daher auf die jedem Halter eingebrannte Marke „Klio", E. Reiserts Patent, bezw. „Regina", ges. gesch.

Ein Meeting vor dem Parlament.

Gebt uns PATRICK

Patrick

ein **regenfester** Mantel aus **Original** englischen Stoffen!

Preislage von **32 Kr.** an. Ohne Gummi. Kein Loden. Patrick-Stoffe auch meterweise

Alleinverkauf
Englisches Haus in Graz Bismarckplatz. 7 r.

© Bildarchiv Preußischer Kulturbesitz

Speisen-Karte.

Entrées.	Mark	Pf.
Beefsteak von Filet	1	—
do. mit Ei oder Sardellen	1	25
Kalbs-Cotelette	—	75
Wiener Schnitzel	1	—
Kalbsleber	—	60
Gänseleber	—	80
Gänseklein	—	75
Wiener Wurst, Jauersche Wurst	—	30
Rumsteak	1	—
Paprika-Schnitzel	1	—
Fricassée	1	—
Gemüse.		
Stangenspargel mit Butter	1	—
do. mit Cotelette	1	25
Braten.		
Gänsebraten	1	—
Kalbsbraten	—	75
Kalbsbrust	—	60
Schmorbraten	—	75
Kalbsnierenbraten	—	90
Rippespeer	—	75
Fische.		
Aal, grün	—	80
Hecht in Butter, grün	—	75
Kalte Speisen.		
Majonaise von Hummer	—	60
Westphälischer Schinken mit Butter	—	75
1 Butterbrod belegt	—	25
Sardellenbrödchen	—	40

Salate und Compots.		Käse mit Butter.	
Heringssalat	25 Pf.	Neûfchateller	40 Pf.
Saure od. Pfeffergurken	10 „	Schweizer	30 „
Aepfelmus	25 „	Kuhkäse	30 „

Grössere Auswahl bietet die von den Kellnern verabreichte Karte.

Speisekarte um die Jahrhundertwende
Die gute alte Zeit im Bild, Alltag im Kaiserreich 1871-1914, in Bildern und Zeugnissen – Bertelsmann Lexikon-Verlag, 1974

Frauen beim Einkauf in Charlottenburg (1900)

Schirmer Mosel Verlag

Haushalt eines Staatsdieners mit Hochschulbildung (1899)

Die Familie besteht neben den Eltern aus zwei Knaben von 12 und 13 Jahren und einer 19jährigen Tochter. Diese hat die Lehrerinprüfung abgelegt und ist nebenbei zur Blumenmalerin ausgebildet worden.

Das Leben ist ein durchaus häusliches; Luxus kennt man nicht. Die Kleider werden mit seltenen Ausnahmen stets zuhause gemacht, nur Mäntel oder Jacken fertig gekauft.

nach : *Die gute alte Zeit im Bild*, Alltag im Kaiserreich 1871-1914,
in Bildern und Zeugnissen – Bertelsmann Lexikon Verlag, 1974

	Mark
Einnahme nebst den Zinsen[1] von 9 000 Mark	5 450,—
Ausgaben:	
Wohnung (mit Mietsteuer) ...	1 225,—
Heizung	140,—
Beleuchtung	45,—
Essen (170 Mk. monatlich) ...	2 040,--
Wäschereinigung	45,—
Mädchen für alles (monatlich 10 Mk., wird stets in der Provinz gemietet)[2]	120,—
Dienstboten-Krankenversicherung	6,—
Bekleidung und Beschuhung: für die Hausfrau	85,50
für den Hausherrn (nur Beschuhung)	17,—
für die Knaben	95,—
Schulgeld für die Knaben	240,—
Schulbücher, Hefte, Federn u. s. w.	24,75
Taschengeld: jedem Knaben monatlich 50 Pfg.	12,—
für die Hausfrau monatlich 10 Mk.	120,—
für den Hausherrn monatlich 15 Mk.	180,—
Steuern nebst Witwenkasse[3]..	254,—
Neu-Anschaffungen von Geschirr u. s. w.	28,75

	Mark
Für Verbesserung von beschädigtem Zimmergerat, verdorbenen Schlössern u. s. w.	16,20
Nähsachen u. s. w.	31,85
Weihnachten und Geburtstage	152,50
Vereine	40,—
Zeitungen	26,—
Postwertzeichen	9,15
Arzt und Apotheke (dabei sechs Flaschen Chinawein mit Eisen)	76,30
Einige juristische Werke	27,—
Wohlthätigkeitsausgaben[4] (Vereine, Sammlungen)	46,—
Sparkasse für jedes Kind seit der Geburt vierteljährlich 5 Mk.	60,—
Reserve monatlich 5 Mk. zurückgelegt	60,—
Pferdebahn	82,50
Vergnügungen (einmal nach Potsdam, einmal nach Erkner, zweimal im Zoologischen Garten, Beträge für die Knaben bei Schulausflügen, einmal im Schauspielhause)	62,—
Die Jahresgesellschaft[5]	82,50

Gesamtbetrag Mark 5 450,—

*Die gute alte Zeit im Bild,
Alltag im Kaiserreich
1871-1914
in Bildern und Zeugnissen –
Bertelsmann Lexikon-Verlag,
1974*

aus Kuckucksuhr mit Wachtel dtv.

---

1 **der Zins (-en) :** l'intérêt.
2 **jemanden mieten :** engager, embaucher qqn.
3 **die Witwenkasse :** la caisse d'allocations des veuves.
4 **die Wohltätigkeit :** la bienfaisance, la charité; **die Sammlung (-en) :** (ici) la quête.
5 **die Jahresgesellschaft :** la réception annuelle.

Den Himmel heizen heißt Energie verschwenden.

Bundesministerium für Wirtschaft

Energiesparen – unsere beste Energiequelle.

Häufig geht zuviel Wärme durch den Schornstein.

Schreiben Sie also nicht zuviel Geld in den Schornstein[1].

Lüften–aberrichtig.

Fenster nicht dauernd einen Spaltbreit geöffnet halten – kurz mal gründlich lüften.

Ohne Energie kein Leben.

Unser aller Ernährung hängt davon ab. Unsere Gesundheit. Unser Lebensstandard. Denn ohne Erdöl, Kohle und Gas läuft nichts.

Dabei sind die Energievorräte[2] nun mal begrenzt.

---

1 **zuviel Geld in den Schornstein schreiben (ie, ie) :** jeter son argent par les cheminées.
2 **der Vorrat (ᵘe) :** la réserve.

ZUR DISKUSSION

MÜSSEN JUGENDLICHE IM HAUSHALT MITHELFEN?

Macht Urlaub krank?

Urlaub ist ein Stück Freiheit, sagt man. Urlaub dient vor allem der Entspannung, sagen zwei Drittel aller Deutschen.

Stimmt das alles überhaupt noch? Kann man sich im Urlaub eigentlich noch erholen?

(nach: Wolfgang Prosinger, Badische Zeitung, Nr. 171/1980)

Wann ist die beste Zeit fürs Lernen?

Wer zur richtigen Tageszeit arbeitet, spart Energie und Ärger. Haben Sie schon einmal versucht, im August einen Schneemann zu bauen? Oder sich um Mitternacht in die Sonne zu legen? Dumme Fragen, werden Sie denken – um diese Zeit geht das ja gar nicht. Recht haben Sie. Kein vernünftiger Mensch versucht dann etwas zu tun, wenn es nicht geht. Wirklich nicht?

(aus: Schule, Nr. 5/1973)

Wann arbeiten und studieren Sie am besten?

Ganztags- oder Halbtagsschule?

Schüler in der Bundesrepublik Deutschland haben meistens von acht Uhr früh bis etwa ein oder zwei Uhr mittags Unterricht. Der Nachmittag ist frei. Aber oft braucht man die meiste Zeit für Haus-

aufgaben. In anderen Ländern gibt es die Ganztagsschule. Die Schüler haben auch nachmittags Unterricht und kommen erst um vier oder fünf Uhr nach Hause.

(Scala Jugend-Magazin, Nr. 6/1980)

Alltag eines Lehrlings im 18. Jahrhundert

Der Hutmacher Lobenstein hielt wirklich sehr auf Ordnung in
seinem Hause, und alles ging her auf den Glockenschlag : Arbeiten, Essen und Schlafen.

Wenn ja eine Ausnahme gemacht wurde, so war es in Ansehung[1]
5 des Schlafs, der freilich ausfallen[2] mußte, wenn des Nachts gearbeitet wurde, welches denn wöchentlich wenigstens einmal geschah.

Sonst war das Mittagessen immer auf den Schlag zwölf, das Frühstück morgens und das Abendbrot abends um acht Uhr pünktlich
10 da.

Dies war es denn auch, worauf bei der Arbeit immer gerechnet
wurde – so verfloß damals Antons Leben : Des Morgens von sechs
Uhr an rechnete er bei seiner Arbeit aufs Frühstück, das er immer schon in der Vorstellung schmeckte[3], und wenn er es erhielt,
15 mit dem gesundesten Appetit verzehrte, den ein Mensch nur haben kann, ob es gleich in weiter nichts als dem Bodensatz[4] vom
Kaffee mit etwas Milch und einem Zweipfennigbrot bestand.

Dann ging es wieder frisch an die Arbeit, und die Hoffnung aufs
Mittagessen brachte wiederum neues Interesse in die Morgenstun-
20 den, wenn die Einförmigkeit der Arbeit zu ermüdend wurde.

Des Abends wurde Jahr aus, Jahr ein eine Kalteschale[5] von star-
kem Bier gegeben. Reiz[6] genug, um die Nachmittagsarbeiten zu
versüßen.

Und dann vom Abendessen an bis zum Schlafengehen war es der
25 Gedanke an die bald bevorstehende sehnlichgewünschte Ruhe,
der nun über das Unangenehme und Mühsame der Arbeit wieder
einen tröstlichen Schimmer verbreitete. Freilich wußte man, daß
den folgenden Tag der Kreislauf des Lebens so von vorn wieder
anfing. Aber auch diese zuletzt ermüdende Einförmigkeit im
30 Leben wurde durch die Hoffnung auf den Sonntag wieder auf eine
angenehme Art unterbrochen.

Wenn der Reiz des Frühstücks und des Mittags- und Abendessens
nicht mehr hinlänglich war, die Lebens- und Arbeitslust zu erhalten, dann zählte man, wie lange es noch bis auf den Sonntag war,
35 wo man einen ganzen Tag von der Arbeit feiern und einmal aus
der dunklen Werkstatt vors Tor hinaus in das freie Feld gehen
und des Anblicks der freien offenen Natur genießen konnte.

O welche Reize hat der Sonntag für den Handwerksmann, die den
höheren Klassen von Menschen unbekannt sind, welche von
40 ihren Geschäften ausruhen können, wenn sie wollen. [...]

Wenn selbst der Gedanke an den Sonntag oft nicht mehr fähig
war, den Überdruß[7] an dem Einförmigen zu verhindern, so wurde
durch die Nähe von Ostern, Pfingsten oder Weihnachten der
Lebensreiz wieder aufgefrischt.

Karl Philipp Moritz (1756-1793),
Anton Reiser, Ein psychologischer Roman

1 **in Ansehung** (+ gén.) (archaïque) :
wegen (+ gén.).
2 **der ausfallen mußte :**
(ici) auquel on devait renoncer.

3 **etwas in der Vorstellung
schmecken :** déguster, savourer
qqch. d'avance (en imagination).
4 **der Bodensatz :** le marc.

5 **die Kalteschale :** eine kalte
Suppe.
6 **der Reiz (-e) :** l'attrait;
→ reizen; reizvoll, reizend.

7 **der Überdruß :** le dégoût, la
satiété; → ich bin dieser
Sache überdrüssig :
j'en ai assez de cette affaire.

Eine Fabrik in der k.u.k. Monarchie

Die Borstenfabrikation[1] ist die einzige armselige Industrie dieser Gegend. Die Arbeiter sind arme Bauern. Ein Teil von ihnen lebt im Winter vom Holzhacken, im Herbst von Erntearbeiten. Im Sommer müssen alle in die Borstenfabrik. Andere kommen aus den niederen
5 Schichten der Juden. Sie können nicht rechnen und nicht handeln, sie haben auch kein Handwerk gelernt. Weit und breit, wohl zwanzig Meilen in der Runde, gibt es keine andere Fabrik. Für die Herstellung von Borsten bestanden unbequeme und kostspielige Vorschriften[2]; die Fabrikanten hielten sie nicht gerne ein. Man mußte Staub und
10 Bazillen absondernde Masken[3] für die Arbeiter anschaffen, große und lichte Räume anlegen, die Abfälle[4] zwei Mal täglich verbrennen lassen und an Stelle der Arbeiter, die zu husten anfingen, andere aufnehmen. Denn alle, die sich mit der Reinigung der Borsten abgaben, begannen nach kurzer Zeit Blut zu spucken.
15 Die Fabrik war ein altes baufälliges Gemäuer, mit kleinen Fenstern, einem schadhaften Schieferdach, umzäunt von einer wildwuchernden Weidenhecke[5] und umgeben von einem wüsten breiten Platz...
Die Arbeiter, die erst vor wenigen Monaten aus ihren freien Dörfern gekommen waren, geboren und groß geworden im süßen Atem des
20 Heus[6], im kalten des Schnees, im beizenden Geruch des Düngers, im schmetternden Lärm der Vögel, im ganzen wechselreichen Segen[7] der Natur : die Arbeiter sahen durch die grauen Staubwölkchen Schwalbe[8], Schmetterling und Mückentanz und hatten Heimweh. Wenn die Lerchen trillerten, wurden sie unzufrieden.
25 Früher hatten sie nicht gewußt, daß ein Gesetz[9] befahl, für ihre Gesundheit zu sorgen; daß es ein Parlament in der Monarchie gab; daß in diesem Parlament Abgeordnete saßen, die selbst Arbeiter waren. Fremde Männer kamen, schrieben Plakate, veranstalteten Versammlungen, erklärten die Verfassung und die Fehler der Verfassung, lasen aus Zeitungen vor, redeten in allen Landessprachen. Sie waren lauter als die Lerchen, und die Frösche : die Arbeiter begannen zu streiken.

Joseph Roth, (1894-1939), *Der Radetzkymarsch*,
Kiepenheuer & Witsch, Köln, 1932

1 **die Borste (-n) :** le crin.

2 **die Vorschrift (-en) :** le réglement; → eine Vorschrift ein/halten (ie, a) : s'en tenir à la législation (du travail).

3 **eine Staub absondernde Maske :** un masque qui filtre la poussière.

4 **der Abfall (¨e) :** le déchet.

5 **die Weidenhecke (-n) :** la haie de saules.

6 **das Heu :** le foin; **der Dünger :** l'engrais, le fumier.

7 **der Segen der Natur :** les biens que prodigue la nature.

8 **die Schwalbe (-n) :** l'hirondelle; **die Lerche (-n) :** l'alouette; **der Frosch (¨e) :** la grenouille.

9 **das Gesetz (-e) :** la loi; **die Verfassung (-en) :** la Constitution.

* Die Axt¹ im Haus

Der Mann keuchte² vor Anstrengung, als er den Korb mit den Holzscheiten in die Küche stellte.

„Nanu, willst du jetzt den Kamin anmachen?" fragte die Frau, die gerade Wasser ins Spülbecken
5 laufen ließ.

„Hast du nicht gelesen, was das Heizöl³ inzwischen kostete?" fragte der Mann überflüssigerweise⁴; denn er wußte, daß die Frau keine Zeitungen las. Sie schrieb Gedichte und malte Landschaften.
10 Der Mann machte einen raschen Schritt zum Spülbecken und drehte den Wasserhahn zu. „Heißes Wasser", sagte er vorwurfsvoll, „verbraucht⁵ Öl!"
Die Frau, die den Korb interessiert angesehen hatte, blickte nun den Mann an, ohne ihren Ausdruck
15 zu verändern. „Zum Spülen brauche ich aber heißes Wasser!"

„Wir müssen sparen!" entgegnete der Mann vage.
„Ich mache jetzt Feuer. Dann können wir die Heizung kleiner stellen."
20 Die Frau folgte dem Mann. „Aber der Kamin heizt doch nur die Bibliothek!"

„Ja, und? Wo sitzt du denn den ganzen Tag und malst? Übrigens, da wir gerade davon sprechen", der Mann machte sich mit alten Zeitungen am Ka-
25 min zu schaffen⁶, „deine Landschaften... ich meine, mußt du unbedingt in Öl malen? Aquarelle sind

doch auch schön. Bei der Ölknappheit und den Preisen..." Er sprach den Satz nicht zu Ende und hielt ein Streichholz an das Papier.
30 „Wenn du die Heizung kleiner stellst", sagte die Frau nach einer Weile, „wird es doch im ganzen Haus kälter! Auch im Schlafzimmer, nicht wahr?"
Der Mann dachte daran, daß Spülwasser in der Küche inzwischen wieder abkühlte. „In geheizten
35 Räumen zu schlafen", sagte er, „ist ungesund."
„Und das Badezimmer?"
„Deine Angewohnheit, jeden Morgen so lange zu baden und immer wieder heißes Wasser nachlaufen zu lassen —", der Mann unterbrach sich und blies
40 heftig in die Flammen, die wieder auszugehen drohten. „Vielleicht denkst du mal daran, daß das einen irrsinnig hohen Ölverbrauch zur Folge hat!"
Aus dem Kamin quollen jetzt dichte Rauchwolken. Die Frau ging zum Fenster und öffnete es. Der
45 Mann hustete.
„Mach um Gottes willen das Fenster wieder zu! Die ganze Wärme geht ja nach draußen!"
Die Frau gehorchte wortlos. „Was ich übrigens fragen wollte", sie zeigte auf den Korb: „Diese Holz-
50 stücke da erinnern mich an die alte Bauerntruhe in der Diele."
„In der Diele gibt es keine Truhe mehr", sagte der

Fragen

I Zum Textverständnis

1. **a)** Nennen Sie das Thema, über das hier diskutiert wird.
   b) Wie entsteht der Konflikt zwischen den beiden Personen?
2. **a)** Welches sind : 1. die Argumente des Mannes?
                            2. die Argumente, bzw. die Gegenargumente der Frau?
   b) Stellen Sie Argumente und Gegenargumente in einer Tabelle zusammen.
3. Wozu holt die Frau das Beil? Kreuzen Sie die zutreffende Antwort an.
   a) um dessen Stiel zu verbrennen. ☐
   b) um die Kommode zu zerhacken. ☐
   c) um ihren Mann zu erschlagen. ☐
4. Verfassen Sie eine Inhaltsangabe des Textes in Form einer Zeitungsnotiz.

II Zur Stellungnahme

Nehmen Sie zu der hier angesprochenen Problematik Stellung.

III Zum Übersetzen

a) Er wußte, daß die Frau keine Zeitungen las. (Z. 8) **b)** Zum Spülen brauche ich aber heißes Wasser! (Z. 15-16) **c)** Dann können wir die Heizung kleiner stellen. (Z. 18-19)

142

Mann und hustete wieder. Dann fügte er entschlossen hinzu : „Bald wird es auch keinen Bauern-
55 schrank mehr in der Diele geben !"
„Aber wo sollen wir mit den Mänteln hin?"
„Die ziehen wir an ! Wir werden noch froh sein, daß wir etwas Warmes anzuziehen haben !"
Die Frau dachte nach. „Wie wär' es mit der
60 Sheraton-Anrichte[7] im Eßzimmer?"
Der Mann nickte zustimmend. „Massives Mahagoni. Brennt sehr schön !" — „Und die Hepplewhite-Kommode?" Der Mann blickte überrascht auf seine Frau. „Du hast ganz recht ! Die Schlösser hät-
65 ten ohnehin geölt werden müssen, und das…"
„… können wir uns bei den Ölpreisen sowieso nicht leisten !" vollendete die Frau seinen Satz. „Warte, ich hole das Beil !"
Als die Mordkommission eine halbe Stunde später
70 die Wohnung betrat, wirkte die Frau völlig gelassen. Nur beim Anblick des Gerichtsmediziners, einem Araber, zuckte sie unmerklich zusammen.

Wolfram Siebeck,
aus : *Wolfram Siebecks beste Geschichten,*

Zur Diskussion

Ein Hund der ein Kind zerrissen
hatte wurde erschossen
Die Untersuchung[1] ergab aber daß
der Hund keine Tollwut[2] gehabt
hatte
Da empörten sich viele Leute
So voreilig erschieße man in
unserem Lande Hunde

Ein Siebzehnjähriger der nicht
anhielt als Beamte es wollten
wurde erschossen
Auch habe er eine verdächtige[3]
Bewegung zum Handschuhfach[4] gemacht
Sein Vergehen[5] : Fahren ohne Fahr
erlaubnis
Eigentlich wird es mit einer
Geldstrafe geahndet

Hannelies Taschau (geb. 1937)

---

1 **die Axt (ⁿe) :** la hache; **das Beil (-e) :** la hachette.
2 **keuchen :** haleter;
   die Anstrengung (-en) : die Bemühung, die Mühe.
3 **das Heizöl :** le fuel domestique; → **das Öl :** le pétrole, l'huile; **die Ölknappheit :** la pénurie de pétrole; **ölen :** graisser.
   heizen : chauffer; → **die Heizung; heiß.**
4 **überflüssigerweise :** inutilement.
5 **etwas verbrauchen :** etwas konsumieren; → der Verbrauch, der Konsum.
6 **sich zu schaffen machen :** s'affairer.
7 **die Anrichte (-n) :** la desserte;
   das Mahagoni (holz) : l'acajou.

1 **die Untersuchung (-en) :** (ici) l'enquête;
   → untersuchen.
2 **die Tollwut :** la rage.
3 **verdächtig :** suspect; → der Verdacht.
4 **das Handschuhfach (ⁿer) :** la boîte à gants.
5 **das Vergehen (-) :** die Straftat, das Delikt.

⚆⚆ Reparaturen

An meinem Elektroherd[1] stimmte etwas nicht.
Nun gut, er steht vier Jahre in meiner Küche.
Da kann schon einmal etwas passieren. Ich ging
zu dem, von dem er war. Der hatte keine Zeit
5 für Reparaturen. Er erklärte, ihm fehlten die
Leute und er könne wirklich keine Reparatur
mehr übernehmen. Dann eilte ich mit dem
inneren Schwur[2], seinen Laden nie wieder zu
betreten, zu einem anderen Händler mit ange-
10 schlossener Werkstatt. Ich kaufte sicherheits-
halber, um gute Stimmung für mein Anliegen
zu machen[3], einen Satz[4] Lüsterbirnen, zwei
Langspielplatten und eine Bügelschnur bei[5]
ihm. Dann brachte ich meinen Wunsch vor.
15 „Bei mir wäre eine kleine Repararatur am
Elektroherd – könnten Sie kommen?“
„In acht Wochen, frühestens.“
„Aber wir müssen inzwischen kochen, essen,
trinken!“
20 „Andere Leute müssen auch warten. Übrigens,
haben Sie den Herd bei mir gekauft?“
„Nein“, gestand ich kleinlaut.
„Dann gehen Sie zu dem, von dem Sie den Herd
haben?“
25 Er ließ mich mitten im Satz stehen, und ich
schlich wieder zu dem Händler, von dem ich
den Herd bezogen hatte, und klagte ihm mein
Leid.
„Wie alt ist denn Ihr Herd?“ fragte er.
30 „Gute vier Jahre.“
„Dann gibt's dafür sowieso keine Ersatzteile![6]
Am besten, Sie kaufen sich gleich einen neuen
Herd mit allen Schikanen[7], Schnellplatte, auto-
matischer Röhre, Zeituhr – ein völlig neues
35 Kochgefühl! In drei Stunden steht der Herd bei
Ihnen...“
Was blieb mir übrig? Ich tat es.
Vier Wochen später funktionierte mein Fernsehapparat nicht. Das Bild lief davon. Ich gab mir
40 alle Mühe, ihn wieder ins Gleichgewicht zu
bringen[8]. Dann ging ich zu dem Fernsehhändler
und bat ihn, zu mir herüberzukommen. Ob es
ihm heute möglich wäre?
„Wie stellen Sie sich das vor?“ rief er. „Mein
45 Kundendienst ist völlig ausgelastet[9]. Ich ersticke
in Reparaturen. Ich werde Sie eintragen. In
sechs Wochen vielleicht.“
„Aber unsere Tochter singt morgen im Fernsehen. Es ist ihr erstes Konzert.“
50 „Das mag für Sie von Bedeutung sein, mich
kümmert's nicht. Ich habe weder einen Wagen
frei noch einen einzigen Mann. Wie alt ist denn
Ihr Gerät?“
„Drei Jahre“, sagte ich.
55 „Dann hat die alte Flimmerkiste ihre Pflicht[10] ja
reichlich getan. Wenn einmal Reparaturen anfangen, hört das nie wieder auf. Am besten, Sie

kaufen sich ein neues Gerät mit dem dritten
Programm und Anschluß an das Farbfernsehen.
60 Das lohnt[11] sich, ein völlig neues Fernsehge-
fühl! Wenn Sie mir jetzt den Auftrag geben,
steht das neue Gerät in zwei Stunden bei Ihnen,
mit allen neuen Antennen, ich schicke Ihnen
zwei Mann –“
65 Wie es der Zufall wollte, schnackelte unsere
vollautomatische Waschmaschine zwei Tage
später aus. Sie war durch nichts zu überreden,
weiterzumachen. Ich ging zum Händler.
„Unsere Waschmaschine, die ich vor zwei Jah-
70 ren bei Ihnen gekauft habe, tut's nicht mehr.
Könnten Sie jemanden –?“
Ich kam nicht weiter. Er warf die Arme zum
Himmel, er sei völlig überfordert und könne in
den nächsten drei Monaten keine Reparaturen
75 übernehmen.
„Am besten wäre es, Sie kaufen sich eine neue
Waschmaschine. Die Technik ist nicht stehen-
geblieben, der automatische Fortschritt ist auf-
fällig, ein völlig neues automatisches Waschge-
80 fühl. Ich habe die neuesten Modelle auf Lager,
in einer Stunde ist sie bei Ihnen aufgestellt...“
Drei Tage später wurde meine Frau ernstlich
krank.
Ich eilte zum Arzt. Der Arzt hatte keine Zeit.
85 Sein Wartezimmer war überfüllt.
„Ihre Frau muß ins Krankenhaus“, sagte er,
„aber vor drei, vier Wochen ist kein Bett frei.
Wie lange sind Sie denn schon verheiratet? Am
besten wäre es...“
90 Das habe ich nicht getan, meine Frau gegen
eine neue ausgetauscht. Ich habe sie mit Liebe
und Geduld gesundgepflegt. Im alten glücklichen Ehegefühl.

Jo Hanns Rösler, *Beste Geschichten,*
F.A. Herbig Verlagsbuchhandlung, München, 1974

---

1 **der Elektroherd (-e)** : la cuisinière électrique.
2 **der Schwur (⍾e)** : le serment; mit dem inneren
Schwur : en me jurant intérieurement;
→ schwören (o, o).
3 **um gute Stimmung für mein Anliegen zu machen** : pour créer un climat favorable à ce que je
voulais demander.
4 **ein Satz Birnen** : un jeu d'ampoules (électriques).
5 **die Bügelschnur (⍾ e)** : le cordon de fer à
repasser; → das Bügeleisen.
6 **das Ersatzteil (-e)** : la pièce détachée.
7 **mit allen Schikanen** (fam.) : avec tous les gadgets;
die Schnellplatte (-n) : la plaque à chauffage
rapide; **die automatische Röhre (-n)** : le four auto-
matique.
8 **das Bild wieder ins Gleichgewicht bringen (a, a)** :
stabiliser l'image.
9 **mein Kundendienst ist völlig ausgelastet** : mon
service après-vente est complètement débordé.
10 **seine Pflicht tun (a, a)** : faire son devoir.
11 **das lohnt sich** : cela vaut la peine.

144

Ist die Neue noch nicht da?

Spitz hieß eigentlich Helmut Diefenbach, war dreißig Jahre alt und Klassenlehrer der 11b. Den Namen „Spitz" hatten sie ihm gegeben, weil seinen aufmerksamen und wachsamen Augen nichts entging[1].

5 Spitz stand also an der Tür, bis Ruhe herrschte, dann ging er grinsend auf seinen Tisch zu. Er öffnete das Klassenbuch[2] und schraubte die Kappe von seinem Kugelschreiber. Plötzlich sah er auf und ließ die Augen über die Klasse wandern. „Nanu? Ist die Neue noch nicht da?" fragte er erstaunt.

10 „Was? Welche Neue denn? Kriegen wir eine Neue?" Die Klasse war sofort wieder in Unruhe. „Was für eine Neue kriegen wir denn, Herr Diefenbach?" Gerd Möhlmann war Klassensprecher[3]. Als solcher hielt er es für sein gutes Recht, informiert zu werden. Spitz hockte sich auf die Kante seines Tisches, faltete die Hände

15 und sagte: „Na ja, vielleicht kommt sie auch gar nicht." Er klatschte in die Hände. „Also kommen wir zum Thema. Das Grundgesetz[4]." Er zeigte auf Gerd. „Möhlmann! Was wissen wir inzwischen alles über das Grundgesetz?"
Gerd fuhr sich mit den Fingern durch seine dicke blonde Mähne.

20 Er machte einen Augenaufschlag zur Zimmerdecke und sagte möglichst langsam: „Also, über das Grundgesetz wissen wir..."
In diesem Augenblick klopfte es an der Tür.
Spitz hob die Hand: „Einen Augenblick, Möhlmann. Ich glaube, da draußen ist jemand." Er sprang vom Tisch und ging mit langen

25 Schritten auf die Tür zu. Mit einem Ruck riß er sie auf. Das Mädchen, das draußen gewartet hatte, wich erschrocken zurück. Spitz lächelte: „Aha, eine junge Dame."
Das Mädchen fragte: „Ich möchte zur 11b, ist das hier richtig?"
Scheu sah sie sich um.

30 Spitz breitete einladend die Arme aus. „Und ob[5], junge Dame, und ob! Treten Sie doch bitte näher!" Übertrieben galant ließ er sie eintreten. Alle starrten auf das Mädchen mit den langen hellbraunen Haaren und den Mandelaugen. Sie war mittelgroß und ganz schlank. Zu braunen aufgekrempelten Samtjeans trug sie einen

35 braunen Blazer. Und alles so eng wie möglich.
„Mann, sieht die gut aus!" zischte Gerd seinem Nachbarn zu. „So eine hat uns schon lange gefehlt!"
Renate Müller allerdings, die Klassenbeste, verdrehte die Augen. „Noch mehr anmalen konnte sie sich wohl nicht!"

40 Spitz hatte inzwischen das Klassenbuch studiert. „Haben wir vielleicht die Ehre, Fräulein A. Hansen vor uns zu haben?" fragte er freundlich.
Das Mädchen nickte. Bis jetzt hatte sie die Klasse noch mit keinem Blick gewürdigt.

1 **ihm entgeht nichts :** er sieht, bemerkt alles.

2 **das Klassenbuch (⸚er) :** ein Buch, in das jeder Lehrer das Thema seiner Unterrichtstunde, die fehlenden Schüler und die Tadel (der Tadel : le blâme) einträgt.

3 **der Klassensprecher (-) :** le délégué de la classe.

4 **das Grundgesetz :** la Constitution (de la R.F.A.).

5 **und ob :** und wie, gewiß : et comment donc !

45 „Hochnäsig[6]", zischte Karin über den Tisch, „richtig hochnäsig, bildet sich wohl auf ihre Schönheit was ein[7] ! Wenn das nur nicht alles künstlich wäre."

Spitz klappte das Klassenbuch zu, ging um den Tisch herum und verschränkte die Arme.. „Fräulein Hansen, ich möchte Sie darauf
50 aufmerksam machen, daß die Stunde bereits vor zwölf Minuten begonnen hat !"

Das Mädchen sah ihn verwirrt[8] an. „Ja, ich weiß, aber es ging nicht früher."

Die Klasse grinste. Endlich war mal wieder was los.
55 Spitz zeigte auf einen Fensterplatz. „Warum setzen Sie sich nicht ein bißchen zu uns, Fräulein Hansen. Wir verzichten schon seit längerer Zeit auf schriftliche Einladungen, wissen Sie."

Die 11b biß sich auf die Lippen vor Vergnügen. Spitz war wirklich spitze[9]. Er zeigte der Neuen gleich mal, wo's langging[10].
60 „Würden Sie Ihren Klassenkameraden nun auch noch Ihren Vornamen verraten?" fragte Spitz.

„Ich heiße Annemone", klang es laut und deutlich.

Spitz konnte ein Lachen nur schwer verkneifen[11], aber die Klasse prustete los : „Annemone ! Das gibt's doch gar nicht ! Das konnte
65 doch wohl nicht wahr sein !"

Spitz ging an die Tafel und schrieb in großen Druckbuchstaben „Annemone Hansen" an die Tafel. Er drehte sich zu Annemone um : „Hab ich es so richtig geschrieben?"

Annemone nickte. „Ja, aber ich werde nur Anne genannt", sagte
70 sie leise.

Renate drehte sich zu ihrer Freundin Karin um : „Das ist ja vielleicht eine eingebildete Gans ! Hast du gesehen, wie die hier reingekommen ist? Richtig affig !"

Sandra Stein,
Launen des Glücks,
Schneider Buch 162, 1978

6 **hochnäsig** : hautain.
7 **sie bildet sich wohl auf ihre Schönheit was ein** : elle s croit belle, elle fait grand cas de sa beauté. → eingebildet seir être prétentieux; **die eingebildet Gans** : la poseuse.

8 **verwirrt sein** : être décontenancé.

9 **spitze** (fam.) : super.
10 **er zeigte ihr, wo's langging** : il lui mettait les points sur les i.

11 **ein Lachen verkneifen (i, i)** : se retenir de rire.

Volkswagen

Die Karre ist neu,
und die Tür klemmt[1],
die „nächste Werkstatt"
nicht hier jedenfalls,
5 natürlich kann ich auch
auf der Beifahrerseite
aus- und einsteigen
und das Werk verfluchen[2],
wahrscheinlich ein Türke
10 am Fließband[3],
ich kenn das ja selbst,
im Sommer
kotzt[4] es einen
am meisten an,
15 wenn auch vielleicht nicht
den Boß
in der klimatisierten
Etage,
was heißt überhaupt
20 „Volkswagen",
die Dinger
sind keinen Fatz[5]
billiger,
nur ihr Blech
25 ist das dünnste
auf dem europäischen Markt,
und eine bessere
Windschutzscheibe
kostet rund zweihundert Mark
30 extra,

wer hat den Profit,
das würd ich gern hören
von dem Vorsitzenden[6]
der Metallarbeitergewerkschaft
35 im Aufsichtsrat,
chauffiert im Mercedes,
dagegen ist das Vehikel
in Käferform[7],
laut Reklame,
40 das am meisten verkaufte
Auto der Welt,
vielleicht auch das
mit den meisten Toten –
solche Statistiken
45 bleiben geheim,
von nicht funktionierenden Türen
gar nicht zu reden,
aber ich
stehe hier
50 und habe den Kopf voll Wut,
und wenn ich es kalt
überlege, gibt es ne Menge Gründe,
wütend zu sein.

Gerhard Tänzer,
Hier und Anderswo,
Queißer Verlagsgesellschaft, Dillingen, 1966

---

1 **klemmen :** coincer.
2 **jemanden oder etwas verfluchen :** pester contre
qqn. ou qqch.; → der Fluch : le juron.
3 **das Fließband (ᵉer) :** la chaîne de montage.
4 **das kotzt mich an** (vulg.) : ça me débecte.
5 **keinen Fatz billiger** (fam.) : gar nicht billiger,
keinen Pfennig billiger.
6 **der Vorsitzende (-n) :** (ici) le secrétaire général;
→ **die Gewerkschaft (-en) :** le syndicat;
→ **der Aufsichtsrat (ᵉe) :** le conseil d'administration.
7 **der Käfer (-) :** la coccinelle (pour désigner une Volkswagen).

Im Kaufhaus

Jutta und Doris stehen auf der Treppe, die zum ersten Stock führt. Von da aus beobachten die zwei Mädchen das Tun und Treiben im Erdgeschoß.

Eine ältere Frau näherte sich dem Verkaufstisch von Juttas Mutter. Sie zögerte erst eine Weile und betrachtete den Stand mißtrauisch aus zwei Schritt Entfernung, ehe sie nahe hertrat.

5 „Ich suche ein Tuch mit rot-blau-grünem Rand, Fräulein", erklärte sie wenig freundlich. [...]
Juttas Mutter suchte unter ihrer Ware auf dem Tisch. Dann fand sie ein passendes Tuch und entfaltete es vor der Kundin.

10 „Hier habe ich etwas mit rot-blau-grünen Streifen."
Mißtrauisch faßte die alte Frau das Taschentuch bei einem Zipfel, befühlte es und las das Preisschild[1].
„Das ist mir zu teuer", stellte sie fest und ließ das
15 Tuch unbekümmert auf die anderen fallen. Die Verkäuferin reichte der Kundin ein anderes Tuch hinüber.
„Hier habe ich etwas Preiswertes in den gleichen Farben, bitte sehr."
20 Die Frau befühlte das Tuch. „Aber das taugt doch nichts, Fräulein", behauptete sie.
Auch dieses zweite Tuch warf sie zu denen, die sie zuvor herausgezerrt hatte.
„So eine alte Zicke[2]", murmelte Jutta vor sich hin.
25 Juttas Mutter schluckte sichtbar, dann suchte sie erneut zwischen den Tüchern, die sie vor sich aufgebaut hatte.
„Und wie gefällt Ihnen dieses hier?" erkundigte sie sich höflich, während sie ein weiteres Tuch vor-
30 legte.
„Sind Sie denn blind, Fräulein", entgegnete die Kundin heftig, „sehen Sie denn nicht? Die Farben laufen doch verkehrt : rot-grün-blau."

Unwillig stieß sie das Tuch zurück. „Ich brauche
35 aber rot-blau-grün."
Nun begann sie wild und wütend die Stöße von Taschentüchern zu durchwühlen. Tuch nach Tuch entfaltete sie. Jedesmal knüllte sie die Tücher wieder zusammen und schleuderte sie beiseite.
40 Jutta berührte Doris mit dem Zeigefinger.
„Schau mal, da..." flüsterte sie.
Geduldig begann Juttas Mutter wieder, die angehäuften Taschentücher zusammenzufalten.
„Sind Sie hier, um aufzuräumen, Fräulein, oder sind
45 Sie hier, um mich zu bedienen?" fragte die alte Frau böse.
Das Gesicht von Juttas Mutter rötete sich. Sie schob den Berg Taschentücher mit der Hand zur Seite und begann wieder in ihrem Angebot[3] zu su-
50 chen. Als sie das passende Tuch gefunden hatte, bot sie es der Kundin mit gezwungener Höflichkeit an :
„Schauen Sie bitte hier, eine besondere Gelegenheit... ein erstklassiges Tuch, und in der Farbzu-
55 sammenstellung, die Sie suchten."
„Das ist aber doch ein Herrentuch", brauste die Frau auf. „Es sollte ein Damentuch sein."
„Verzeihen Sie bitte", entschuldigte sich Juttas Mutter, „doch davon haben Sie bisher nichts ge-
60 sagt."
„Was fällt Ihnen denn ein !" schimpfte die Kundin los, „wollen Sie eine alte Frau belehren? Nennen Sie das Kundendienst?[4]"
Herausfordernd[5] schaute sie sich um.
65 Als sie sah, daß andere Kunden auf sie aufmerksam wurden, die jetzt neugierig in der Nähe des Ver-

kaufstisches stehenblieben, wurde sie noch lauter : „So wird man also hier bedient ! Ich werde mich über Sie beschweren[6]." ·

70 Der Lärm lockte den Abteilungsleiter[7] herbei. Er ging auf die alte Frau zu. Mit einer Verbeugung erkundigte er sich : „Kann ich Ihnen behilflich sein, gnädige Frau?"

Wütend schleuderte die Frau das Taschentuch, das 75 sie noch in der Hand hielt, hin.

„Es ist unglaublich, was man sich von diesen Verkäuferinnen bieten[8] lassen muß", beklagte sie sich erregt.

„Diese jungen Dinger nehmen keinerlei Rücksicht 80 auf das Alter ! Eine Unverschämtheit ![9]"

„Aber beruhigen Sie sich doch bitte, gnädige Frau", versuchte der Abteilungsleiter sie zu unterbrechen.

„Wir werden der Angelegenheit selbstverständlich sofort nachgehen[10]. Darf ich Sie eben in mein Büro 85 bitten? Ich nehme dort Ihre Beschwerde schriftlich auf."

Während er das sagte, warf er Juttas Mutter strafende Blicke zu.

„Ich denke nicht daran ![11]"

90 Die Stimme der Kundin wurde schrill. „Wenn Sie Ihre Verkäuferinnen nicht besser ausbilden, gehe ich eben woanders hin !"

Sie drehte sich um und rauschte davon.

Der Abteilungsleiter dienerte[12] hinter ihr her. „Ich 95 bitte Sie im Namen unseres Hauses um Entschuldigung. Verzeihen Sie ! Es tut mir außerordentlich leid."

Weil die Kundin ihn nicht mehr hören konnte, wandte er sich verärgert an Juttas Mutter. Mit 100 hochrotem Kopf stand sie hinter ihrem Verkaufsstand. In der Faust hielt sie ein zerknülltes Taschentuch mit rot-blau-grünem Rand. Sie schien dem Weinen nahe.

„Sie sehen wohl Ihre Aufgabe hier hauptsächlich 105 darin, unsere Kunden zu vertreiben[13]", sagte der Abteilungsleiter höhnisch zu ihr.

Da stieß Jutta ihre Freundin an. Die beiden Mädchen rannten die Stufen hinab und stürzten sich in den Kreis der Neugierigen, die sich um den Ver-110 kaufstisch von Juttas Mutter drängten. Verzweifelt kämpften sie sich durch die Menge hindurch, bis sie beim Tisch angekommen waren. Ohne den Abteilungsleiter zu beachten, lief Jutta um den Tisch herum und stellte sich neben ihre Mutter. Sie faßte 115 Mutters Hand und drückte sie fest.

Erschreckt blickte die Mutter auf das Kind. Der Abteilungsleiter war einen Augenblick sprachlos. Eben wollte er wütend zu reden beginnen... Da sagte Jutta, so deutlich, daß es alle Umstehenden hören 120 konnten.

„Wir haben es genau gesehen. Die Alte hat mindestens drei Taschentücher eingesteckt... !"

Hans Peter Richter,
Taschentücher

---

1 **das Preisschild (-er) :** l'étiquette avec le prix; → der Preis (-e), preiswert : bon marché.

2 **so eine alte Zicke** (fam.) : quelle vieille bique.

3 **das Angebot (-e) :** (ici) le stock, la pile (de mouchoirs).

4 **Nennen Sie das Kundendienst? :** C'est ce que vous appelez être au service du client ? → der Kundendienst : (aussi) le service après-vente.

5 **herausfordernd :** provozierend → jemanden herausfordern.

6 **sich über jemanden beschweren :** sich über jemanden beklagen : se plaindre de qqn. → die Beschwerde (n).

7 **der Abteilungsleiter (-) :** le chef de rayon.

8 **sich etwas bieten lassen (ie, a) :** accepter, supporter qqch.; → das lasse ich mir nicht bieten : je ne souffrirai, tolérerai pas cela.

9 **eine Unverschämtheit ! :** quelle honte !

10 **einer Angelegenheit** (dat.) **nach/gehen (i, a) :** s'occuper d'une affaire.

11 **Ich denke nicht daran ! :** Il n'en est pas question !

12 **hinter jemandem her/dienern :** (ici) suivre qqn. en s'inclinant obséquieusement; → der Diener (-) : le serviteur; → jemandem einen Diener machen : faire la révérence à qqn.

13 **einen Kunden vertreiben (ie, ie) :** einen Kunden wegjagen.

Einkaufen – Spaß oder Streß?

(Eine Mini - Umfrage)

1 **günstig ein/kaufen :** billig einkaufen.
2 **seine Zeit ein/teilen :** s'organiser.
3 **die Stoßzeiten (Pl.) :** les heures de pointe; Schlange stehen (a, a) : faire la queue.
4 **es kommt darauf an,... :** cela dépend...
5 **das Riesenangebot :** le choix immense.
6 **anstrengend :** fatigant; abgespannt sein : erschöpft, müde sein.
7 **es ist ein notwendiges Übel :** c'est un mal nécessaire.
8 **der Vorteil (-e) :** l'avantage; ≠ der Nachteil (-e).

Ergänzen Sie den Text mit den untenstehenden Wörtern und Ausdrücken.

Es geht hier um die Frage, ob Einkaufen Spaß oder Streß bedeute. Unter den Befragten lassen sich folgende Gruppen unterscheiden :

Die Gruppe derjenigen, die ganz gern in den Supermarkt gehen, weil sie dort einmal in der Woche _____ können, und weil es für sie die Gelegenheit ist, _____ , mit denen sie reden können.

Die Gruppe _____ , die ihre Zeit nicht immer so gut einteilen können, daß sie _____ einkaufen gehen. Es ist für sie daher ein mächtiger Streß, wenn sie _____ und an der Kasse lange _____ müssen.

Die Gruppe derjenigen, die das Einkaufen als _____ betrachten. Sie kaufen im Supermarkt ein, weil sie dort _____ können.

Einer der Befragten _____ diese Arbeit mit seiner Frau. Ein anderer kauft lieber allein ein, weil er glaubt, daß er _____ als seine Frau, die immer den ganzen Wagen _____ .

---

in die Stoßzeiten reinkommen - günstig einkaufen - Großeinkauf machen - eine Menge Geld sparen - die berufstätigen Frauen - unter Leute kommen - das notwendige Übel - teilen - Schlange stehen - vollpacken - in Ruhe.

Der undressierte Mann

Feinschmecker

Ernst Volland, *Fred und sein Sohn*, Bildgeschichten.
Rowohlt Taschenbuch Verlag, Reinbek
bei Hamburg, 1978 (Rororo Rotfuchs, 175)

„Zurück zur Kohle!"

GRAMMAIRE / FAISONS LE POINT

1 Le groupe verbal et la négation : (AG, p. 224)

a/ *Répondez aux questions ci-après en utilisant les éléments proposés (amorces de phrases et adverbes de négation) :*

1. Kann der Händler den Elektroherd noch reparieren? (Ich bin der Ansicht, daß... nicht mehr)   **2.** Ist der Fernseher schon repariert? (Ich möchte wetten, daß... noch nicht)   **3.** Ist der Händler bereit, die Waschmaschine zu reparieren? (Ich vermute, daß... gar nicht)   **4.** Ist der Kundendienst völlig ausgelastet? (Ich weiß ganz genau, daß... nicht)   **5.** Hat er das gewußt? (Nein, ich bin sicher, daß ... überhaupt nicht)   **6.** Ist die Kundin mit dem Chef ins Büro gegangen? (Ich habe gehört, daß... nicht)   **7.** Hat die ältere Frau ihre Beschwerde schriftlich aufnehmen lassen? (Ich nehme an, daß... nicht)

b/ *Mettez les phrases ci-dessous à la forme négative avec les éléments proposés :*

1. An deiner Stelle würde ich das auch tun. (nicht)   **2.** Weshalb hat sich die Kundin beschwert? (nicht)   **3.** Hast du mit der Neuen gesprochen? (noch nicht)   **4.** Warst du im neuen Kaufhaus? (noch gar nicht)   **5.** Kannst du dir das vorstellen? (noch immer nicht)   **6.** Fahren Sie bitte schnell ! (nicht so)   **7.** Warum hat der Junge Geige spielen wollen? (absolut nicht)   **8.** Das kann doch wahr sein ! (gar nicht)   **9.** Hast du daran gedacht? (überhaupt nicht)

2 La dépendante de temps avec : ehe, bevor (avant que) :
Reliez les deux propositions par une des deux conjonctions :

1. Kommen Sie bitte ins Büro ! Sie verlassen das Kaufhaus. **2.** Steig ein ! Der Zug fährt ab. **3.** Er geht zu Bett. Er raucht noch eine Zigarette. **4.** Ich fahre in die Stadt. Ich muß noch einen Brief schreiben. **5.** Ich lasse dir nicht gehen. Du hast mir die Adresse gegeben. **6.** Du läufst zur Polizei. Erzähle mir doch, was passiert ist ! **7.** Die ältere Kundin verläßt das Kaufhaus. Sie schimpft auf die Verkäuferin.

3 L'expression du souhait (irréalisable) et du regret : (AG, p. 248)

Ex. : **1.** Warum habe ich kein Glück? ⟶ Wenn ich doch Glück hätte ! / Hätte ich doch Glück !
 2. Warum habe ich das nicht gewußt? ⟶ Wenn ich das doch gewußt hätte ! / Hätte ich das doch gewußt !

1. Kannst du mir helfen? **2.** Wird er das tun? **3.** Warum hat er ihr nichts gesagt? **4.** Hat der Chef es gehört? **5.** Warum haben die Arbeiter gestreikt? **6.** Warum hast du mir das nicht früher erklärt? **7.** Muß ich so lange warten? **8.** Warum ist der Lehrer so streng? **9.** Warum habe ich das Plakat nicht gelesen? **10.** Warum habe ich gleich einen neuen Apparat gekauft? **11.** Warum haben Sie die Maschine nicht bei mir gekauft?

4 Traduisez les phrases ci-après :

a/ **1.** Wenn der Chef doch nicht immer so wild und wütend wäre ! **2.** Am besten wäre es, Sie kaufen sich einen neuen Apparat. **3.** Wenn Sie mir den Auftrag sofort geben, so steht die neue Maschine in zwei Stunden bei Ihnen. **4.** Sie betrachtete den Verkaufstisch aus zwei Schritt Entfernung, ehe sie nähertrat.

b/ **1.** Dans cette région pauvre il n'y avait qu'une seule usine, dans laquelle les paysans travaillaient en été. **2.** Deux étrangers étaient venus au village pour organiser une réunion (eine Versammlung veranstalten) et pour expliquer la nouvelle constitution (die Verfassung) aux ouvriers. **3.** La nouvelle élève était mince, elle avait de longs cheveux brun clair, elle portait un jean en velours brun et un blazer bleu. **4.** Il y a un mois, j'ai acheté un nouveau téléviseur avec la troisième chaîne mais, depuis hier, il ne marche plus.

11. NICHTS ÜBER FREIHEIT!

Wir wollen frei sein, wie die Väter waren,
Eher den Tod, als in der Knechtschaft leben.

(F. Schiller, *Wilhelm Tell*)

Ich bin ein Mensch, und das heißt ein Kämpfer sein.

(F. Schiller)

Brecht das Doppeljoch' entzwei!
Brecht die Not der Sklaverei!
Brecht die Sklaverei der Not!
Brot ist Freiheit, Freiheit Brot!

(G. Herwegh)

Wilhelm Tell
© Robert Holder – Bavaria

Widerstand im Dritten Reich

In dem totalen und durch Terror gekennzeichneten Staat des Dritten Reiches war jeder Widerstand äußerst schwierig und gefährlich. [...] Eine der vielen, die es wagten, ihre Meinung offen auszusprechen, war Gertrud Seele (Bild rechts), die deshalb am 12. Januar 1945 hingerichtet wurde. In ihrem Abschiedsbrief hieß es: „Meine liebe kleine Tochter Michaela! Heute muß deine Mutti sterben..."

Bilder unten: Die Geschwister Hans und Sophie Scholl, die, ebenso wie ihr Prof. Kurt Huber (außen rechts), mit vier weiteren Kommilitonen im Jahre 1943 hingerichtet wurden. In dem letzten ihrer Flugblätter hieß es: „Der deutsche Name bleibt für immer geschändet, wenn nicht die deutsche Jugend endlich aufsteht..."

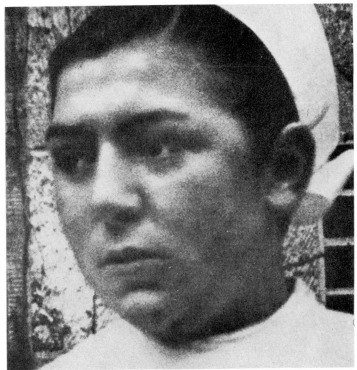

© by Inge Aicher-Scholl / Ruth Liepman und Dr Christian Zentner

Die Totenliste der Weißen Rose

Christoph Probst, stud. med. geb. am 6.2.1919, am 22.2.1943 enthauptet in München-Stadelheim
Hans Scholl, stud. med. geb. am 22.9.1918, am 22.9.1943 enthauptet in München-Stadelheim
Sophie Scholl, stud. phil. geb. am 9.5.1921, am 22.2.1943 enthauptet in München-Stadelheim
Kurt Huber, Dr. phil., Professor geb. am 24.10.1893, am 13.7.1943 enthauptet in München-Stadelheim
Alexander Schmorell, stud. med. geb. am 16.9.1917, am 13.7.1943 enthauptet in München-Stadelheim
Willi Graf, stud. med. geb. am 2.1.1918, am 12.10.1943 enthauptet in München-Stadelheim
Katharina Leipelt, Dr. rer. nat. geb. am 28.5.1893, am 9.1.1944 in den Tod getrieben in Hamburg-Fuhlsbüttel
Elisabeth Lange geb. am 7.7.1900, am 28.1.1944 in den Tod getrieben in Hamburg-Fuhlsbüttel
Reinhold Meyer, stud. phil. geb. am 18.7.1920, am 12.11.1944 umgekommen in Hamburg-Fuhlsbüttel
Hans K. Leipelt, stud. rer. nat. geb. am 18.7.1921, am 29.1.1945 enthauptet in München-Stadelheim
Frederick Geußenhainer, stud. med. geb. am 24.4.1912, im April 1945 umgekommen in Mauthausen
Margaretha Rothe, stud. med. geb. am 13.6.1919, am 15.4.1945 umgekommen in Leipzig-Moisdorf
Margarethe Mrosek geb. am 14.12.1915, am 21.4.1945 gehenkt in Hamburg-Neuengamme
Curt Ledien, Dr. jur. geb. am 5.6.1893, am 23.4.1945 gehenkt in Hamburg-Neuengamme

Büchergilde Gutenberg

Das Ziel der 5-Tage-Woche zu 40 Stunden wird seit 1954 proklamiert und ist 10 Jahre später erreicht.

Heraus mit dem Frauenwahlrecht

FRAUEN-TAG
8. MÄRZ 1914

Den Frauen, die als Arbeiterinnen, Mütter und Gemeindebürgerinnen ihre volle Pflicht erfüllen, die im Staat wie in der Gemeinde ihre Steuern entrichten müssen, hat Voreingenommenheit und reaktionäre Gesinnung das volle Staatsbürgerrecht bis jetzt verweigert.

Dieses natürliche Menschenrecht zu erkämpfen, muß der unerschütterliche, feste Wille jeder Frau, jeder Arbeiterin sein. Hier darf es kein Ruhen kein Rasten geben. Kommt daher alle, ihr Frauen und Mädchen in die am

Sonntag den 8. März 1914 nachmittags 3 Uhr stattfindenden

9 öffentl. Frauen-Versammlungen

ZUR DISKUSSION

FREIHEIT, DIE ICH MEINE.

Raus aus dem grauen Alltag!
Hinaus in die freie Luft, in die Weite!
Ein Mofa ist fast schon die große Freiheit.
Man kann raus aus dem engen Zimmer und wenn das Benzin auch nur bis zum Stadtrand reicht.

Meine Mutter mischt sich in alles rein...!

„Was hast du denn da an? Das geht doch wirklich nicht! ..."
„Wer ruft denn da ständig an?"
„Rauch nicht so viel!"
„Du könntest wirklich etwas höflicher sein! ..."

Was soll ich nur tun?
Wie soll ich mich verhalten?

... Da ist guter Rat teuer!

TODESSTRAFE ODER LEBENSLANGE HAFT?

Schreckt die Todesstrafe vor Hochkriminalität ab?
Sollte man die lebenslange Freiheitsstrafe abschaffen?
Für Mord sind 15 Jahre genug.

Vorbestraft! Jeder hat das Recht auf einen neuen Anfang!

Alle Revolutionen haben bisher nur eines bewiesen: daß sich vieles ändern läßt bloß nicht der Mensch. (Karl Marx)

DER HESSISCHE LANDBOTE
ERSTE BOTSCHAFT

1834 verfaßte Büchner die Flugschrift „Der Hessische Landbote".
Mit dieser Flugschrift wollte er die Bauern zum revolutionären Umsturz auffordern.

Darmstadt, im Juli 1834

VORBERICHT[1]

Dieses Blatt soll dem hessischen Lande die Wahrheit melden, aber wer die Wahrheit sagt, wird gehenkt; ja sogar der, welcher die Wahrheit liest, wird durch meineidige[2] Richter vielleicht gestraft. Darum haben die, welchen dies Blatt zukommt, folgendes zu beobachten :
1. Sie müssen das Blatt sorgfältig außerhalb ihres Hauses vor der Polizei verwahren;
5 2. sie dürfen es nur an treue Freunde mitteilen;
3. denen, welchen sie nicht trauen wie sich selbst, dürfen sie es nur heimlich hinlegen;
4. würde das Blatt dennoch bei einem gefunden, der es gelesen hat, so muß er gestehen, daß er es eben dem Kreisrat[3] habe bringen wollen;
5. wer das Blatt nicht gelesen hat, wenn man es bei ihm findet, der ist natürlich ohne Schuld.

10 ## FRIEDE DEN HÜTTEN !
KRIEG DEN PALÄSTEN !

Im Jahre 1834 siehet es aus, als würde die Bibel Lügen gestraft[4]. Es sieht aus, als hätte Gott die Bauern und Handwerker am fünften Tage und die Fürsten und Vornehmen am sechsten Tage gemacht, und als hätte der Herr zu diesen
15 *gesagt : Herrschet über alles Getier, das auf Erden kriecht', und hätte die Bauern und Bürger zum Gewürm gezählt.* Das Leben der *Vornehmen* ist ein langer Sonntag : sie wohnen in schönen Häusern, sie tragen zierliche Kleider, sie haben feiste Gesichter und reden eine eigne Sprache; das Volk aber liegt vor ihnen wie Dünger[5] auf dem Acker. Der Bauer geht hinter dem
20 Pflug, der *Vornehme* aber geht hinter ihm und dem Pflug und treibt ihn mit den Ochsen am Pflug, er nimmt das Korn[6] und läßt ihm die Stoppeln. Das Leben des Bauern ist ein langer Werktag; Fremde verzehren seine Äcker vor seinen Augen, sein Leib ist eine Schwiele[7], sein Schweiß ist das Salz auf dem Tische des *Vornehmen.*

Georg Büchner (1813-1837),
Der Hessische Landbote (Flugschrift)

---

1 **der Vorbericht (-e) :** l'avant-propos.
2 **der Meineid :** le parjure; meineidig werden : devenir parjure, se parjurer.
3 **der Kreisrat (⸗e) :** l'administrateur de district (le sous-préfet).
4 **jemanden Lügen strafen :** convaincre qqn. de mensonge; démentir qqn.
5 **der Dünger (-) :** l'engrais, le fumier.
6 **das Korn :** le blé; **die Stoppel (-n) :** le chaume.
7 **die Schwiele (-n) :** la callosité.

Unter den Linden[1] anno 1892

Er[2] war in diesen naßkalten Februartagen des Jahres 1892 viel auf der Straße, in der Erwartung großer Ereignisse. Unter den Linden hatte sich etwas verändert, man sah noch nicht, was. Berittene Schutzleute hielten an den Mündungen der Straßen und warteten auch. Die Passanten zeigten einander das Aufgebot der Macht[3]. „Die Arbeitslosen !" Man blieb stehen, um sie ankommen zu sehen. Sie kamen vom Norden her, in kleinen Abteilungen und im langsamen Marschschritt. Unter den Linden zögerten sie, wie verwirrt, berieten[4] sich mit den Blicken und lenkten nach dem Schloß ein. Dort standen sie stumm, die Hände in den Taschen, ließen sich von den Rädern der Wagen mit Schlamm[5] bespritzen und zogen die Schultern hoch unter dem Regen, der auf ihre entfärbten Überzieher fiel. Manche von ihnen wandten die Köpfe nach vorübergehenden Offizieren, nach den Damen in ihren Wagen, nach den langen Pelzen der Herren, die von der Burgstraße herschlenderten; und ihre Mienen waren ohne Ausdruck, nicht drohend und nicht einmal neugierig, nicht, als wollten sie sehen, sondern als zeigten sie

sich. Andere aber ließen kein Auge von den Fenstern des Schlosses. Das Wasser lief über ihre hinaufgewendeten Gesichter. Ein Pferd mit einem schreienden Schutzmann trieb sie weiter, hinüber oder bis zur nächsten Ecke - aber schon standen sie wieder. [...] „Ich begreife nicht", sagte Diederich, „daß die Polizei nicht energischer vorgeht. Das ist doch eine unbotmäßige[6] Bande." [...] Unter den Linden vereinigten sich ihre Züge[7], rannen, sooft sie getrennt wurden, wieder zusammen, erreichten das Schloß, wichen zurück und erreichten es noch einmal, stumm und unaufhaltsam wie übergetretenes Wasser[8]. Der Wagenverkehr stockte, die Fußgänger stauten sich, mit hineingezogen in die langsame Überschwemmung, worin der Platz ertrank, in dies trübe und mißfarbene Meer der Armen. [...] Eine Attacke der Berittenen, ein Aufschäumen[9], Zurückfließen, und Weiberstimmen im Lärm, schrill[10], gleich Signalen : „Brot ! Arbeit !"

Heinrich Mann (1871-1950), *Der Untertan*, Aufbau Verlag, Berlin und Weimar

---

1 **Unter den Linden** : eine berühmte Allee in Berlin.
2 **er** = Diederich Heßling, die Hauptgestalt des Romans „ *Der Untertan*" (le sujet).
3 **das Aufgebot der Macht** : le déploiement des forces de police.
4 **sich beraten (ie, a)** : se concerter.
5 **der Schlamm** : la boue.

6 **eine unbotmäßige Bande** : une bande de rebelles.
7 **der Zug (⁼e)** : (hier) die Gruppe.
8 **unaufhaltsam wie übergetretenes Wasser** : avec la force irrésistible de l'eau qui déborde.
9 **ein Aufschäumen** : un choc tumultueux.
10 **schrill** : aigu, perçant.

Rundgang auf dem Gefängnishof[1]

Mit 21 Jahren saß „der Hundeblumenmann" Borchert 100 Tage in einer Einzelzelle und wartete auf den Tod durch Erschießen.

Habe ich schon gesagt, daß wir jeden Morgen eine halbe Stunde lang einen kleinen schmutzig-grünen Fleck Rasen[2] umkreisten? In der Mitte der Manege von diesem seltsamen Zirkus war eine blasse Ver-
5 sammlung von Grashalmen, blaß und der einzelne Halm ohne Gesicht. Wie wir in diesem unerträglichen Lattenzaun[3]. Auf der Suche nach Lebendigem, Buntem, lief mein Auge ohne große Hoffnung eigentlich und zufällig über die paar Hälmchen hin,
10 die sich, als sie sich angesehen fühlten, unwillkürlich zusammennahmen[4] und mir zunickten — und da entdeckte ich unter ihnen einen unscheinbaren gelben Punkt, eine Miniaturgeisha auf einer großen Wiese [...]
15 Als ich jetzt dichter an ihm vorbeikam, tat ich so unbefangen[5] wie möglich. Ich erkannte eine Blume, eine gelbe Blume. Es war ein Löwenzahn[6] — eine kleine gelbe Hundeblume. [...]
Immer wenn unser Rundgang zu Ende ging, mußte
20 ich mich gewaltsam von ihr losreißen, und ich hätte meine tägliche Brotration (und das will was sagen!) dafür gegeben, sie zu besitzen. Die Sehnsucht, etwas Lebendiges in der Zelle zu haben, wurde so mächtig in mir, daß die Blume, die schüchterne
25 kleine Hundeblume, für mich bald den Wert eines

Menschen, einer heimlichen Geliebten bekam: Ich konnte nicht mehr ohne sie leben — da oben zwischen den toten Wänden! [...]
Jedesmal, wenn ich an meiner Blume vorbeikam,
30 trat ich so unauffällig[7] wie möglich einen Fuß breit vom Wege auf den Grasfleck. Wir haben alle einen tüchtigen Teil Herdentrieb[8] in uns, und darauf spekulierte ich. Ich hatte mich nicht getäuscht. Mein Hintermann, sein Hintermann, dessen Hintermann
35 — und so weiter — alle latschten stur und folgsam in meiner Spur. So gelang es mir in vier Tagen, unsern Weg so nahe an meine Hundeblume heranzubringen, daß ich sie mit der Hand hätte erreichen können, wenn ich mich gebückt hätte. Zwar star-
40 ben einige zwanzig der blassen Grashalme durch mein Unternehmen einen staubigen Tod unter unsern Holzpantinen — aber wer denkt an ein paar zertretene Grashalme, wenn er eine Blume pflücken will!
45 Ich näherte mich der Erfüllung[9] meines Wunsches. Zur Probe[10] ließ ich einige Male meinen linken Strumpf runterrutschen, bückte mich ärgerlich und harmlos und zog ihn wieder hoch. Niemand fand etwas dabei. Also, morgen denn! [...]

Wolfgang Borchert (1921-1947), *Die Hundeblume*, aus: Gesamtwerk, Rowohlt Verlag, Hamburg, 1949

© S. Desportes

1 **das Gefängnis (-se) :** la prison;
→ der Gefangene; **die Zelle (-n) :** la cellule de prison.
2 **der Rasen (-) :** le gazon; → **der Grashalm (-e) :** le brin d'herbe.
3 **der Lattenzaun (ᵉe) :** (ici) la file des prisonniers.
4 **sich zusammen/nehmen (a, o) :** se ressaisir.
5 **unbefangen** (adv.) : natürlich.
6 **der Löwenzahn, die Hundeblume (-n) :** le pissenlit.
7 **unauffällig** (adv.) : discrètement.
8 **der Herdentrieb :** l'instinct grégaire; → die Herde.
9 **die Erfüllung :** la réalisation; → jemandem einen Wunsch erfüllen.
10 **zur Probe :** (ici) pour voir.

✳ Haustyrann

Der Vater steht ziemlich spät auf, während die Mutter schon
die Würstchen eingekauft hat für den Abend und der älteste
Sohn, um den Vater zu erfreuen, das Auto gewaschen hat, wobei ihm seine jüngere Schwester half. Der jüngste Sohn hinge-
5 gen hat sich zu Nachbarn verzogen, er ist schlau und will die
Gewitter aus der Ferne sehen. Der Vater kommt aus dem Badezimmer, man hört ihn im Schlafzimmer fluchen, er sucht sein
leichtes Gartenhemd und findet es nicht. Warum es nie an eine
bestimmte Stelle im Schrank gelegt werde ! Die Mutter kommt
10 mit den Würsten nach Hause, der Vater brüllt sie an, wie das
denn mit dem Hemd sei. Sie sagt, sie habe vergessen, es zu
waschen, was eine Steigerung des väterlichen Gebrülls bewirkt.
Die beiden Kinder hören auf, das Auto zu waschen. Nach einer
Weile beschließt der Vater, eben ein anderes Hemd anzuziehen.
15 Die Mutter sitzt in der Küche und heult vor sich hin. Der Vater
kommt aus dem Schlafzimmer, geht durch die Küche, setzt sich
in den Garten, schreit nach der Zeitung, die ihm die Tochter
bringt, liest zwei Stunden und erklärt dann, es sei eine
Ungeheuerlichkeit[1], daß er noch kein Frühstück bekommen ha-
20 be, was die Mutter in größte Aufregung[2] versetzt. Sie fängt in
der Küche an mit Geschirr zu klappern. Das wiederum regt den
Vater auf. Man höre das Geklapper bis in den Garten. Ob das
denn nötig sei? Der jüngste Sohn verfolgt das Getöse aus der
Entfernung. Der Vater beschließt, nachdem er gefrühstückt hat
25 und feststellen mußte, daß er kein weiches, sondern fast ein
hartes Ei vorgesetzt bekommen habe, mit der ganzen Familie
Krocket zu spielen. Die Tochter rennt in den Keller, um das
Krocket zu holen. Mit Schrecken bemerkt sie, daß ein Schläger
fehlt. Den hat wahrscheinlich der Kleinste zweckentfremdet[3].
30 Sie geht zur Mutter und flüstert ihr die neue Schreckensnach-
richt ins Ohr. Der Vater, mißgelaunt, wünscht sich eh ein
Unglück nach dem anderen. Also merkt er auch gleich, daß
etwas nicht stimmt. Er kommt in seinen kaputten Holzpantinen
in die Küche, sieht mit zusammengekniffenen Augen seine Frau
35 an, dann seine Tochter und fragt sehr leise : Wo ist das Krok-
ket? Die Tochter erwidert : Es ist schon da. Der Vater sagt :
Gut, dann wollen wir spielen. Aber es fehlt ein Schläger, sagt
die Tochter. Worauf der Vater nichts erwidert, sondern erneut
in den Garten hinausgeht, sich auf die Bank wirft, die Beine
40 von sich streckt, den Ältesten ruft und ihm verbietet, wieder an
dem Auto herumzuschrubben. Das Mittagessen verläuft ohne
Störungen, doch auch ohne ein Wort des Vaters. Die Mutter
räumt seufzend ab und entschließt sich zu einem eigenen Vorstoß[4] : Wir könnten doch spazierengehen.
45 Meinetwegen könnt ihr gehen, antwortet der Vater. Doch ohne
mich. Ihr habt mir heute schon so viel angetan[5] – ich kann nicht
mehr.

1 **die Ungeheuerlichkeit (-en) :** la
monstruosité; (ici) : c'est une chose
inconcevable, inadmissible.
2 **jemanden in Aufregung
versetzen :** mettre qqn. en émoi,
irriter.

3 **etwas zweck / entfremden :**
utiliser qqch. à d'autres fins
(que celles prévues).

4 **einen Vorstoß machen :**
tâter le terrain (en faisant une
proposition).
5 **jemandem etwas an / tun
(a, a) :** faire des misères à qqn.

Die Mutter sagt : Daß du dich immer über Kleinigkeiten auf-
regst. Worauf Vater und Mutter gut eine Stunde darüber strei-
50 ten, was Kleinigkeiten sind oder nicht.

Die Kinder haben in das winzige Gartenbassin Wasser gelassen, kümmern sich nicht mehr um die Eltern, baden. Der Vater
findet erst den Lärm entsetzlich, schickt sich dann aber in die
Situation, zieht sich im Schlafzimmer um und kommt in der
55 Badehose herunter. Als ihn der Jüngste so sieht, rennt er
schleunigst wieder zu den Nachbarn und sagt der freundlichen
Frau, die ihn dort gelegentlich beherbergt : Wenn der Alte jetzt
noch im Bassin hinknallt, ist der Sonntag endgültig futsch.

Die beiden Älteren haben das Bassin verlassen und sehen ihrem
60 Vater zu. Er knallt nicht hin. Und drei Stunden ist Ruhe. Der
Vater spielt nicht mit ihnen Krocket, er versucht, ihnen Schach[6]
beizubringen. Das tut er, zu ihrem Erstaunen, ausdauernd und
ruhig. Das letzte Unglück, ein richtiger Abschluß für diesen
Tag, passierte beim Grillen. Der Vater, jetzt in besserer Verfas-
65 sung, hatte alles selbst in die Hände genommen und drehte mit
einer Zange die Würste auf dem Rost. Mit einem leichten Knall
sprang eine der Würste, und ein paar Spritzer Fett trafen die
Backe des Vaters. Er schrie auf, warf die Zange blindlings in
den Garten und beschuldigte seine Frau, Würste gekauft zu
70 haben, die sich zum Grillen nicht eignen. Die Mutter vertei-
digte sich. Der Vater achtete gar nicht mehr auf sie.

Er ging sich umziehen, setzte sich in das Auto und sagte, er
werde in der Kneipe zu Abend essen, wo ihm niemand auf den
Nerven herumtrampele.
75 Das Wochenende war eines gewesen[7]. Die Kinder trösteten die
Mutter. Die Mutter tröstete die Kinder. Sie aßen ohne den
Vater die Würste, die vorzüglich schmeckten. Sie saßen noch
eine Weile im Garten, gingen dann ins Bett. Der Vater kam
spät nach Hause.

Peter Härtling (geb. 1933), *Alle Woche wieder,* in : Zum laut und leise lesen,
Luchterhand Verlag

6 **das Schach :** le jeu d'échecs;
jemandem Schach bei/bringen
(a, a) : jemandem erklären,
wie man Schach spielt.

7 **das Wochenende war
eines gewesen :** das war ein
typisches Wochenende.

Fragen

I **Zum Textverständnis**

1. In welcher Jahreszeit spielt die Handlung des Textes? Welche Textstellen lassen darauf schließen?
2. Zeigen Sie an Beispielen aus dem Text das Verhältnis der Familienmitglieder zueinander.
3. Wie entstehen die verschiedenen Konflikte?

II **Zur Stellungnahme**

1. Welche Personen handeln (Ihrer Meinung nach) richtig? Welche handeln falsch?
2. Sind die Vorwürfe des Vaters berechtigt? Begründen Sie Ihre Meinung.
3. Wie deuten Sie die Überschrift des Textes?

An die Eltern

(Ihr kennt das Leben, also laßt es mich kennenlernen).

1 Ihr sprecht
   von der Verantwortung, die ihr für mich habt –
   aber ihr wollt nur,
   daß ich so werde wie ihr.

2 Ihr sagt,
   ich sollte mich mehr für Kultur interessieren –
   aber euch interessieren nicht
   die Lieder der Rolling stones.

3 Ihr behauptet,
   Fernsehen mache träge –
   aber ihr sitzt regelmäßig
   vor Dalli Dalli[1].

4 Ihr sagt,
   es komme auf den Menschen an[2] –
   aber ihr verlangt,
   daß ich mir die Haare schneiden lasse.

5 Ihr sprecht
   von den Erfahrungen[3], die ihr gemacht habt –
   aber ihr wollt nicht,
   daß ich in eine Diskothek gehe.

6 Ihr fordert
   Vertrauen und Offenheit –
   aber ihr sperrt, wenn ihr geht,
   das Telephon ab.

7 Ihr sagt,
   es sei nicht alles in Ordnung im Lande –
   aber euch stört
   mein Kontakt zur Gewerkschaftsjugend[4].

8 Ihr beklagt[5]
   die Gleichgültigkeit der Jugend –
   aber über Kriegsdienstverweigerung[6]
   laßt ihr nicht mit euch reden.

9 Ihr verurteilt[7]
   die Gewalttätigkeit vieler Jugendlicher –
   aber ihr verbietet mir
   die Zärtlichkeit von Susi.

10 Ihr wünscht mir
   eine bessere Zukunft –
   aber ihr meßt mich
   an eurer Vergangenheit.

Klaus Konjetzky

1 **Dalli Dalli :** Name einer Fernsehsendung.
2 **es kommt auf den Menschen an :**
   c'est l'individu qui compte.
3 **die Erfahrung (-en) :** l'expérience;
   → erfahren ≠ unerfahren sein.
4 **die Gewerkschaft (-en) :** le syndicat.
5 **etwas beklagen :** déplorer qqch.
6 **die Kriegsdienstverweigerung :**
   → der Kriegsdienstverweigerer :
   l'objecteur de conscience.
7 **jemanden oder etwas verurteilen :**
   condamner qqn. ou qqch.;
   → die Verurteilung; das Urteil.

Darf man sagen, was man denkt?

(Eine Mini - Umfrage)

1 **Was dabei herauskommt, ist, daß... :** Le résultat, c'est que...
2 **den Beruf wechseln :** einen anderen Beruf ergreifen (i, i) : changer de métier.
3 **Ärger bekommen (a, o), Ärger haben :** avoir des ennuis.
4 **Es kommt mir nur auf die Noten an :** Il n'y a qu'une chose qui compte pour moi, c'est les notes; **es kommt darauf an :** cela dépend.
5 **mit jemandem Krach haben :** se bagarrer avec qqn.
6 **einen Schüler von der Schule schmeißen (i, i)** (fam.) : flanquer un élève à la porte de l'école.
7 **sich zurück/halten (ie, a) :** se retenir, se contenir.
8 **ein Duckmäuser sein** (fam.) : s'écraser.
9 **das wirkt sich auf die Noten aus :** cela se répercute sur les notes.
10 **der Nachteil (-e) :** l'inconvénient; ≠ der Vorteil.
11 **manchmal entstehen Spannungen :** parfois il y a des conflits qui surgissent.
12 **sich vor den Kopf gestoßen fühlen :** être choqué, offensé.

Ergänzen Sie den Text mit den untenstehenden Wörtern und Ausdrücken.

Auf die Frage, ob man seine Meinung _____ dürfe, haben Jugendliche unterschiedliche

Antworten gegeben.

Die einen sagen ziemlich frei ihre Meinung, weil sie z.B. zu Hause dazu _____ , oder

weil sie nicht _____ wollen, wenn ihnen etwas nicht paßt. Es ist ihnen übrigens

_____ , ob sie deshalb _____ oder Nachteile haben. Sie sind allerdings auch der

Ansicht, daß es _____ , in welchem Ton man seine Meinung sagt : Es dürfe nicht zu

_____ .

Die anderen halten sich lieber zurück und _____ nicht, in _____ ihre Meinung zu

sagen. Es gibt nämlich _____ , die sich _____ , wenn man ihnen die Meinung sagt.

Da haben _____ ihre _____ Erfahrungen gemacht, weil es sich dann _____ .

---

darauf ankommen - sich trauen - offen sagen - der Lehrer - ermutigt werden - der Ärger - die Schule - den Mund halten - egal - der Schüler - (sich) auf die Noten auswirken - brutal klingen - schlecht - (sich) vor den Kopf gestoßen fühlen.

„Ich glaube, wir warten
besser bis zum Mai"

Das große Simplicissimus Album
Fackelträger Verlag-Hannover

Ein Opfer seiner politischen Überzeugung

(Th. Th. Heine. 1912)

»Gegen die sozialdemokratische Maifeier muß man energisch protestieren.
Ich arbeite nur noch am 1. Mai.«

Wenn die Menschen reif zum Wählen werden

(Th. Th. Heine. 1930)

GROSSMAMA sieht im Traum-
buch nach, welche Listennummer
das Kamel bedeutet, von dem sie
geträumt hat.

PAPA benutzt diese einzige
Gelegenheit, bei der auch seine
Stimme einmal etwas gilt.

MAMA hält das Wählen für
Staatsbürgerpflicht, außerdem
hat sie sich dazu ein neues
Kostüm machen lassen.

GRAMMAIRE / FAISONS LE POINT

1 La dépendante de temps avec nachdem : (AG, p. 223)

a/ *Mettez les verbes indiqués entre parenthèses à la forme qui convient :*

1. Nachdem er zu Mittag (essen), bestellte er sich noch ein Glas Cognac.
2. Er beschloß, in die Stadt zu fahren, nachdem er (frühstücken).
3. Der Junge zog durch Dörfer und Wälder, nachdem ihn der Vater (fortjagen).
4. Der Vagabund macht sich wieder auf den Weg, nachdem er einige Zeit mit einem früheren Kameraden (sprechen).
5. Nachdem er seine Geige von der Wand (nehmen), verläßt er das Haus.

b/ *Reliez les deux propositions par* **nachdem** :

1. Er hatte seinen Kaffee getrunken. Er las die Zeitung.
2. Er arbeitete in einem Zirkus. Er war von der Schule weggegangen.
3. Der Krieg war zu Ende gegangen. Der junge Physiker zog ins Ausland.
4. Der Dieb hatte mehrere Taschentücher eingesteckt. Er verschwand aus dem Kaufhaus.
5. Er hatte sich umgezogen. Er ging in den Garten hinunter.
6. Er fuhr sofort zur Baustelle. Er hatte seine Freundin zum Bahnhof gebracht.
7. Der Junge hat den Wagen gewaschen. Er bekam ein schönes Taschengeld.
8. Was willst du nun machen? Du hast das Abitur bestanden.

2 Le comparatif : (AG, p. 230)

Ex. : Liefern Sie mir die neue Maschine doch bald, bitte !
 → So bald wie möglich werde ich sie Ihnen liefern.

1. Reparieren Sie den Wagen doch gut, bitte ! **2.** Erklären Sie mir das doch genau, bitte ! **3.** Wie lange wollen Sie hier bleiben? **4.** Machen Sie das ganz unauffällig, bitte !

3 La valence des verbes : (AG, p. 259)

Complétez les phrases ci-dessous qui comportent un actant prépositionnel :

1. Interessierst du dich auch (...) die moderne Musik? **2.** Redet doch bitte nicht immer (...) Politik ! **3.** Reg' dich doch nicht (...) alles auf ! **4.** Wer kümmert sich denn heute (...) das Essen? **5.** Achte doch besser (...) deine Sachen ! **6.** Es kommt vor allem (...) die Arbeiter an und nicht (...) die Maschinen. **7.** Paß (...) deine Geschwister auf ! **8.** Wer sehnt sich nicht (...) Blumen?

4 L'adverbe démonstratif (daran, darauf,...) comme antécédent d'une dépendante (conjonctive ou infinitive)

Ex. : **1.** Ich habe einen neuen Farbfernseher. (Ich bin stolz darauf,...)
 → Ich bin stolz darauf, einen neuen Farbfernseher zu haben.
 2. Du hast die Prüfung bestanden. (Ich bin stolz darauf,...)
 → Ich bin stolz darauf, daß du die Prüfung bestanden hast.

Transformez les phrases ci-dessous selon l'une et/ou l'autre possibilité :

1. Das Ei ist nicht weich, sondern hart. (Ich mache Sie darauf aufmerksam,...) **2.** Du erlernst ein richtiges Handwerk. (Ich bin verantwortlich dafür,...) **3.** Erklären Sie mir das ! (Ich warte darauf,...) **4.** Er möchte die kleine Blume besitzen. (Er sehnt sich danach,...)

5 *Traduisez les phrases ci-après :*

a/ **1.** So unauffällig (discrètement) wie möglich versuchte er, sich der kleinen Blume zu nähern.
2. Manche Erwachsene behaupten, daß die Jugendlichen gleichgültig sind.

b/ **1.** Le prisonnier avait découvert une petite fleur jaune dans la cour de la prison (der Gefängnishof) et il aurait donné sa ration quotidienne de pain (die tägliche Brotration) pour cette fleur.
2. Après s'être changé (sich umziehen), il se rendit dans un restaurant.

12. „EISEN UND BLUT -ODER FRIEDEN"

(O. Bismarck)

Alle, die zum Schwerte greifen, kommen durch das Schwert um.

(Matthäus, 26, 52)

Ihr sagt, die gute Sache sei es, die sogar den Krieg heilige?
Ich sage euch: der gute Krieg ist es, der jede Sache heiligt.

(F. Nietzsche)

DEN FRIEDEN LIEBEN

DAS LEBEN ACHTEN

Soldat denke daran!

© Bundesbildstelle
Bonn

Die Präliminararartikel zum ewigen Frieden unter Staaten

„Es soll kein Friedensschluß für einen solchen gelten, der mit dem geheimen Vorbehalt des Stoffs zu einem künftigen Kriege gemacht worden.“

„Es soll kein für sich bestehender Staat (klein oder groß, das gilt hier gleichviel) von einem anderen Staate durch Erbung, Tausch, Kauf oder Schenkung erworben werden können.“

„Stehende Heere *(miles perpetuus)* sollen mit der Zeit ganz aufhören.“

„Es sollen keine Staatsschulden in Beziehung auf äußere Staatshändel gemacht werden.“

„Kein Staat soll sich in die Verfassung und Regierung eines andern Staats gewalttätig einmischen.“

„Es soll sich kein Staat im Kriege mit einem andern solche Feindseligkeiten erlauben, welche das wechselseitige Zutrauen im künftigen Frieden unmöglich machen müssen : als da sind Anstellung der Meuchelmörder *(percussores)*, Giftmischer *(venefici)*, Brechung der Kapitulation, Anstiftung des Verrats *(perduellio)* in dem bekriegten Staat etc.).“

Immanuel Kant (1724-1804),
Zum ewigen Frieden, 1795

« Nul traité de paix ne peut être considéré comme tel, si l'on s'y réserve secrètement quelque sujet de recommencer la guerre. »

« Aucun État indépendant (petit ou grand, peu importe ici) ne peut être acquis par un autre, par voie d'héritage, d'échange, d'achat ou de donation. »

« Les armées permanentes *(miles perpetuus)* doivent entièrement disparaître avec le temps. »

« On ne doit point contracter de dettes nationales en prévision de conflits extérieurs à l'État. »

« Aucun État ne doit s'immiscer de force dans la constitution et le gouvernement d'un autre État. »

« Nul État ne doit se permettre, dans une guerre avec un autre, des hostilités qui rendraient impossible, au retour de la paix, la confiance réciproque, comme, par exemple, l'emploi d'assassins *(percussores)*, d'empoisonneurs *(venefici)*, la violation d'une capitulation, l'excitation à la trahison *(perduellio)* dans l'État auquel il fait la guerre, etc. »

(traduction de Jules Barni, 1853)

Gratis!
Nr. 206a.
Extra-Ausgabe.
Gratis!
31. Jahrg.

Vorwärts

Berliner Volksblatt.
Zentralorgan der sozialdemokratischen Partei Deutschlands.

Freitag, den 31. Juli 1914.

Gegen die Kriegshetzer!

Durch die **Mobilisierung Rußlands** ist die **Gefahr eines Weltkrieges** in größere Nähe gerückt. Die Zarenregierung treibt ein frevenlliches und verbrecherisches Spiel mit dem Frieden und dem Schicksal der europäischen Kultur. Aber auch in den anderen Heerlagern des Dreiverbandes und des Dreibundes sind die **Kriegstreiber** eifrig am Werke, eine friedliche Verständigung der Völker zu vereiteln und den Weltkrieg zu entfesseln. — Gegen den Willen der übergroßen Masse des Volkes und, wie wir annehmen wollen, auch der Regierung.

Europa soll durch den grausamen Egoismus und die strategischen Klügeleien der Kriegshetzer in ein einziges großes Kampffeld verwandelt werden.

Dagegen gilt es aufzutreten, so lange noch ein Funke von Energie in der friedliebenden und werktätigen Bevölkerung vorhanden ist!

Das arbeitende Volk, das alle Lasten, alle Schrecken, alles Elend, alle Blutopfer des Völkermordes zu tragen hätte, kann und will sich nicht ergebungsvoll in ein allgemeines Völkergemetzel hineintreiben lassen!

Arbeiter und friedliebende Bürger Berlins! Erhebt noch einmal Eure Stimme, ehe es zu spät ist!

Laßt Eure Stimme vielhunderttausendfach erschallen, daß es den Kriegshetzern und vom Blutrausch Befallenen drohend und mahnend in die Ohren gellt:

Massenkundgebungen gegen den Weltkrieg i. Berlin
Der bekannte französische Sozialistenführer Jaures × nach der Versammlung in der „Neuen Welt"

aus : *Sozialdemokraten in Deutschland*, Bilddokumentation Sozialdemokratie

---

1 **der Kriegshetzer** (-) : le fauteur de guerre; →
  der Kriegstreiber.
2 **ein freventliches und verbrecherisches**
  Spiel treiben (ie, ie) : se livrer à un jeu sacri-
  lège et criminel.
3 **der Dreiverband :** la Triple-Entente; → **der**
  Dreibund : la Triple-Alliance (Triplice).
4 **eifrig am Werke sein :** s'affairer activement.

5 **etwas vereiteln :** faire échouer qqch.
6 **den Krieg entfesseln :** déclencher la guerre.
7 **die Klügeleien** (Plur.) : les subtilités.
8 **der Funke (-en)** : l'étincelle.
9 **ergebungsvoll** (adv.) : avec résignation.
10 **das Gemetzel** (-) : le carnage, la tuerie.
11 **vom Blutrausch befallen sein :** être assoiffé
  de sang.

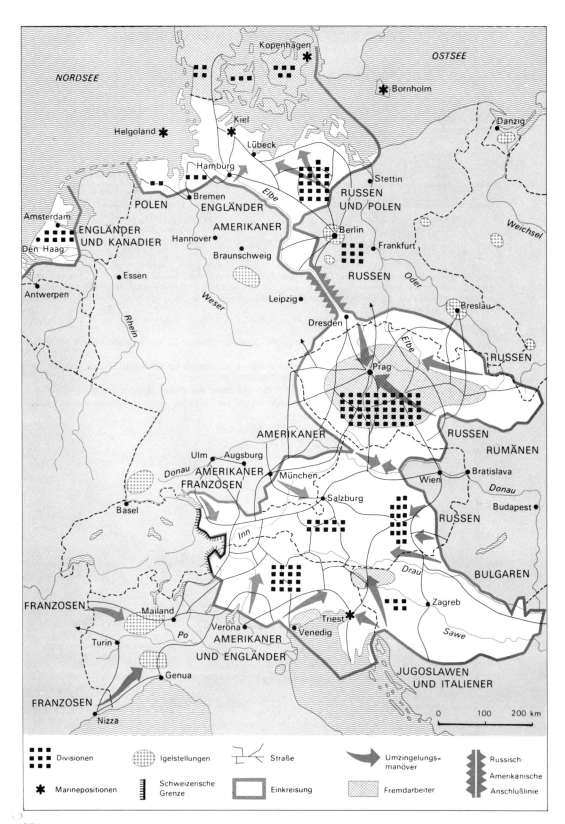

NORDSEE

OSTSEE

Kopenhagen

Bornholm

Helgoland

Kiel

Danzig

Lübeck

Hamburg

Stettin

Bremen

RUSSEN
UND POLEN

ENGLÄNDER

Berlin

Amsterdam

POLEN

Frankfurt

Den Haag

ENGLÄNDER
UND KANADIER

AMERIKANER

Hannover

RUSSEN

Weichsel

Antwerpen

Essen

Braunschweig

Weser

Leipzig

Oder

Breslau

Rhein

Dresden

RUSSEN

Elbe

Prag

RUSSEN

AMERIKANER

RUSSEN

Ulm

Augsburg

RUMÄNEN

Donau

AMERIKANER
FRANZOSEN

München

Wien

Bratislava

Salzburg

Donau

Budapest

Basel

RUSSEN

Inn

Drau

BULGAREN

FRANZOSEN

Mailand

Zagreb

Verona

Triest

Po

Turin

AMERIKANER
UND ENGLÄNDER

Venedig

Sawe

Genua

JUGOSLAWEN
UND ITALIENER

FRANZOSEN

Nizza

0   100   200 km

Divisionen   Igelstellungen   Straße   Umzingelungs-
manöver   Russisch-

Marinepositionen   Schweizerische
Grenze   Einkreisung   Fremdarbeiter   Amerikanische
Anschlußlinie

Die letzten Tage des Dritten Reiches: Ein Tagebuch

René Dazy

Mayrhofen,[1] 7. April 1945 : Die Russen erobern Wien.

Seit Tagen treffen Wiener Flüchtlinge ein. Preßburg und Wiener Neustadt sind in russischer Hand. In einzelnen Wiener Vorstädten werde noch gekämpft. Baldur von Schirach sei getürmt[2], aber unterwegs verhaftet worden. Und Himmler befinde sich an der Schweizer Grenze, um die dort angestaute[3] Parteiprominenz festnehmen zu lassen.

Mayrhofen, 8. April 1945

Die Amerikaner stehen in Hildesheim und Crailsheim. Die Russen in den Wiener Vorstädten und in St. Pölten. Unsere Flieger haben gestern, laut Wehrmachtsbericht, über Norddeutschland „eine Menge" feindlicher Flieger abgeschossen.

Mayrhofen, 12. April 1945

Königsberg ist gefallen. Der Kommandant ist zum Tode verurteilt worden, weil er seine „Festung"[4] ohne Genehmigung des Oberkommandos der Wehrmacht übergeben hat.
Roosevelt stirbt. Truman wird sein Nachfolger.

Mayrhofen, 18. April 1945

Kapitulation der deutschen Truppen im „Ruhrkessel". In 16 Tagen an der Westfront 755 573 Gefangene.
Gestern erschien in der Zeitung ein Tagesbefehl Hitlers „An die Soldaten der deutschen Ostfront!"
Ich notiere ein paar Sätze. „Der Bolschewist wird diesmal das alte Schicksal Asiens erleben, das heißt : Er muß und wird vor der Hauptstadt des Deutschen Reiches verbluten."

Mayrhofen, 21. April 1945

Die Amerikaner stehen vor Leipzig, die Russen vor Dresden, und Berlin ist isoliert, denn das Eisenbahnnetz wird aus der Luft laufend unterbrochen. Die letzte Post, die Mama zum Briefkasten am Neustädter Bahnhof getragen hat, ist vom 11. April datiert. Die letzte Post? Die letzte Post vor Kriegsende. Gestern war Hitlers 56. Geburtstag. Der letzte Geburtstag? Der letzte Geburtstag.
Das Konzentrationslager Buchenwald ist befreit worden, und der amerikanische General nötigte die Parteimitglieder der Goethestadt Weimar zu einem Lagerbesuch. Beim Anblick der halbverhungerten Insassen, der Verbrennungsöfen und der gestapelten Skelette seien, hieß es, viele Besucher ohnmächtig geworden.

1 **Mayrhofen :** Dorf in Tirol.
2 **türmen** (fam.) : filer, décamper.
3 **sich an/stauen** (ici) : se bousculer; **die Parteiprominenz :** les huiles du parti.
4 **eine Festung übergeben (a, e) :** livrer une forteresse à l'ennemi.

Mayrhofen, 22. April 1945

Der Mangel an Kriegsmaterial[5] hat das Tempo des Zusammenbruchs[6] offensichtlich an allen Fronten mitbestimmt.
Als Hitler das Oberkommando der Wehrmacht übernahm, gab er das Versprechen ab, daß es nie an Munition und Waffen fehlen werde. Als Soldat des Ersten Weltkrieges wisse er Bescheid. Deshalb sei ein „1918" von vornherein ausgeschlossen. Das war ein großes Wort, und er sprach es gelassen aus, der größte Feldherr aller Zeiten.

Mayrhofen, 1. Mai 1945

Hitler, erzählt man also, liege im Sterben. Göring amüsiere sich, in einer Alpenvilla irgendwo. Himmler verhandle[7] erneut mit Bernadotte. Und in Oberitalien hätten sich hundertzwanzigtausend Mann ergeben[8].
Gestern wurden die Lebensmittelkarten für den Monat Mai verteilt. Und heute gibt es schon keine Lebensmittel mehr, kein Brot, keine Butter, keine Teigwaren. Die Läden sind leer. „Die Preußen haben die Geschäfte gestürmt"[9], behaupten die erbitterten Bauern.

Mayrhofen, 2. Mai 1945

Hitler liegt, nach neuester Version, nicht im Sterben, sondern ist „in Berlin gefallen"! Da man auf vielerlei Art sterben, aber nur fallen kann, wenn man kämpft, will man also zum Ausdruck bringen, daß er gekämpft hat. Das ist nicht wahrscheinlich. Ich kann mir die entsprechende Szene nicht vorstellen.
Er hätte dabei mit Ärgerem rechnen müssen, mit der Gefangennahme, und dieses Spektakel konnte er nicht wollen. Ergo : Er ist nicht „gefallen".

HAMBURGER ZEITUNG

HAMBURGER ANZEIGER • HAMBURGER FREMDENBLATT • HAMBURGER TAGEBLATT

Der Führer gefallen

Führerhauptquartier, 1. Mai 1945

Der Führer Adolf Hitler ist heute nachmittag auf seinem Befehlsstand[10] in der Reichskanzlei, bis zum letzten Atemzuge[11] gegen den Bolschewismus kämpfend, für Deutschland gefallen.

Mayrhofen, 4. Mai 1945

Die Ostmark heißt wieder Österreich. Die Agonie ist vorüber. Überall trennte man das Hakenkreuz aus den Hitlerfahnen. Überall zerschnitt man weiße Bettlaken. Überall saßen die Bäuerinnen an der Nähmaschine und nähten die roten und weißen Bahnen fein säuberlich aneinander.

Mayrhofen, 5. Mai 1945

Obwohl es längst zu Ende ist, ist es noch immer nicht zu Ende. Gestern hat allein in Nordwestdeutschland eine halbe Million Soldaten die Waffen gestreckt[12]. Hamburg und Oldenburg haben sich den Engländern ergeben. Gegen die Amerikaner sind „alle Kampfhandlungen eingestellt worden". Unsere Armeen, welch großes Wort, kämpfen „nur noch" gegen die Russen.

Mayrhofen, 5. Mai 1945, nachts

Heute gegen Abend trafen die ersten Amerikaner ein.

Mayrhofen, 7. Mai 1945

Generaloberst Jodl unterzeichnet in Reims, in Eisenhowers Hauptquartier, die Kapitulation der deutschen Wehrmacht.

5 **der Mangel an Kriegsmaterial :** l'absence de matériel de guerre.
6 **der Zusammenbruch :** la débâcle; → zusammen/brechen (a, o) : s'effondrer.
7 **mit jemandem verhandeln :** négocier avec qqn.
8 **sich ergeben (a, e) :** se rendre.
9 **etwas stürmen :** prendre qqch. d'assaut.
10 **der Befehlsstand (⁻e) :** le poste de commandement.
11 **bis zum letzten Atemzuge :** jusqu'au dernier souffle.
12 **die Waffen strecken :** déposer les armes.

Mayrhofen, 8. Mai 1945

Generalfeldmarschall Keitel unterzeichnet die Kapitulation im russischen Hauptquartier in Karlshorst.

Kapitulation!

Das OKW unterzeichnet die bedingungslose Übergabe[13]

Truman, Churchill, Stalin und de Gaulle verkünden Freudenbotschaft[14] vom Triumph über das besiegte Deutschland Nach der vorläufigen Übergabe in General Eisenhowers Hauptquartier wird die endgültige Kapitulation der gesamten Wehrmacht in Europa in Berlin von den Alliierten und Deutschen unterzeichnet

aus :
Hundert Jahre Deutschland 1870-1970
Druck und Buchbinderei Werkstätten,
May and Co Nachfolger, Darmstadt

Das Dritte Reich brach zusammen. Die Sieger bestanden einmütig auf der bedingungslosen Kapitulation. Deutschland wurde in vier Besatzungszonen aufgeteilt und militärisch verwaltet.

Das Dritte Reich ist vorbei, und man wird daraus Bücher machen. Miserable, sensationelle und verlogene[15], hoffentlich auch ein paar aufrichtige und nützliche Bücher.

aus : E. Kästner
Gesammelte Schriften,
Droemer Knaur,
Atrium Verlag, Zürich 1969

Lebensmittelrationen der 74. Kartenperiode (April 1945)

Die Rationen der 74. Kartenperiode sind für die 74. Zuteilungsperiode für die wichtigsten Nahrungsmittel in folgender Höhe *je Kopf und Woche* vorgesehen.

1. Brot

a) Normalversorgungsberechtigte (einschl. ausl. Zivilarb.)	1 700 g
b) Jugendliche von 6 bis 18 Jahren	2 000 g
c) Kinder bis zu 6 Jahren	1 000 g
d) Zulagen für Schwerarbeiter	1 100 g
e) Zulagen für Schwerstarbeiter	1 600 g

2. Fleisch

a) Normalversorgungsberechtigte (einschl. ausl.) Zivilarb.)	250 g
b) Jugendliche von 6 bis 18 Jahren	300 g
c) Kinder bis zu 6 Jahren	100 g
d) Zulagen für Schwerarbeiter	350 g
e) Zulagen für Schwerstarbeiter	600 g

(Aus dem „Völkischen Beobachter" v. 29. März 1945

13 **die bedingungslose Übergabe :** la reddition sans conditions.
14 **die Freudenbotschaft :** la bonne nouvelle.
15 **verlogen :** mensonger; ≠ **aufrichtig :** sincère.

1 **der Beschluß (ᵸsse) :** la résolution.
2 **die Schwelle (-n) :** le seuil.

Käthe Kollwitz, *Nie wieder Krieg*   © Dr. Arne – Kollwitz

Der Ruf nach Frieden

darf kein frommer Wunsch bleiben. Beschlüsse[1] genügen
nicht mehr! Es genügt auch nicht, daß man den Krieg
von der Schwelle[2] seines Hauses verjagt,

man muß den Krieg erschlagen,
damit der Frieden leben kann.

OTTO GROTEWOHL

ZUR DISKUSSION

WETTRÜSTEN

Amerika und die Sowjetunion beteuern immer wieder, sie wollten das Wettrüsten beenden. Aber die Waffentechnik eilt ihnen davon. Jede Superwaffe zeugt eine noch gefährlichere Gegenwaffe.

(Quick, Nr. 40/1980)

Kann das so weitergehen? Führt das nicht zum Selbstmord der Menschheit?

Im Namen der Gleichberechtigung?

Frauen an die Gewehre!
Frauen an die Front!
Frauen sollen auch Wehrdienst leisten!
Oder sollen Frauen nur im Fernmeldewesen, im Sanitätswesen, in der Verwaltung und in der Versorgung tätig sein?

Es ist so schön, Soldat zu sein!

Soldat sein, heißt dem Frieden dienen.
Wehrdienst oder Zivildienst?

Wir wollen Frieden.
Wozu dann die vielen Kanonen, Panzer und Kampfflugzeuge?

Was heißt eigentlich Frieden?
Ist Frieden überhaupt möglich?
Oder glauben Sie vielmehr, daß es immer wieder Kriege geben wird?

Eine Gesellschaft, die in ihren Filmen tötet, prügelt und aufhängt,... bereitet zum Töten vor.

(Peter Brückner)

175

Gefangene Bauerr

Der deutsche Bauer im dreißigjährigen Krieg

Ich wurde einmal mit einer Gruppe von der Götzischen Armee ins Schwabenland kommandiert. Da holten wir einen Bauern, der uns den Weg am Bodensee weisen sollte. Diesen fragten wir per Spaß, ob er schwedisch oder kaiserisch sei?
5 Er aber dachte bei sich : Sagst du kaiserisch, so geben sich diese für schwedisch aus[1] und erschießen dich. Sagst du aber schwedisch, so geschieht dir dasselbe. Daher antwortet er, er wisse es nicht. „Schelm"[2] sagt ein Reiter zu ihm „du wirst ja wissen, wem du zugehörst?" „Nein, ihr Herren" antwortet
10 der Bauer, dies ist ohne Gefahr nicht zu sagen". Darauf sagte der Offizier : „Wenn du mir die Wahrheit bekennst und sagst wie es dir ums Herz ist, so will ich dich wieder gleich laufen lassen. Wenn nicht, so mußt du im Bodensee (neben dem wir eben vorbeiritten) ohne Barmherzigkeit[3] ersaufen". Der Bauer
15 antwortet : „Ich habe immer gehört, ein Ehrlicher vom Adel[4] halte sein Wort. Darum will ich lieber die Wahrheit sagen, und lebendig davonkommen, als stillschweigen und im See versaufen." „Ein Schelm ist, der sein Wort nicht hält" antwortet der Offizier. Da sagt der Bauer : „Es bleibt dabei[5]. Was
20 aber meine Sympathie angeht, so möchte ich, die kaiserischen Soldaten wären eine Milchsuppe so groß wie dieser See und die Schwedischen wären die Brocken drin. Alsdann möchte der Teufel sie miteinander ausfressen". Das gab bei uns ein Gelächter und dem Bauern wieder die Freiheit.

Nach Hans Jakob Christoph Grimmelshausen (1621-1676)

1 **sich aus / geben (a, e)** für (+ acc.) : se faire passer pour.
2 **der Schelm (-e) :** le coquin.

3 **die Barmherzigkeit :**
la miséricorde; → barmherzig.
4 **der Adel :** la noblesse;
→ adelig; der Adelige.

5 **es bleibt dabei :** entendu ainsi.

Gefährliche Spiele

Zwei Männer sprachen miteinander.
Freiwilliger?
'türlich.
Wie alt?
5 Achtzehn. Und du?
Ich auch.
Die beiden Männer gingen auseinander.
Es waren zwei Soldaten.
Da fiel der eine um. Er war tot.
10 Es war Krieg.

Als der Krieg aus war, kam der Soldat nach Haus. Aber er hatte kein
Brot. Da sah er einen, der hatte Brot. Den schlug er tot.
Du darfst doch keinen totschlagen, sagte der Richter[1].
Warum nicht, fragte der Soldat.

15 Als die Friedenskonferenz zu Ende war, gingen die Minister durch die
Stadt. Da kamen sie an einer Schießbude[2] vorbei. Mal schießen, der
Herr? riefen die Mädchen mit den roten Lippen. Da nahmen die Mini-
ster alle ein Gewehr und schossen auf kleine Männer aus Pappe.
Mitten im Schießen kam eine alte Frau und nahm ihnen die Gewehre
20 weg. Als einer der Minister es wiederhaben wollte, gab sie ihm eine
Ohrfeige.
Es war eine Mutter.

Es waren mal zwei Menschen. Als sie zwei Jahre alt waren, da
schlugen sie sich mit den Händen.
25 Als sie zwölf waren, schlugen sie sich mit Stöcken und warfen mit
Steinen.
Als sie zweiundzwanzig waren, schossen sie mit Gewehren nach einander.
Als sie zweiundvierzig waren, warfen sie sich mit Bomben.
30 Als sie zweiundsechzig waren, nahmen sie Bakterien.
Als sie zweiundachtzig waren, da starben sie. Sie wurden nebeneinander begraben.
Als sich nach hundert Jahren ein Regenwurm[3] durch ihre beiden Gräber fraß, merkte er gar nicht, daß hier zwei verschiedene Menschen
35 begraben waren. Es war dieselbe Erde. Alles dieselbe Erde.

Wolfgang Borchert (1921-1947), *Lesebuchgeschichten*,
aus : Das Gesamtwerk,
Rowohlt Verlag, Hamburg, 1949

1 **der Richter (-) :** le juge;
→ das Gericht : le tribunal.

2 **die Schießbude (-n) :**
le stand de tir;
→ schießen (o, o); der Schütze.

3 **der Regenwurm (⸚er) :**
le ver de terre.

Der Atlantikwall 1978

Die Bunker des sogenannten Atlantikwalls sind verlassen. Es ist kein Krieg mehr, seit 33 Jahren ist Friede in Europa, und hier, am Atlantik, wird es wohl nie mehr Krieg geben. Die Bunker aus dem
5 Zweiten Weltkrieg stehen hier noch, die Bunker, sonst nichts. Kein Stacheldraht[1], keine Minenfelder, keine Laufgräben, keine Unterstände, kein Kriegsgerät ist zu sehen. Nur die Bunker.

Ich gehe um die Mittagszeit am Meer entlang, um
10 die Bunker zu fotografieren. Die Franzosen, die hierher in die Ferien gefahren sind, sitzen beim Mittagessen, niemand ist am Strand — niemand !

In den Dünen kommt mir jemand entgegen, eine ganze Familie. Es ist eine deutsche Familie. Der
15 Mann und die Frau schauen die Bunker an, sie gehen um die Bunker herum, sie beobachten mich, sie gehen weiter. Haben sie ein schlechtes Gewissen?[2] Wie ist das eigentlich, wenn deutsche Touristen deutsche Bunker im Ausland sehen? Ist es ein
20 freundliches Wiedersehen, oder geht uns das nichts mehr an, oder... Niemand redet darüber, denn : es war einmal — oder ist es immer noch?

Ich komme mir vor wie ein Spion, der etwas fotografiert, was nicht fotografiert werden darf.

„Es ist nichts passiert hier", sagt meine siebzigjäh- 25 rige französische Wirtin, in deren Häuschen ich wohne. *Pas de misère* — kein Elend, Ärger[3] mit den deutschen Besatzern.

Die Landschaft, in der es zwanzigtausend Tote an einem einzigen Tag gegeben hatte, im Juni 1944, 30 liegt fast 400 km weiter nördlich von hier : Es ist die Normandie, ein reiches, grünes Bauernland. Auch dort sieht man keine Einzelheiten mehr, keinen Stacheldraht, keine Minen auf Pfosten, keine Laufgräben für Soldaten — außer den Bunkern. 35 Landeinwärts liegen allerdings riesige Soldatenfriedhöfe...

Als der Atlantikwall gebaut wurde, wußte niemand, wo der Feind, also die Alliierten, landen würden. Welcher Feind und wieso Feind und von wem denn 40 überhaupt der Feind??

Kurt Werner Peukert (geb. 1931)
Das achte Weltwunder

---

1 **der Stacheldraht** (⸺e) : le fil de fer barbelé;
der Laufgraben (⸚) : le boyau;
der Unterstand (⸚e) : l'abri.
2 **das Gewissen** : la conscience; → ein schlechtes

(≠ gutes) Gewissen haben : avoir mauvaise
(≠ bonne) conscience.
3 **mit jemandem Ärger haben :** avoir des ennuis
avec qqn. → das ist ärgerlich.

Fragen eines Mädchens

Ein Mädchen fragte seine Eltern: „Warum hat Onkel Peter nur einen Arm? Hatte er einen Autounfall?"

„Nein", sagte die Mutter. „Sein linker Arm ist im Krieg verwundet worden. Die Ärzte mußten ihn ganz abnehmen."

5 Ein anderes Mal fragte das Mädchen: „Stimmt es, daß bei Matthias im Keller siebzehn Tote liegen? Das hat er uns erzählt." „Unsinn!" sagte der Vater. „Früher stand dort ein anderes Haus. Es wurde im Krieg von einer Bombe getroffen. Alle Menschen, die dort wohnten, waren im Keller
10 verschüttet[1]. Aber man hat sie später ausgegraben und beerdigt[2]. Matthias soll sich nicht wichtig tun mit einem so großen Unglück."

Wieder ein anderes Mal fragte das Mädchen: „Warum habe ich nur einen Großvater? Ist der andere schon lange tot?"

15 „Er ist im Krieg gefallen, eine Kugel hat ihn in den Kopf getroffen", sagte der Vater. „Damals war Mutter so alt wie du jetzt bist."

„Und das war dein Vater?" fragte das Mädchen die Mutter. Sie nickte.

20 „Aber jetzt ist doch kein Krieg?" fragte das Mädchen.

„Bei uns nicht", sagte die Mutter. „Aber jeden Tag ist irgendwo auf der Erde Krieg."

Und wieder ein anderes Mal sah das Mädchen die Tagesschau im Fernsehen, und es sah, wie Frauen und Kinder durch eine
25 brennende Straße rannten. Ein Junge war dabei, der schleppte ein schweres Bündel[3] hinter sich her. Ein brennendes Holzstück fiel auf das Bündel. Der Junge blieb stehen und schlug mit der flachen Hand auf die Flammen.

„Schmeiß es doch weg! Lauf weiter!" rief das Mädchen am
30 Fernsehapparat. „Laß es doch brennen!"

„Dort ist Krieg", sagte die Mutter. „In dem Bündel ist alles, was der Junge noch hat, alle seine Kleider und sein Bettzeug. Die Leute sind auf der Flucht, sie haben keine Wohnung mehr."

Dann kamen andere Bilder. Das Mädchen sah Männer mit
35 Gewehren, die schossen auf andere Männer.

Das Mädchen rief:

„WARUM MACHEN DIE MENSCHEN DENN IMMER WIEDER KRIEG?"

„Weil sie zu dumm und zu selbstsüchtig sind", sagte der Vater.
40 „Weil sie immer noch nicht gemerkt haben, daß Krieg für alle nur Unglück bringt."

Ursula Wölfel, *Sechzehn Warum-Geschichten von den Menschen*,
Hoch-Verlag, Düsseldorf, 1971

1 **verschüttet sein:** être enseveli sous des décombres.
2 **jemanden beerdigen:** jemanden begraben: enterrer qqn.
→ die Beerdigung, **das Begräbnis;**
→ jemanden ausgraben (u, a): déterrer, dégager.

3 **das Bündel (-):** le balluchon;
→ binden (a, u).

Die Möhre[1]

Der Junge, von dem ich euch erzähle, hieß Otto. Heute hat er selber Kinder und denkt manchmal daran, daß es gut ist, daß seine Kinder gar nicht wissen, wie Krieg ist. Aber diese Geschichte hat er ihnen auch erzählt, denn es ist seine Geschichte.

Otto war mit seinen Geschwistern und seiner Mutter auf der Flucht, er kam in einen kleinen Ort, wo sie lange suchen mußten, bis sie ein Zimmer fanden, in dem sie wohnen konnten. Da wohnten sie zu fünft fast ein Jahr. In dem Zimmer gab es keine Betten, so breiteten sie Decken auf dem Boden aus, legten sich darauf, und da sie oft sehr müde waren, schliefen sie gut.

In dem kleinen Ort wartete man auf die russischen Soldaten und hatte große Angst. Eine ganze Nacht lang hörte man Gewehr- und Kanonenschüsse, dann war es mit einem Mal sehr still. Niemand traute sich auf die Straße, wenigstens niemand von den Erwachsenen. Die Kinder waren frecher, und ein paar liefen durch das ausgestorbene Städtchen. Unter ihnen war Otto. Sie stiegen auf stehengelassene Autos und Lastwagen, fanden Gewehre, faßten sie aber nicht an, weil sie fürchteten, sie könnten geladen sein. Sie entdeckten einen Panzer, den sie eroberten[2] und in dem sie sich einnisteten.

Als es Mittag war, hörten sie Lärm, Rufe, das Kettengeklirr von rollenden Panzern, und sie sahen, wie die russischen Soldaten die Dorfstraße herunterkamen, allen voran ein Pferdewagen, auf dem ein Soldat stand, der die kleinen Pferdchen mit Peitschenknallen antrieb. Otto bewunderte den Soldat, der auf dem holpernden, schwingenden Wagen wie ein Tänzer aussah. Die Kinder kletterten aus dem Panzer heraus. Sie hatten Angst, aber die Soldaten winkten ihnen zu, aus einem Lastwagen warf einer ein weißes Brot herunter, dann noch eines, noch eines, und so konnten die Kinder Brot mit nach Hause bringen. Ottos Mutter schimpfte schrecklich, als er mit dem Brot nach Hause kam. Sie hatte ihm nicht erlaubt, auf die Straße zu gehen, aber am Ende waren alle froh, daß er das Brot mitgebracht hatte.

Vom Brot, genauer gesagt, vom Brot, das die Leute *nicht* hatten, will ich eigentlich erzählen, vom Hunger. Ihr könnt gar nicht wissen, was Hunger ist, wie Hunger ist. Obwohl es auf der Erde noch viele Leute gibt, die immer Hunger haben. Der Hunger fängt ganz langsam an, macht den Bauch hohl und schwer. Man hat das Gefühl, man sei satt, sehr satt, aber nur eine Weile, dann beginnt der Hunger wehzutun. Es sind Schmerzen, die überall stecken, in den Beinen wie im Kopf, vor allem im Kopf, denn man weiß – hat man eine Weile Hunger gehabt – nicht mehr, was man vor lauter Hunger tun soll. Hunger macht einen verrückt. Die Kinder beginnen vor sich hinzuweinen, die Mütter sind hilflos. Als Otto einmal zwei Tage lang Hunger gehabt hatte, gab ihm seine Mutter einen Schnürsenkel[3], auf dem er kauen konnte. Das half zwar nicht gegen den Hunger, aber Otto dachte sich aus, was der Schnürsenkel alles sein könnte : ein Stück Fleisch, Brot, Nudeln, was ihm eben einfiel.

In dem Dorf gab es Leute, die nicht hunger-

ten, weil sie Gärten hatten, in denen Gemüse wuchs, oder weil sie Vorräte[4] in ihren Kel-
75 lern hatten. Bei denen bettelten die Kinder, aber sie bekamen selten etwas, denn für diese Leute waren es fremde Kinder, die von irgendwo hierher gekommen waren.

Der Besitzer des großen Hauses, in dem Otto
80 wohnte, hatte einen solchen Garten. Das Haus stand auf einem Felsvorsprung, war hoch gebaut, und unterhalb des Felsens, in den ein Treppchen geschlagen war, lag an einem Bach, umgeben von einem hohen
85 Stacheldrahtzaun[5], der Garten. In ihm wuchsen Radieschen, Kohlrabi, Spinat, Salat und eine große Menge Möhren.

An einem späten Abend, als die russischen Soldaten gerade im Hof des Hauses ein Fest
90 feierten, sangen, tranken und tanzten, verließ Otto das Zimmer, schlich sich über den Hof zu dem Treppchen am Felsen, stieg langsam, immer wieder um sich blickend, ob niemand in der Nähe sei, in den Garten. Schon
95 von oben roch er das frische Grün der Karotten. Der Hunger krampfte seinen Bauch zusammen. Er duckte sich, und als er im Garten unten war, legte er sich auf die Erde, zog sich mit den Armen langsam vor bis zu den
100 Karotten. Eine riß er aus der Erde. Es ging leicht. Sie war groß und wunderschön rot. Die Spucke floß ihm im Mund zusammen. In dem Augenblick, als er sie putzen wollte, packte ihn eine Hand im Nacken, die andere
105 Hand schlug mit furchtbarer Gewalt auf ihn ein. Es war der Hausbesitzer, der ihn anscheinend schon lange verfolgt hatte. Immer wieder schlug ihn der Mann. Am Ende

drückte er sein Gesicht in die Erde und
110 schrie : „Friß das!" Otto merkte gar nicht, daß er weinte. Er stand auf. Alles tat ihm weh. Er stand vor dem Mann. Der Mann sagte : „Gib die Möhre her!" Otto hielt sie fest. Der Mann sagte noch einmal : „Gib die
115 Möhre her!" Otto schüttelte den Kopf. Da riß ihm der Mann die Möhre aus der Hand und sagte : „Ich möchte dich hier nicht noch einmal sehen."

An diesem Abend kam Otto spät und von
120 Schmutz überzogen in das Zimmer zurück. Seine Mutter schimpfte ihn aus. Er sagte nicht, was geschehen war. Er fragte sich nur immerfort, warum ihm der Mann nicht wenigstens die eine Möhre gegeben hatte, denn
125 der Mann mußte wissen, welchen Hunger er hatte.

Das fragt er sich bis heute. Sicher war es Diebstahl[6]. Sicher war es nicht richtig. Aber was hätte Otto tun sollen?

Peter Härtling,
Geh und spiel mit dem Riesen,
aus : *Erstes Jahrbuch der Kinderliteratur,*
heräusgegeben von Hans-Joachim Gelberg,
Beltz & Gelberg, Weinheim, 1971

---

1 **die Möhre (-n) :** die Karotte; **der Kohlrabi (-s) :** le chou-rave.
2 **etwas erobern :** conquérir qqch.; → der Eroberer; die Eroberung.
3 **der Schnürsenkel (-) :** le lacet.
4 **der Vorrat (ᵉe) :** la provision.
5 **der Stacheldrahtzaun (ᵉe) :** les barbelés.
6 **der Diebstahl (ᵉe) :** le vol; → stehlen (a, o), → der Dieb (-e).

⦵ über leben

1 **der Luftschutzkeller** (-) : l'abri anti-aérien; → schützen

ich war kind
ich las das wort luftschutzkeller
ich fragte was ist das : luftschutzkeller[1]
schützt der keller die luft oder luft schützt den keller
5 da sagte man mir
der keller schützt uns vor gefahr aus der luft

annes vater war flieger
annes vater warf bomben
annes vater fiel aus der luft

10 ich war kind
da saß ich im luftschutzkeller
draußen heulten sirenen
neben uns stürzten die häuser ein
über uns stürzten die wände ein
15 der staub im keller nahm uns die luft

annes vater war flieger
annes vater warf bomben
annes vater fiel aus der luft

2 **jemanden frei/schaufeln** : dégager qqn. à la pelle; → die Schaufel (-n) : la pelle.

ich war kind
20 da schaufelte man uns frei[2]
von zwanzig übriggeblieben sind drei
anne und mutter waren dabei

annes vater war flieger
annes vater warf bomben
25 annes vater fiel aus der luft

hanne f. juritz (geb. 1942),
Das achte Weltwunder, Fünftes Jahrbuch der Kinderliteratur,
herausgegeben von Hans-Joachim Gelberg,
Beltz & Gelberg, Weinheim und Basel, 1979

Schön war's !?

„Damals", sagte der Vater, „gab es keine Schule. Der Krieg war gerade aus, und in den Schulen verteilten sie nur Grießbrei[1] und Milchsuppe an die Kinder. Unterricht gab es nicht. Die Erwachsenen hatten andere Sorgen. Sie waren froh, wenn die Kinder
5 aus dem Weg waren."

„Damals", sagte der Vater, „gingen wir nach der Schule auf den Müllplatz[2]. Man konnte Granatensplitter[3] dort finden und halbverbrannte Möbel. Wenig Papier. Aber Dosen, die von den Amis halb leer weggeschmissen worden waren. Amis nannten
10 wir die amerikanischen Soldaten."

„Damals", sagte der Vater, „schmissen sie die Dosen weg, in denen noch Fleisch war. Oder Bohnen. Oder Kekse. Fliegen summten drum 'rum. Es stank. Süßlich, und man gewöhnte sich dran, dann war es ganz angenehm. Manche Dosen haben
15 wir leergegessen. Wir durften es nicht, das Zeug konnte vergiftet sein[4] oder verdorben. Aber wir haben es gemacht, damals, wir waren auf dem Müllplatz wie daheim, wir wußten, was frisch abgeladen war und was wir essen konnten."

„Damals", sagte der Vater, „war das so. Nimm dir kein Beispiel.
20 Aber es war schön. Damals."

Günther Stiller und Irmela Brender,
Ja-Buch für Kinder,
Beltz & Gelberg, Weinheim u. Basel, 1974

1 **der Grießbrei :** la bouillie de semoule.

2 **der Müllplatz (̈e) :** la décharge publique; → **die Deponie.**
3 **der Granatensplitter (-) :** l'éclat d'obus.

4 **vergiftet sein :** être empoisonné; → **das Gift; verdorben sein :** nicht mehr eßbar sein : ne plus être comestible, être avarié.

✳ Was bedeutet Krieg?

Wenn es Streit[1] zwischen Ländern gibt, wenn Krieg ist, dann kann sich keiner mehr entscheiden, und keiner kann sich heraushalten[2]. Wer im Kriegsland wohnt, der hat Krieg. Für die Menschen im anderen Kriegsland gilt er als Feind. Und wenn er im eigenen Land etwas gegen den Krieg sagt, wird er auch hier wie ein Feind behandelt.

Nicht die Menschen in den Ländern beginnen den Krieg gegeneinander. Sie kennen sich ja gar nicht, weshalb sollten sie miteinander streiten? Die Regierungen machen den Krieg. Oft wissen die Menschen im Land noch nicht einmal genau, worum es eigentlich geht. Und sie wissen nie, ob alles wahr ist, was die Regierungen ihnen über den Kriegsgrund sagen.

Es hat Kriege gegeben um ein Stück Land. Den Menschen wurde eingeredet[3], sie müßten dieses Stück Land dazuerobern, sonst würden sie verhungern.

Es hat Kriege gegeben um Meinungen und Religionen. Den Menschen wurde eingeredet, sie täten etwas Gutes mit diesem Krieg.

Es hat Kriege gegeben aus Rache[4] für einen anderen verlorenen Krieg. Den Menschen wurde eingeredet, sie müßten für ihre Ehre kämpfen und sterben.

Es hat Kriege gegeben aus Angst vor Krieg! Den Menschen wurde eingeredet, die Leute im Nachbarland seien alle böse, und sie seien viel zu stark und zu reich. Nächstens würden sie über das eigene Land herfallen. Darum sei es besser, sie zuerst anzugreifen.

Wenn Krieg ist, heißt es auf beiden Seiten: „Wir sind gut, und wir sind im Recht. Die anderen sind böse, sie sind gefährlich, sie sind im Unrecht." Das lassen die Menschen sich gern sagen.[...]

So kommt es, daß sich manche Leute freuen und sogar jubeln, wenn ein Krieg anfängt. Jetzt toben[5] sie allen inneren Zorn an den Menschen im anderen Land aus, und man redet ihnen ein, daß sie dabei auch noch „Helden" seien. Plötzlich gibt es kaum noch Streit im eigenen Land. Alle haben einen gemeinsamen Feind, und der ist draußen. Viele sind wie betrunken, sie denken nicht darüber nach, was Krieg in Wirklichkeit bedeutet.

Krieg, das bedeutet auf beiden Seiten: Die Männer werden gezwungen, Soldaten zu sein und sich gegenseitig zu töten.

Krieg, das bedeutet auf beiden Seiten: Die Städte und Dörfer werden zerstört, und

---

Fragen

I Zum Textverständnis

1. Geben Sie die Grundidee des Textes an.
2. **a)** Geben Sie den verschiedenen Abschnitten eine Überschrift.
   b) Zeigen Sie, wie der Text strukturiert ist.
3. Bestimmen Sie anhand des Textes die Rolle und die Auswirkungen der Propaganda in Kriegszeiten.
4. **a)** Zählen Sie die verschiedenen Kriegsgründe auf, die hier erwähnt werden.
   b) Kennen Sie Beispiele für „Kriege um ein Stück Land"?
5. Stellen Sie eine Tabelle über die Auswirkungen des Krieges zusammen.
6. Geben Sie an, welche Textstellen Thesen ausdrücken, und welche Textstellen Beispiele für eine These enthalten.
7. Welche Ausdrücke werden hier wiederholt? Welche Wirkung entsteht dadurch?

auch Frauen und Kinder und alte Leute müssen sterben.

60 Krieg, das bedeutet auf beiden Seiten, daß alles aufhört, was das Leben schön und freundlich macht: Feierabend, Sonntagsausflug, Feste. Es gibt kaum noch Freude, nur noch Abschied und Trauer, Hunger, 65 Flucht, Armut, Angst und Tod.

Krieg, das bedeutet auf beiden Seiten auch Ungerechtigkeit und Betrug. Denn es gibt überall Leute, die am Krieg verdienen. Sie verkaufen den Menschen Lebensmittel und 70 andere notwendige Waren zum zehnfachen Preis. Denen ist der Krieg nur recht. Auch wer Waffen und andere Dinge für die Ausrüstung der Soldaten herstellt, verdient am Krieg. Alle anderen Menschen werden arm 75 durch einen Krieg.

Auch in den Ländern, die in einem Krieg siegen, müssen viele Menschen sterben. Auch dort haben am Ende des Krieges viele ihre Häuser und Wohnungen verloren, und 80 Fabriken, Straßen, Brücken sind zerstört, und die Felder sind verwüstet. Für die Besiegten und die Sieger bringt ein Krieg nur Unglück.

Die Regierungen geben viel Geld aus für 85 Gewehre und Kanonen, für Panzer, Flugzeuge und Kriegsschiffe, für Bomben und Kriegsraketen. Wenn man zusammenrechnet, wieviel Geld alle Länder der Erde zusammen dafür in einem einzigen Jahr 90 ausgeben, dann sind das 700 Milliarden (700 000 000 000,00) Mark. Das ist genausoviel Geld, wie in den armen Ländern der Erde alle Menschen zusammen in einem ganzen Jahr verdienen.

Ursula Wölfel,
Sechzehn Warum-Geschichten von den Menschen,
Hoch-Verlag, Düsseldorf, 1971

---

1 **der Streit (-e):** la querelle, le conflit; → sich streiten (i, i).
2 **sich heraus/halten (ie, a):** rester neutre, se tenir en dehors.
3 **jemandem etwas ein/reden:** persuader qqn. de faire ou de croire qqch.
4 **die Rache:** la vengeance; → jemanden oder sich rächen.
5 **seinen Zorn an jemandem aus/toben:** faire passer sa colère sur qqn.

▌▌ Zur Stellungnahme

1. Teilen Sie die Ansichten der Autorin? Begründen Sie Ihren Standpunkt.
2. Benutzen Sie die Argumente, bzw. die Beispiele des Textes, um ein Flugblatt gegen den Krieg zu verfassen.

▌▌ Zum Wortschatz

Ergänzen Sie folgende Sätze:

1. Ein Krieg, den man verloren hat, ist ein _____ Krieg. − **2.** Eine Stadt, die zerstört wurde, ist

eine _____ Stadt. − **3.** Waren, die notwendig sind, sind _____ Waren.

Es steht ein Soldat

1 **bei strömendem Regen** : sous une pluie battante; → **es regnet in Strömen.**
2 **Wache schieben (o,o)** : monter la garde; **der Wehrpflichtige (-n)** : l'appelé;
  die Ablösung : la relève; **ab/rücken** : partir; ≠ **ein/rücken; der Oberstleutnant (-s)** : le
  lieutenant-colonel.
3 **die Amper** : ein Fluß in Oberbayern.
4 **gelernter Landwirt sein** : avoir reçu une formation d'agriculteur.
5 **mir knurrt der Magen** : j'ai l'estomac qui gargouille.
6 **die Wurstsemmel (-n)** : das Wurstbrötchen.
7 **ein Angebot ab/lehnen** : refuser une offre;
8 **pflichtbewußt sein** : avoir le sentiment du devoir; **vorbildliche Pflichterfüllung zeigen** :
  accomplir son devoir de manière exemplaire.
9 **nüchtern** : ≠ betrunken.
10 **es wird mir zu bunt** : es geht mir zu weit : je commence à en avoir assez.
11 **sich beschweren** : sich beklagen : se plaindre; → die Beschwerde.

Ergänzen Sie den Text mit den untenstehenden Wörtern und Ausdrücken.

Aus dem Tagebuch des Wehrpflichtigen Otmar P.

Inkofen, Freitag

Manöver « Guter Jagdhund ». An _____ über die Amper soll ich bis zur _____ alle

vorbeikommenden Militärfahrzeuge notieren.

Abends. Es ist still geworden. Es _____ . Ich friere. Mir _____ . Hoffentlich werde

ich bald _____ .

Inkofen, Samstag

Die Inkofener haben _____ mit mir. (Ich bin ganz naß !) Sie füttern mich. Sie bieten mir

an, mich in einem warmen Bett _____ . Ich kann aber meinen _____ nicht verlas-

sen. (Befehl ist Befehl !) Ich habe auch das Bier _____ , denn auf Wache muß man

_____ .

Nachts. Ich bekomme Gesellschaft : Vier Burschen aus dem Dorf haben _____

bekommen, mit mir eine Nacht lang _____ .

Inkofen, Bayreuth, Sonntag

Die Inkofener haben die nächste Kaserne _____ und haben sich beschwert. Dann habe

ich den Befehl bekommen, _____ . In der Kaserne werde ich wie _____ gefeiert.

Mein Kommandeur ist _____ auf mich.

---

der Held - das Mitleid - Wache schieben - stolz - die Brücke - ablösen - die Ablösung - die Erlaubnis
- abrücken - in Strömen regnen - (sich) ausruhen - der Posten - anrufen - nüchtern bleiben - ablehnen
- der Magen knurrt.

Wehrdienst ist gesund!

Viele Wehrpflichtige klagen über Magenstörungen (Cola-Getränke?)...

... Luftmangel (Zigaretten?)...

...schlechte Zähne (Kaugummi?)...

... Senkfüße (Herumstehen auf Fußballplätzen?)...

... Kreislaufstörungen (Twist?)...

... Hühnerbrust (zu wenig Sport?)...

...und Sitzbeschwerden (vom Mopedfahren?).

Anstelle der bisher üblichen Behandlungsmethode (Medikamente etc.) hat ein Generalarzt der Bundeswehr...

... nunmehr eine Therapie...

... empfohlen, wodurch... ...die oben...

... angeführten Beschwerden innerhalb...

... von 18 Monaten restlos...

... beseitigt werden sollen.

Entsprechende Untersuchungen von Reservisten haben die Behauptung des Militärarztes voll bestätigt.

187

GRAMMAIRE / FAISONS LE POINT

1 La dépendante de manière avec wie :
Transformez les phrases ci-dessous selon le modèle :

Ex. : Frauen und Kinder rannten durch eine brennende Straße.
(Im Fernsehen sah das Mädchen...)
⟶ Im Fernsehen sah das Mädchen, wie Frauen und Kinder durch eine brennende Straße rannten.

1. Deutsche Touristen fotografierten die verlassenen Bunker des Atlantikwalls. (Ich konnte beobachten,...) **2.** Die russischen Panzer rollten durch die Dorfstraße. (Ich hörte ganz genau...) **3.** Soldaten schossen auf Frauen und Kinder. (Der Film zeigte...) **4.** Die Minister haben alle ein Gewehr genommen und auf kleine Männer aus Pappe geschossen. (Ich habe zugesehen...) **5.** Eine Frau hat einem Minister eine Ohrfeige gegeben. (Alle haben sehen können...) **6.** Die Gewehrschüsse knallten. (Ich hörte...) **7.** Die Gefangenen marschieren im Kreise herum. (Haben Sie noch nie gesehen...) **8.** Die Kinder betrachteten den Vagabunden spöttisch. (Ich merkte...) **9.** Der Militärgeistliche bereitete den Deserteur auf den Tod vor. (Haben Sie gelesen...)

2 La dépendante concessive avec obwohl : (AG, p. 223)
Reliez les deux propositions par cette conjonction :

Ex. : Es gibt auf der Erde noch viele Leute, die immer Hunger haben.
Und dennoch (néanmoins, cependant) könnt ihr nicht wissen, wie Hunger ist.
⟶ Obwohl es auf der Erde noch viele Leute gibt, die immer Hunger haben, könnt ihr nicht wissen, wie Hunger ist.

1. Krieg ist etwas Schreckliches. Und dennoch freuen sich manche Menschen, wenn ein Krieg beginnt. **2.** Draußen war alles still geworden. Und dennoch traute sich niemand von den Erwachsenen auf die Straße. **3.** Man hörte keine Kanonen- und keine Gewehr-schüsse mehr. Und dennoch blieben die Leute im Luftschutzkeller sitzen. **4.** Der Hausbesitzer wollte dem armen Jungen keine einzige Möhre geben. Und dabei (pourtant) wuchsen eine Menge Möhren in seinem Garten. **5.** Die Kinder haben damals die weggeworfenen Dosen leergegessen. Und dabei konnten die Reste in den Dosen verdorben (avarié) sein. **6.** Es war sehr gefährlich. Und dennoch spielten die Jungen auf dem Müllplatz. **7.** Der Krieg war aus. Und dennoch gab es keinen Unterricht. **8.** Die Mutter schimpfte schrecklich auf Otto. Sie war dennoch froh, daß er ein Brot mitgebracht hatte.

3 L'adjectif après les numéraux cardinaux et les quantificateurs einige, etliche, wenige, manche, mehrere, viele, alle :

Rem. : **1.** Après les numéraux cardinaux, l'adjectif prend la marque de l'article absent.
2. Les quantificateurs ci-dessus (alle excepté) se comportent comme des adjectifs et prennent, ainsi que l'adjectif qui les suit, la marque de l'article absent.

1. Im Zweit... Weltkrieg sind sehr viel... jung... Männer gefallen. **2.** Manch... deutsch... Touristen haben die verlassen... Bunker des sogenannt... Atlantikwalls besucht. **3.** Mehrer... russisch... Panzer rollten durch das ausgestorben... Städtchen. **4.** Ein russisch... Soldat warf einig... deutsch... Kindern drei weiß... Brote zu. **5.** All... deutsch... Soldaten hatten das Städtchen verlassen. **6.** Man sah nur wenig... deutsch... Zivilisten auf den Straßen. **7.** Etlich... alt... Männer standen vor dem halbzerstört... Rathaus und starrten auf etwa sieben brennend... deutsch... Lastwagen.

4 *Traduisez les phrases ci-après :*

1. Bien que la guerre soit terrible, on fabrique constamment de nouvelles armes (die Waffe). **2.** Sur la décharge publique (der Müllplatz), les enfants avaient trouvé des boîtes de conserve (die Dose) que les soldats américains avaient jetées à moitié vides.

3. DAS LEIDEN DER SCHWACHEN

Seltsam, im Nebel zu wandern!
Leben ist Einsamsein,
Kein Mensch kennt den andern,
jeder ist allein.

(H. Hesse)

Nichts tun – das ist so schlimm wie mittun.

(R. Hochhut)

Die moderne Welt hat sehr viel neues Leid gebracht,
aber auch immense Möglichkeiten
der Bewältigung des Leids geschaffen...

(Hans Küng)

Käthe Kollwitz, *Deutschlands Kinder hungern*
© Dr. Kollwitz

DEUTSCHLAND 1933/1945

NUR FÜR ARIER

Photo Institute of Contempory History and Wiener

Es gibt einen Weg zur Freiheit
Seine Meilensteine heissen:
Gehorsam, Fleiss, Ehrlichkeit,
Ordnung, Sauberkeit, Nüchternheit,
Wahrhaftigkeit, Opfersinn und
Liebe zum Vaterlande!

Photo Archives des Armées

KZ-Häftlinge in Dachau (1934)

Gehen wir auf sie zu?

1 **ein Bekenntnis zum Leben :** un acte de foi en la vie.
2 **der Entrechtete (-n) :** celui qui a été privé de ses droits.
3 **sich einer Sache** (génitif) **bewußt werden :** prendre conscience de qqch.
4 **das Flüchtlingslager (-) :** le camp de réfugiés.

1 **der Meilenstein (-e) :** la borne, l'étape.
2 **die Nüchternheit :** la sobriété
3 **der Opfersinn :** le sens du sacrifice.

Brot Den
für die Frieden
Welt entwickeln

aus : Anschläge, *Politische Plakate in Deutschland 1900-1970*, Bückergilde-Gutenberg

1971. Zugunsten der Entwicklungsländer starteten die Kirchen die Spendeaktionen
„Misereor" (katholisch) und „Brot für die Welt" (evangelisch).

ZUR DISKUSSION

Kinder ohne Chance?

1 Million ausländische Kinder und Jugendliche leben in der Bundesrepublik Deutschland (junge Türken, Griechen, Spanier, Italiener, Jugoslawen, Portugiesen), abgelehnt von einem Großteil ihrer Umwelt und isoliert durch Vorurteile.

Kinder in Not brauchen Brot.

34 Millionen Kinder der Dritten Welt hungern.
In Südostasien und in der afrikanischen Sahelzone verhungern Zehntausende!
Helfen Sie bitte, jeder Tag zählt!

(Kinderhilfswerk für die Dritte Welt).

Menschen in Not :

- Auf der dunklen Straße liegt ein Mann. Verlezt oder nur betrunken?
- Sie haben Ihre alte, gebrechliche Nachbarin seit zwei Tagen nicht mehr gesehen...

Wann und wie müssen Sie helfen?
Oder sind Sie anderer Ansicht?

"Nichts hören, nichts sehen, nichts sprechen. Viele Menschen handeln danach. ,Was geht mich das an' das ist eine der stereotypen Redewendungen, die man immer wieder zu hören bekommt. Ist das nicht zu billig, machen wir es uns nicht zu leicht?"

(Willi Kammerer, aus: Stimme und Weg, Zeitschrift für junge Menschen, Nr. 9/1965).

Die Würde des Menschen

Brutal foltern und töten immer mehr Regime ihre politischen Gegner.
30 Jahre nach der feierlichen Verkündung gilt der Grundsatz der UNO-Menschheits-Charta nichts mehr. (Stern, Nr. 17/1977)

Menschenhandel im 18. Jahrhundert

„Kabale und Liebe" ist ein soziales Anklagestück gegen den Adel des 18. Jahrhunderts. Schiller verurteilt hier den Soldatenhandel, wie er damals von deutsch Herrschern betrieben wurde.

(Ein alter Kammerdiener des Fürsten bringt der Favoritin ein Schmuckkästchen.)

Kammerdiener : Seine Durchlaucht der Herzog[1] empfehlen sich Milady zu Gnaden[2] und schicken Ihnen diese Brillanten zur Hoch-
5 zeit. Sie kommen soeben aus Venedig.

Lady : (hat das Kästchen geöffnet und fährt erschrocken zurück) : Mensch ! Was bezahlt dein Herzog für diese Steine?

Kammerdiener (mit finsterm Gesicht) : Sie kosten ihn keinen Heller.

10 *Lady :* Was? Bist du rasend? Nichts kosten diese unermeßlich kostbaren Steine?

Kammerdiener : Gestern sind siebentausend Landskinder nach Amerika fort – die zahlen alles !

Lady (setzt plötzlich den Schmuck nieder und geht rasch durch
15 *den Saal. Nach einer Pause, zum Kammerdiener) :* Mann, was ist dir? Ich glaube, du weinst?

Kammerdiener (wischt sich die Augen; mit schrecklicher Stimme, alle Glieder zitternd) : Edelsteine, wie diese da – ich hab' auch ein paar Söhne darunter.

20 *Lady (seine Hand fassend) :* Doch keinen gezwungenen[3]?

Kammerdiener : (lacht fürchterlich) : O Gott ! – nein – lauter Freiwillige. Es traten wohl so etliche vorlaute Bursch' vor die Front[4] heraus und fragten den Obersten, wie teuer der Fürst das Joch Menschen verkaufe. – Aber unser gnädigster Landesherr ließ alle
25 Regimenter auf dem Paradeplatz aufmarschieren und die Maulaffen[5] niederschießen. Wir hörten die Büchsen knallen, sahen ihr Gehirn auf das Pflaster spritzen und die ganze Armee schrie : « Juchhe ! Nach Amerika !"

Lady : Weg mit diesen Steinen ! Sie blitzen Höllenflammen in
30 mein Herz *(sanfter zum Kammerdiener).* Mäßige dich, armer alter Mann ! Sie werden wieder kommen.

Kammerdiener : Das weiß der Himmel ! Das werden sie ! – Noch am Stadttor drehten sie sich um und schrien : „Gott mit euch, Weib und Kinder ! – Es lebe unser Landesvater ! Am Jüngsten
35 Gericht[6] sind wir wieder da !"

Lady : Schrecklich, schrecklich gehen mir die Augen auf. – Geh du – sag' deinem Herrn ich werd'ihm persönlich danken ! *(Kammerdiener will gehen : sie wirft ihm ihre Geldbörse in den Hut.)* Und das nimm, weil du mir die Wahrheit sagtest.

40 *Kammerdiener : (wirft sie verächtlich auf den Tisch zurück) :* Legt's zu dem übrigen !

Friedrich Schiller (1759-1805),
Kabale und Liebe (1784), II. Akt.

---

1 **Seine Durchlaucht der Herzog :** son altesse sérénissime le duc; **unser gnädigster Landesherr :** notre très gracieux souverain.

2 **sich jemandem zu Gnaden empfehlen (a, o) :** se recommander à la faveur de qqn.

3 **zwingen (a, u) :** contraindre; → etwas gezwungen tun : être contraint de faire qqch.; **etwas freiwillig tun (a, a) :** faire qqch. de son plein gré; → der Freiwillige (-n) : le volontaire.

4 **die Front :** (ici) les rangs.

5 **der Maulaffe (-n) :** (ici) le braillard.

6 **das Jüngste Gericht :** le Jugement dernier; → der Richter

Kinderelend im 19. Jahrhundert

Die Kinder werden, sobald sie die Kraft dazu haben, in die Fabriken geschickt. Hier bleiben sie von morgens 5 bis abends 9 Uhr und verdienen die Woche 15 bis 22 1/2 Silbergro-
5 schen, also 3 Silbergroschen täglich. Nicht nur, daß sie physisch bei der anstrengenden Arbeit verkommen[1], wie der Lungenhusten, die gebückte Körperhaltung und die krummen Beine beweisen; auch moralisch werden sie durch
10 dies Leben in jeder Weise abgestumpft[2] und vernichtet. In den Bleiweißfabriken[3] unter andern werden sie durch das Einatmen der giftigen Dünste total ruiniert, denn selbst ein kräftiger Mann kann den Aufenthalt in denselben
15 kaum einige Jahre ertragen. Und doch senden die Mütter ihre Kinder hierher, obwohl sie wissen, daß die Kinder einem sichern Tode entgegengehen. Vielleicht grade, weil sie es wissen. Die Kinder sind ihnen zur Last[4] und das Elend
20 raubt ihnen jedes menschliche Gefühl; zudem hat ja die wohlanständige Gesellschaft diese Fabriken gegründet und es kann in den Augen derselben wohl kein Verbrechen sein, wenn man Kinder dorthin schickt. Es kömmt aber
25 nicht so selten vor, daß sich Eltern ihrer Kinder durch offenes Verbrechen „entledigen[5]"; sie haben ihnen keine Nahrung zu geben, sie nähren sich oft selbst nur durch Abnagen der Knochen, welche sie vor den Wassersteinen[6] der Küchen
30 finden, was sollen sie mit den Kindern machen? Auch gehören[7] hierher alle Kindermorde : wenn junge Mütter ihr Neugeborenes umbringen, weil sie nicht wissen, wie sie es ernähren sollen. Die Berliner Zeitungen bringen nicht selten die
35 Nachricht, daß man in Kloaken solche unbekannte Gebeinchen gefunden hat. —
Das Hauptproletariat solcher Familien findet man in entlegenen Gassen und Stadtteilen, sogenannten „schlechten Vierteln". [...] Mitten
40 unter den elenden Hütten dieses Viertels stehen einzelne große Häuser, im Ganzen sieben, in welchen sich zusammen 2500 Menschen in 400 Gemächern befinden.

Ernst Dronke,
Berlin, Frankfurt/Main, 1846

---

1 **physisch verkommen (a, o) :** krank werden.
2 **sie werden moralisch abgestumpft :** leur sens moral s'émousse.
3 **das Bleiweiß :** la céruse; → das Blei : le plomb.
4 **die Last (-en) :** le fardeau → ; jemandem zur Last fallen.
5 **Eltern entledigen sich ihrer Kinder** (= génitif) : des parents se débarrassent de leurs enfants.
6 **der Wasserstein (-e) :** l'évier, la pierre à eau.
7 **auch hierher gehören... :** il faut également citer ici...

Heimkehr[1]

Im Rock des Feindes,
in zu großen Schuhen,
im Herbst,
auf blattgefleckten Wegen
5 gehst du heim.
Die Hähne krähen
deine Freude in den Wind,
und zögernd hält
der Knöchel[2]
10 vor der stummen,
neuen Tür.

---

1 **die Heimkehr :** le retour au pays natal;
→ **heimkehren :** nach Hause, in die Heimat zurückkehren; der Heimkehrer.
2 **der Knöchel (-) :** (hier) der Finger.

Hans Bender (geb. 1919),
Lyrische Biographie

Todesfuge

Dieses Gedicht gestaltet jüdisches Schicksal im Vernichtungslager.

Schwarze Milch der Frühe[1] wir trinken sie abends
wir trinken sie mittags und morgens wir trinken sie nachts
wir trinken und trinken
wir schaufeln[2] ein Grab in den Lüften da liegt man nicht eng
5 Ein Mann wohnt im Haus der spielt mit den Schlangen der schreibt
  der schreibt wenn es dunkelt nach Deutschland dein goldenes Haar Margarete
er schreibt es und tritt vor das Haus und es blitzen die Sterne er pfeift seine Rüden herbei

er pfeift seine Juden hervor läßt schaufeln ein Grab in der Erde
er befiehlt uns spielt auf nun zum Tanz[3]

10 Schwarze Milch der Frühe wir trinken dich nachts
wir trinken dich morgens und mittags wir trinken dich abends
wir trinken und trinken
Ein Mann wohnt im Haus der spielt mit den Schlangen der schreibt
der schreibt wenn es dunkelt nach Deutschland dein goldenes Haar Margarete
15 Dein aschenes[4] Haar Sulamith wir schaufeln ein Grab in den Lüften da liegt man nicht eng

Er ruft stecht tiefer ins Erdreich ihr einen ihr andern singet und spielt
er greift nach dem Eisen[5] im Gurt er schwingts seine Augen sind blau
stecht tiefer die Spaten ihr einen ihr andern spielt weiter zum Tanz auf
Schwarze Milch der Frühe wir trinken dich nachts
20 wir trinken dich mittags und morgens wir trinken dich abends
wir trinken und trinken
ein Mann wohnt im Haus dein goldenes Haar Margarete
dein aschenes Haar Sulamith er spielt mit den Schlangen

Er ruft spielt süßer den Tod der Tod ist ein Meister aus Deutschland
25 er ruft streicht dunkler die Geigen dann steigt ihr als Rauch in die Luft
dann habt ihr ein Grab in den Wolken da liegt man nicht eng

Schwarze Milch der Frühe wir trinken dich nachts
wir trinken dich mittags der Tod ist ein Meister aus Deutschland
wir trinken dich abends und morgens wir trinken und trinken
30 der Tod ist ein Meister aus Deutschland sein Auge ist blau
er trifft dich mit bleierner Kugel er trifft dich genau
ein Mann wohnt im Haus dein goldenes Haar Margarete
er hetzt[6] seine Rüden auf uns er schenkt uns ein Grab in der Luft
er spielt mit den Schlangen und träumet der Tod ist ein Meister aus Deutschland
35 dein goldenes Haar Margarete
dein aschenes Haar Sulamith

1 **die schwarze Milch der Frühe :** symbolisiert den frühen Tod.
2 **ein Grab schaufeln :** creuser une fosse; → die Schaufel (-n) : la pelle.
3 **zum Tanz auf/spielen :** jouer des airs de danse.
4 **aschen** → die Asche : les cendres.
5 **das Eisen im Gurt :** (ici) le poignard ou le revolver à la ceinture.
6 **er hetzt seine Rüden auf uns :** il lâche sa meute sur nous.

Paul Celan (1920-1970),
aus : *Mohn und Gedächtnis*,
Deutsche Verlags – Anstalt, Stuttgart, 1952

Tonio Schiavo[1]

Das Lied schildert das tragische Schicksal des italienischen Gastarbeiters Schiavo.

1 **Schiavo** (ital.) (sprich : skiavo) : der Sklave.
2 **verwachsen :** déformé, malformé.
3 **Mezzogiorno :** der Süden Italiens; **Herne :** Stadt in Nordrhein-Westfalen.

1. Das ist die Geschichte von Tonio Schiavo,
geboren, verwachsen[2] im Mezzogiorno[3]:
Frau und acht Kinder, und drei leben kaum,
und zweieinhalb Schwestern in einem Raum.
Tonio Schiavo ist abgehaun.
Zog in die Ferne,
ins Paradies,
und das liegt irgendwo bei Herne.

4 **der Kumpel (-)** (fam.) : (hier) : der Arbeitskamerad.

2. Im Kumpelhäuschen[4] oben auf dem Speicher,
mit zwölf Kameraden vom Mezzogiorno,
für hundert Mark Miete und Licht aus um neun,
da hockte er abends und trank seinen Wein.
Und manchmal schienen durchs Dachfenster rein
richtige Sterne
ins Paradies,
und das liegt irgendwo bei Herne.

3. Richtiges Geld schickte Tonio nach Hause.
Sie zählten's und lachten im Mezzogiorno.
Er schaffte und schaffte für zehn auf dem Bau.
Und dann kam das Richtfest, und alle waren blau.
Der Polier, der nannte ihn Itaker-Sau.
Das hört er nicht gerne
im Paradies,
und das liegt irgendwo bei Herne.

5 **das Richtfest :** petite fête en l'honneur des ouvriers ayant terminé le gros œuvre d'une maison.
6 **der Polier (-e) :** le contre-maître.
7 **der Itaker (-)** (fam.) ein Schimpfwort für : Italiener; Itaker-Sau (vulg.) → die Sau : (ici) le salaud, le cochon.

4. Tonio Schiavo, der zog sein Messer,
das Schnappmesser war's aus dem Mezzogiorno.
Er hieb's in den harten Bauch vom Polier,
und daraus floß sehr viel Blut und viel Bier.
Tonio Schiavo, den packten gleich vier.
Er sah unter sich Herne,
das Paradies,
und das war gar nicht mehr so ferne.

5. Und das ist das Ende von Tonio Schiavo,
geboren, verwachsen im Mezzogiorno :
Sie warfen ihn zwanzig Meter hinab.
Er schlug auf das Pflaster, und zwar nur ganz knapp
vor zehn dünne Männer, die waren müde und schlapp,
die kamen grad aus der Ferne – aus dem Mezzogiorno –
ins Paradies,
und das liegt irgend wo bei Herne.

Franz-Joseph Degenhardt (geb. 1931),
Spiel nicht mit den Schmuddelkindern,
Bertelsmann Verlag, Hamburg

197

✳ Armut und Reichtum

Die Geschwister gingen am Sonntag mit den Eltern spazieren. Hinter den Bahngeleisen[1] kamen sie durch eine Straße mit niedrigen, grauen Häusern. Die sahen wie steinerne Baracken aus.
5 „Das sind aber keine schönen Wohnungen!" sagte das Mädchen. „Hier möchte ich nicht wohnen."

„Ich auch nicht", sagte die Mutter. „Das sind Notunterkünfte.[2] Eigentlich sollen sie immer nur
10 kurze Zeit bewohnt werden, wenn jemand gerade keine Wohnung finden oder bezahlen kann. Aber viele Leute müssen immer hier wohnen. Sie können die Miete für eine bessere Wohnung nicht bezahlen, sie sind zu arm."
15 „Sind wir reich?" fragte das Mädchen.

„Wir kommen mit unserem Geld aus[3]", sagte der Vater. „Wir sind nicht arm, aber reich sind wir auch nicht."

„Aber es gibt auch Millionäre!" rief der Junge.
20 Das Mädchen fragte :

„warum gibt es so arme und so reiche leute?"
Die Mutter sagte : „Weil reiche Leute durch ihren Reichtum immer noch reicher werden können, und weil arme Leute durch ihre Armut
25 oft noch ärmer werden."

Arm ist einer, wenn er gerade nur das Notwendigste zum Leben hat, oder sogar noch weniger. Was er durch seine Arbeit verdient, oder was er als Rente bekommt, muß er bis zum
30 letzten Pfennig verbrauchen, nur damit er leben kann. Wenn er Essen, Wohnungsmiete, Kleidung und anderes Notwendige bezahlt hat, bleibt ihm nichts mehr übrig. Wenn er nicht immer genau rechnet, muß er vielleicht sogar
35 Schulden[4] machen und die Schulden mit Zinsen zurückzahlen. So wird er noch ärmer, er hat weniger als das Notwendige. Andere müssen ihm helfen. [...]

Wir leben in einem reichen Land, weil es bei uns
40 viele Industriebetriebe gibt. Viele Waren werden ins Ausland verkauft. Jeder, der mitarbeitet, vermehrt den Reichtum des Landes. Aber von diesem Reichtum hat sich bei einigen sehr viel angesammelt, bei anderen wenig oder nichts.

45 Man könnte einmal in Gedanken so tun, als wären alle Industriebetriebe in unserem Land wie eine einzige Fabrik mit 10 Werkhallen,[5]
als wären alle Baugrundstücke zusammen wie eine Straße mit 10 Häusern,
50 als wären alle Ackerflächen zusammen wie ein Stück Land aus 10 Äckern,
und als wären alle Menschen in unserem Land wie eine Gruppe von 100 Menschen. Jeder soll für eine Familie gelten.
55 Dann ist der Reichtum in unserem Land ungefähr so aufgeteilt :
2 von den 100 Familien besitzen zusammen 7 Werkhallen, 2 Häuser, 1 Acker.
95 von den 100 Familien besitzen zusammen
60 3 Werkhallen, 8 Häuser, 9 Äcker.
3 von den 100 Familien sind sehr arm. Sie haben kein Vermögen[6], sie können mit ihrem Verdienst oder ihrer Alters- oder Krankenrente nicht auskommen. Der Staat muß sie
65 unterstützen.
Der Reichtum der ganzen Erde ist noch viel ungleichmäßiger unter den Menschen aufgeteilt[7].

Ursula Wölfel,
Sechzehn Warum-Geschichten von den Menschen,
Hoch-Verlag, Düsseldorf, 1971

---

1 **das Bahngeleise,** aussi : das Gleis (-e) : la voie ferrée.
2 **die Notunterkunft (ᵘe) :** le logement provisoire.
3 **mit seinem Geld aus/kommen (a, o) :** arriver à joindre les deux bouts.
4 **die Schuld (-en) :** (ici) la dette; → **Schulden machen :** s'endetter; **der Zins (-en) :** l'intérêt.
5 **die Werkhalle (-n) :** l'atelier.
6 **das Vermögen :** la fortune; → **der Verdienst :** der Lohn; → **verdienen.**
7 **ungleichmäßig auf/teilen :** répartir inégalement.

Fragen

I Zum Textverständnis

  1. a) Welches ist die Ausgangssituation des Textes?
    b) Welche Frage wird hier erörtert?
  2. a) Ergänzen Sie die untenstehende Tabelle. (vgl. Z. 45-65)
    b) Welche Schlußfolgerungen können Sie aus dieser Tabelle ziehen?

100 Familien	10 Werkhallen	

II Zur Stellungnahme

1. Sind Sie mit der Antwort der Mutter auf die Frage des Mädchens einverstanden? Wie hätten Sie eine ähnliche Frage beantwortet?
2. Hat es schon Versuche zur gleichmäßigeren Aufteilung des Reichtums gegeben?
3. Ist es eine Utopie, zu glauben, daß eine gleichmäßige Aufteilung des Reichtums unter den Menschen möglich ist? Begründen Sie Ihre Antwort.

III Zum Übersetzen

1. a) Sie können die Miete für eine bessere Wohnung nicht bezahlen. (Z. 13-14) **b)** Weil reiche Leute durch ihren Reichtum immer noch reicher werden können. (Z. 22-24) **c)** Was er durch **seine Arbeit** verdient, muß er bis zum letzten Pfennig verbrauchen. (Z. 28-30) **d)** Jeder, der mitarbeitet, vermehrt den Reichtum des Landes. (Z. 41-42)

2. a) Arrives-tu toujours à joindre les deux bouts? **b)** Qui, à votre avis, doit secourir les **pauvres**? **c)** Dis-moi donc pourquoi il y a des pauvres et des riches.

Wovon leben die Zigeuner?

1 **der Vorsitzende (-n) :** le président.
2 **seßhaft werden :** se sédentariser; **der Wandertrieb :** l'instinct nomade.
3 **der Stamm (¨) :** (ici) la tribu.
4 **vertrieben werden :** être expulsé.
5 **das Schicksal :** le destin.
6 **staatenlos :** apatride; **die Staatsangehörigkeit :** la nationalité.
7 **die Nürnberger Rassengesetze :** les lois raciales de Nuremberg (1935).
8 **die Gleichberechtigung :** l'égalité des droits; → **gleichberechtigt sein.**
9 **die freie Wahl des Wohnsitzes :** le libre choix du domicile.
10 **die Minderheit :** la minorité; ≠ **die Mehrheit.**
11 **einen Nachfolger bestimmen :** désigner un successeur.

Ergänzen Sie den Text mit den untenstehenden Wörtern und Ausdrücken.

Das Volk der Zigeuner wurde aus seiner Heimat Indien _____ . Jahrhundertelang

mußten sie _____ , weil sie nirgendwo _____ durften. Das Schicksal der Zigeuner

ist dem der Juden sehr _____ : Etwa 40 000 Zigeuner wurden in den Konzentrations-

lagern _____ .

Heute _____ die Zigeuner Teppiche oder _____ im Straßenbau. Sie wohnen in

modernen _____ , entweder im Wald oder an _____ . Viele sind jedoch _____ .

Aber ihre Muttersprache ist noch immer die Zigeunersprache, die nur von der Mutter

_____ .

Und « König » heißt bei ihnen z.B. _____ oder aber jemand, der besonders _____

oder besonders reich ist.

Die Zigeuner werden immer noch als « Staatenlose » _____ . Deshalb wollen sie

_____ . Dazu gehört das Recht auf _____ , auf einen Paß und auf freie Wahl

_____ .

ähnlich - der Wohnsitz - der Wohnwagen - bekannt - lehren - vertreiben - verkaufen - wohnen - die
Staatsangehörigkeit - arbeiten - diskriminieren — wandern - der Stadtrand - die Gleichberechtigung
- der Stammesälteste - seßhaft werden - ermorden.

Hallo, Charlie Chaplin!

Wenn Sie sich in Deutschland richtig umsehen, finden Sie überall Darsteller Ihrer Rollen –
in Wirklichkeit, ohne Inszenierung. *(Karl Arnold. 1931)*

Abgebaut

Beim Stempeln

Hunger

Obdachlos

Im politischen Kampf

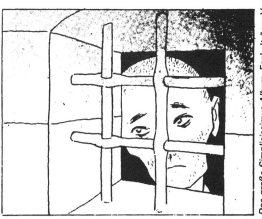

Warum?

Das große Simplicissimus Album. Fackelträger Verlag

GRAMMAIRE / FAISONS LE POINT

1   Le discours indirect ou rapporté : (AG, p. 225)
a/ *Transposez les phrases ci-dessous :*

1. Der Fürst sagte zu seinem Kammerdiener : „Bringe diese Edelsteine meiner Freundin und grüße sie von mir !"   **2.** Milady wollte wissen : „Woher kommen diese Edelsteine? Was haben sie gekostet?"   **3.** Milady sagte zum Kammerdiener des Herzogs : „Geh, sag deinem Herrn, ich werde ihm persönlich danken. Und nimm diese Geldbörse ! Sie ist für dich, denn du hast mir die Wahrheit gesagt."   **4.** Der Diener erzählte : „Milady stand auf, gab mir ihre Geldbörse. Ich warf sie auf den Tisch zurück und verließ den Saal."

b/ *Transposez le texte ci-après au discours rapporté sans* **daß** :

Der Kammerdiener berichtete : „Die Edelsteine haben den Fürsten nichts gekostet. Sie sind der Preis für die Soldaten, die er nach Amerika verkauft hat. Die Soldaten sind keine Freiwilligen. Sie sind dazu gezwungen worden. Etliche Soldaten haben zwar protestiert, aber der Herzog hat sie niederschießen lassen. Siebentausend sind nach Amerika fort. Ich habe auch ein paar Söhne unter diesen Soldaten. Es ist schrecklich. Ich muß stets an sie denken. Sie haben Weib und Kinder zurücklassen müssen. Sie werden wahrscheinlich nicht mehr zurückkommen."

2   L'adjectif (et la forme adjectivale du verbe) substantivé : (AG, p. 230)
Mettez les éléments notés entre parenthèses à la forme qui convient :

1. Die arme Mutter wußte nicht, wie sie ihr (neugeboren) ernähren sollte.   **2.** Viele (neugeboren) starben vor Hunger.   **3.** Es gibt immer mehr (arbeitslos) und darunter viele (jugendlich).   **4.** Die Zahl der (arbeitslos) steigt von Jahr zu Jahr.   **5.** Ein (unbekannt) hat das Paket gebracht.   **6.** Wir haben zwei (neu) in unserer Klasse.   **7.** Hast du was (neu) erfahren?   **8.** Krieg ist etwas (furchtbar).   **9.** Der (gefangen) wollte die kleine Blume mit in seine Zelle nehmen, denn er sehnte sich nach etwas (lebendig) und wünschte sich etwas (bunt).   **10.** Das ist mir zu teuer. Haben Sie nichts (billiger)?   **11.** Bei uns zu Hause mußte immer der (jüngst) alles tun, die zwei (älter) brauchten nicht im Haushalt zu helfen.   **12.** Du solltest dir etwas (ander) überlegen.   **13.** Er hat sich als (freiwillig) gemeldet.

3   La transformation passive :
Mettez les phrases ci-dessous à la forme passive :

1. Die Eltern schickten die Kinder in die Fabriken.   **2.** In diesen Fabriken ruiniert man die Gesundheit der Kinder.   **3.** Wer hatte diese Fabriken gegründet?   **4.** Wer trieb damals Soldatenhandel?   **5.** Der Herzog hat siebentausend Soldaten nach Amerika geschickt.   **6.** Kameraden sollten den Deserteur erschießen.   **7.** Wer wird die protestierenden Soldaten erschießen?   **8.** Die Regierungen geben viel Geld für Bomben, Panzer und Flugzeuge aus.   **9.** Man darf nicht übertreiben.

4   Le pronom relatif : (AG, p. 235)
Complétez les phrases ci-après :

1. Wie heißt denn der Junge, von (...) du erzählst?   **2.** Sind das die Kinder, mit (...) du auf dem Müllplatz gespielt hast?   **3.** Wir fanden Dosen, in (...) Fleischreste waren.   **4.** (...) in seinem eigenen Land gegen Krieg ist, wird manchmal als Feind behandelt.   **5.** Man darf nicht alles sagen, (...) man denkt.   **6.** Der Gastarbeiter hatte eine kinderreiche Familie, (...) er fast seinen ganzen Lohn schickte.   **7.** Woher kommen die Edelsteine, (...) der Herzog der Favoritin schenken will?   **8.** Ich habe den Bauführer, (...) Frau nach Berlin verreist ist, für morgen eingeladen.

5   *Traduisez les phrases ci-après :*

1. Ils avaient quitté leur pays dans l'espoir (in der Hoffnung) de trouver le paradis en Allemagne.   **2.** Ils vivaient à dix (zu zehnt) dans une pièce où il n'y avait pas de lits.   **3.** Certains parents étaient si pauvres qu'ils devaient envoyer leurs enfants à l'usine.   **4.** Si Tonio avait trouvé du travail en Italie, il ne serait pas venu en Allemagne.

4. DIE LUST ZU LEBEN

Wie es auch sei, das Leben, es ist gut!

(W. v. Goethe)

Lern' im Unglück nicht verzagen!
Wag' es, frei und froh zu sein!
Wag' es – und die Welt ist dein.

(H.H. v. Fallersleben)

Das achte Weltwunder ist eigentlich
das erste: der Mensch.

(Hans-Joachim Gelberg)

Ernst Barlach, *Der singende Mann*
©Ernst Barlach Haus, Hamburg

aus : *Berlin Kaleidoskop,* Heinz Moos Verlagsgesellschaft

Weltuntergang.

Camille Flammarion, der Direktor der
Parifer Sternwarte, fagt für den 18. Mai 1910
den Weltuntergang voraus.

Armer Erdenmenfch, begreife,
Was im Schicksalsbuche steht:
Wedelnd mit dem Riefenschweife
Naht der schreckliche Komet!
Aber, statt vor Angst zu beben,
Laßt uns luftig vorwärts fehn:
Kinderchen, wird das ein Leben,
Wenn wir alle untergehn!

• **die Sternwarte (-n) :** l'observatoire.
• **mit dem Schweife wedeln :** frétiller de la queue.

Sonnabend, den 3. September, abends 7 Uhr

U R A U F F Ü H R U N G

HOPPLA – WIR LEBEN!

Ein Stück

von ERNST TOLLER

Inszenierung: **Erwin Piscator**

Musik: Edmund Meisel   Bühnenbild: Traugott Müller

Film: Curt Oertel

Chansontext: Walter Mehring

Und jetzt, zum Ausgang des Jahres 1930, flüchten sich die Berliner noch lieber als sonst in das operettenhafte Nichts mit Königen, Prinzessinnen, Kronprinzen, Grafen, Herzögen und dem unvermeidlichen[1] Grandhotel. Der Titel ist so schön optimistisch : „Schön ist die Welt–", und weiter heißt es im melodiösen Tauber[2]-Lied : „– wenn das Glück dir ein Märchen erzählt".

aus : Berlin Kaleidoskop

Metropol-Theater

Direktion Rotter

Schön ist die Welt!

Operette in 3 Akten
von
Franz Lehár

Buch von Ludwig Herzer und Fritz Löhner

Künstlerische Gesamtleitung: Alfred Rotter
Regie: Fritz Friedmann-Frederich
Ausstattung: Pan

Personen.

Der König	Leo Schützendorf
Kronprinz Georg, sein Sohn	Richard Tauber
Herzogin Marie von Lichtenberg	Hansi Arnstädt
Prinzessin Elisabeth Alexandra, ihre Nichte	Gitta Alpar
Graf Sascha Karlowitsch Adjutant des Königs	Curt Vespermann
Excellenz Carlani, Oberhofmeister der Herzogin	Fritz Spira
Inez del Rosa, Tänzerin	Lizzy Waldmüller
Hoteldirektor Lorant	Hermann Böttcher

Hotelgäste und Hotelpersonal

I. Akt: Vor der Dependance des Grandhotels des Alpes
II. Akt: Auf einem Felsplateau
III. Akt: In der Dependance des Grandhotels des Alpes

Pause nach dem I. und II. Akt

Tänze: Bruno Arno-Mesina

---

1 **unvermeidlich** : inévitable.
2 **Tauber** : Richard Tauber (1892-1948), weltberühmter lyrischer Tenor.

Saarbrücker Zeitung 19.3.1980. Foto : Hartung

FREI-ZEIT Das „Gruppenbild mit Hund" vor dem St. Johanner Marktbrunnen ist ein untrügliches Zeichen : Es ist bald wieder Zeit für die Zeit im Freien.

ZUR DISKUSSION

Frage der Woche

Ich bin ein dreizehnjähriger Junge und gehe aufs Gymnasium. Ich habe folgende Frage: Wozu lebe ich? Ich habe mich lange damit beschäftigt, bin aber zu keinem Ergebnis gekommen. Meine Eltern wissen auch keine Antwort. Ich habe gar keine besondere Lust, zu leben, obwohl die Schule nicht schwierig ist und ich keine Probleme habe.
Wer kann die Frage dieses Jungen beantworten?

(Freizeit-Magazin, Nr. 45/1975)

Claudia Knippschild

Darum liebe ich das Leben

Ich bin gesund, nie allein und immer fröhlich. In der Schule zähle ich zu den Besten. Wenn aber mal eine Arbeit danebengeht, ist es nicht so schlimm. Ich habe eine etwas ältere Schwester, mit der ich mich meistens gut verstehe, genau wie mit meinen Eltern. Wir sind nicht reich, können uns aber trotzdem einiges leisten. Ich darf meine Hobbys ausführen, wie zum Beispiel schwimmen, auf der Schreibmaschine Geschichten schreiben, Akkordeon spielen und Musik von Abba hören. Außerdem bin ich froh, daß ich nicht wie manche Menschen hungern muß und ein Dach über dem Kopf habe.

(Hör zu, Nr. 12/1979)

UND SIE? WARUM LIEBEN SIE DAS LEBEN?

WIE SCHÖN WÄRE DIE WELT, WENN JEDER NUR DIE HÄLFTE VON DEM TÄTE, WAS ER VON ANDEREN VERLANGT. (Curt Goetz)

LIEBER EINE SICHERE EXISTENZ ALS EIN TRAUMBERUF, DER TRAUM BLEIBT.
(Saarbrücker Zeitung, Nr. 188/1980)

Lied des Türmers[1] Lynkeus

Auf der Schloßwarte singt der Türmer Lynkeus das Wächterlied. Es drückt noch einmal die Hauptidee der Faustdichtung aus: die Herrlichkeit der ganzen Schöpfung.

Zum Sehen geboren,
zum Schauen bestellt[2],
dem Turme geschworen[3],
gefällt mir die Welt.

5 Ich blick' in die Ferne,
ich seh' in der Näh'
den Mond und die Sterne,
den Wald und das Reh.

So seh' ich in allen
10 die ewige Zier[4],
und wie mir's gefallen,
gefall' ich auch mir.

Ihr glücklichen Augen,
was je ihr gesehn,
15 es sei wie es wolle,
es war doch so schön !

Johann Wolfgang von Goethe (1749-1832),
Faust, 2. Teil

---

1 **der Türmer (-) :** der Turmwächter : le gardien de la tour, le guetteur.
2 **zu etwas bestellt sein :** être désigné pour faire qqch.
3 **dem Turme geschworen :** voué à la tour.
4 **die ewige Zier :** die ewige Schönheit.

Ein Lebenskünstler

Frau Kuhn. – Wie alt seid Ihr heut geworden, Jeschke?

Jeschke (schwerhörig). – Wie, Frau Kuhn?

Frau Kuhn. – Wie alt Ihr?

Jeschke. – Vierundachtzig, ja, ja, vierundachtzig, und sechzig
5 Jahre Totengräber[1].

Frau Kuhn. – Ein schönes Alter. Wird Euch das Gehen nicht
schwer?

Jeschke. – Gottlob, man kommt noch immer so weiter. Die Beine,
die wollen nicht mehr so recht vorwärts. Aber hier *(zeigt auf*
10 *seinen Kopf)*, da ist es noch ganz frisch, ja, ja, ganz frisch.

Frau Kuhn. – Das macht, weil Ihr Euer Leben lang rüstig[2] bei der
Arbeit gewesen seid.

Jeschke. – Das bin ich, das kann mir keiner anders nachsagen[3].
Ich hab' den Kirchhof besorgt, daß alle Leute sind zufrieden gewe-
15 sen.

Frau Kuhn. – Da habt Ihr recht, Jeschke. Es ist'ne Lust, auf den
Kirchhof zu gehen und da alle die grünen Grabhügel mit den hübschen Blumen darauf zu sehen. Man meint fast, es muß ein Vergnügen sein, zu sterben und begraben zu werden auf einem so
20 schönen Kirchhof.

Jeschke. – Sterben Vergnügen? Das haben schon viele zu mir gesagt, wie sie gesund gewesen sind und munter und ihnen das Leben aus den Augen gelacht hat. Aber wie's wirklich ist zum Sterben gekommen, da haben sie nicht weggewollt, mit Gewalt haben
25 sie sich angeklammert an das bißchen Leben, aber es hat ihnen
nichts geholfen. Er hat sie alle geholt, jetzt liegen sie draußen bei
mir...

Frau Kuhn. – Ihr habt schon viele begraben.

Jeschke. – O ja, es werden schon an die Tausend sein, an die
30 Tausend. Grad zwei fehlen noch am Tausend *(lacht in sich hin-*
ein). Hätt's nicht geglaubt, daß es soviele sein sollten, denn wie
ich dazumal meinen Posten angetreten hab', da hat's schlecht mit
mir ausgesehen, ich pfiff schon aus dem letzten Loch[4]. Aber die
gute Luft auf dem Kirchhof hat mich wieder auskuriert.

Max Halbe (1865-1944),
Ein Emporkömmling, Sämtliche Werke

1 **der Totengräber (-) :** le
fossoyeur; → **das Grab** (*er);
der Kirchhof (*e), der Friedhof
(*e) : le cimetière.

2 **rüstig bei der Arbeit sein :**
travailler avec vigueur, avec
entrain.

3 **das kann mir keiner anders
nach/sagen :** keiner kann das
Gegenteil behaupten.

4 **aus dem letzten Loch
pfeifen (i, i) :** (fam.) : (ici) être au bout
du rouleau.

„Nicht von Brot allein"

Mein Onkel Fred ist der einzige Mensch, der mir die Erinnerung an die Jahre nach 1945 erträglich macht. Er kam an einem Sommernachmittag aus dem Kriege heim, schmucklos[1] ge-
5 kleidet, als einzigen Besitz eine Blechbüchse[2] an einer Schnur um den Hals tragend sowie beschwert durch das unerhebliche Gewicht einiger Kippen, die er sorgfältig in einer kleinen Dose aufbewahrte. Er umarmte meine Mutter, küßte
10 meine ‚Schwester und mich, murmelte die Worte : „Brot, Schlaf, Tabak" und rollte sich auf unser Familiensofa.
Ich selbst übte damals eine undankbare Funktion in unserer unbescholtenen[3] Familie aus : ich
15 war vierzehn Jahre alt und das einzige Bindeglied zu jener denkwürdigen[4] Institution, die wir Schwarzmarkt nannten. Mein Vater war gefallen, meine Mutter bezog eine winzige Pension, und so bestand meine Aufgabe darin, fast täg-
20 lich kleinere Teile unseres geretteten Besitzes zu verscheuern[5] oder sie gegen Brot, Kohle und Tabak zu tauschen. [...]
Onkel Freds Ankunft weckte in uns allen die Erwartung starker männlicher Hilfe. Aber zu-
25 nächst enttäuschte er uns. Schon vom ersten Tage an erfüllte mich sein Appetit mit großer Sorge, und als ich diese meiner Mutter ohne Zögern mitteilte, bat sie mich, ihn erst einmal „zu sich kommen zu lassen". Es dauerte fast
30 acht Wochen, ehe er zu sich kam.
Aber das wirkliche Ereignis in dieser Zeit war die Tatsache, daß Onkel Fred acht Wochen nach seiner erfreulichen Heimkehr die Initiative ergriff. Er hob sich an einem Spätsommertag morgens
35 von seinem Sofa, rasierte sich so umständlich, daß wir erschraken, verlangte saubere Wäsche, lieh sich mein Fahrrad und verschwand.
Seine späte Heimkehr stand unter dem Zeichen großen Lärms und eines heftigen Weingeruchs;
40 der Weingeruch entströmte dem Munde meines Onkels, der Lärm rührte von einem halben Dutzend Zinkeimern, die er mit einem großen Seil zusammengebunden hatte. Unsere Verwirrung legte sich erst, als wir erfuhren, daß er ent-
45 schlossen sei, den Blumenhandel in unserer arg zerstörten Stadt zum Leben zu erwecken. Meine Mutter, voller Mißtrauen gegen die neue Wertwelt[6], verwarf den Plan und behauptete, für Blumen bestehe kein Bedürfnis. Aber sie
50 täuschte sich.

Es war ein denkwürdiger Morgen, als wir Onkel Fred halfen, die frischgefüllten Eimer an die Straßenbahnhaltestelle zu bringen, wo er sein Geschäft startete. Und ich habe den Anblick
55 der gelben und roten Tulpen[7], der feuchten Nelken noch heute im Gedächtnis und werde nie vergessen, wie schön er aussah, als er inmitten der grauen Gestalten und der Trümmerhaufen stand und mit schallender Stimme anfing zu ru-
60 fen : „Blumen ohne !"[8] Über die Entwicklung seines Geschäftes brauche ich nichts zu sagen : sie war kometenhaft. Schon nach vier Wochen war er Besitzer von drei Dutzend Zinkeimern, Inhaber zweier Filialen, und einen Monat später
65 war er Steuerzahler[9]. Die ganze Stadt schien mir verändert : an vielen Ecken tauchten nun Blumenstände auf, der Bedarf[10] war nicht zu decken; immer mehr Zinkeimer wurden angeschafft, Bretterbuden errichtet und Karren
70 zusammengezimmert[11].
Jedenfalls waren wir nicht nur dauernd mit frischen Blumen, sondern auch mit Brot und Kohlen versehen, und ich konnte meine Vermittlertätigkeit[12] niederlegen, eine Tatsache,
75 die viel zu meiner moralischen Festigung[13] beigetragen hat. Onkel Fred ist längst ein gemachter Mann. [...]

Heinrich Böll (geb. 1917),
Erzählungen, Hörspiele, Aufsätze,
Verlag Kiepenheuer & Witsch Köln, 1961

---

1 **schmucklos gekleidet :** ≠ elegant gekleidet.
2 **die Blechbüchse (-n) :** la boîte en fer-blanc; **die Dose (-n) :** la boîte (de conserve).
3 **unbescholten sein :** être intègre, irréprochable.
4 **denkwürdig :** mémorable.
5 **etwas verscheuern** (fam.) : bazarder qqch.
6 **die neue Wertwelt :** les nouvelles valeurs.
7 **die Tulpe (-n) :** la tulipe; **die Nelke (-n) :** l'œillet.
8 **Blumen ohne !** (ironisch) : Blumen ohne Marken ! (sans tickets), auch : ohne Einwickelpapier.
9 **der Steuerzahler (-) :** le contribuable; → die Steuer; **die steuerliche Betreuung :** la gestion fiscale.
10 **der Bedarf :** le besoin; einen Bedarf decken : couvrir les besoins; → **es besteht kein Bedürfnis nach Blumen :** personne n'a besoin de fleurs.
11 **etwas zusammen/zimmern :** etwas (aus Holz) bauen.
12 **der Vermittler (-) :** l'intermédiaire.
13 **meine moralische Festigung :** l'affermissement de mon sens moral.

Anekdote zur Senkung der Arbeitsmoral

In einem Hafen an einer westlichen Küste Europas liegt ein ärmlich gekleideter Mann in seinem Fischerboot und döst. Ein schick angezogener Tourist legt eben einen neuen Farbfilm in seinen Fotoapparat, um das idyllische Bild zu fotografieren : blauer Himmel, grüne See
5 mit friedlichen, schneeweißen Wellenkämmen, schwarzes Boot, rote Fischermütze. Klick. Noch einmal : klick. [...]

„Sie werden heute einen guten Fang machen."

Kopfschütteln des Fischers. „Aber man hat mir gesagt, daß das Wetter günstig ist." Kopfnicken des Fischers.

10 „Sie werden also nicht ausfahren?"

Kopfschütteln des Fischers, steigende Nervosität des Touristen. Gewiß liegt ihm das Wohl des ärmlich gekleideten Menschen am Herzen[1], nagt[2] an ihm die Trauer über die verpaßte Gelegenheit.

„Oh? Sie fühlen sich nicht wohl?"

15 Endlich geht der Fischer von der Zeichensprache zum wahrhaft gesprochenen Wort über.

„Ich fühle mich großartig", sagt er. „Ich habe mich nie besser gefühlt." Er steht auf, reckt sich, als wollte er demonstrieren, wie athletisch er gebaut ist.

20 „Ich fühle mich phantastisch."

Der Gesichtsausdruck des Touristen wird immer unglücklicher, er kann die Frage nicht mehr unterdrücken, die ihm sozusagen das Herz zu sprengen droht :

„Aber warum fahren Sie dann nicht aus?"

25 Die Antwort kommt prompt und knapp.

„Weil ich heute morgen schon ausgefahren bin."

„War der Fang gut?"

„Er war so gut, daß ich nicht noch einmal auszufahren brauche, ich habe vier Hummer[3] in meinen Körben gehabt, fast zwei Dutzend
30 Makrelen gefangen..."

Der Fischer, endlich erwacht, taut[4] jetzt auf und klopft dem Touristen beruhigend auf die Schultern. Dessen besorgter Gesichtsausdruck erscheint ihm als ein Ausdruck zwar unangebrachter[5], doch rührender Kümmernis.

35 „Ich habe sogar für morgen und übermorgen genug", sagt er, um des Fremden Seele zu erleichtern. „Rauchen Sie eine von meinen?" – „Ja, danke." [...]

„Ich will mich ja nicht in Ihre persönlichen Angelegenheiten mischen[6], sagt er, „aber stellen Sie sich mal vor, Sie führen heute ein zweites, ein
40 drittes, vielleicht sogar ein viertes Mal aus, und Sie würden drei, vier, fünf, vielleicht gar zehn Dutzend Makrelen fangen... stellen Sie sich das mal vor."

Der Fischer nickt.

„Sie würden", fährt der Tourist fort, „nicht nur heute, sondern mor-
45 gen, übermorgen, ja, an jedem günstigen Tag zwei-, dreimal, vielleicht viermal ausfahren – wissen Sie, was geschehen würde?"

Der Fischer schüttelt den Kopf.

„Sie würden sich in spätestens einem Jahr einen Motor kaufen kön-

1 **das liegt mir am Herzen :** cela me tient à cœur.
2 **die Trauer nagt an ihm :** la tristesse le ronge.

3 **der Hummer (-) :** le homard; **die Makrele (-n) :** le maquereau.
4 **auf/tauen :** (ici) sortir de sa réserve.
5 **eine unangebrachte Kümmernis :** une inquiétude déplacée.

6 **sich in eine Angelegenheit mischen :** se mêler d'une affaire.

211

nen, in zwei Jahren ein zweites Boot, in drei oder vier Jahren könnten
50 Sie vielleicht einen kleinen Kutter haben, mit zwei Booten oder dem
Kutter würden Sie natürlich viel mehr fangen – eines Tages würden
Sie zwei Kutter haben, Sie würden...". [...]
Der Fischer klopft ihm auf den Rücken, wie einem Kind, das sich
verschluckt hat. „Was dann?" fragte er leise.
55 „Dann", sagte der Fremde mit stiller Begeisterung, „dann könnten Sie
beruhigt hier im Hafen sitzen, in der Sonne dösen – und auf das
herrliche Meer blicken."
„Aber das tu ich ja schon jetzt", sagt der Fischer, „ich sitze beruhigt
am Hafen und döse, nur Ihr Klicken hat mich dabei gestört."

Heinrich Böll (geb. 1917),
Aufsätze, Kritiken, Reden,
Kiepenheuer und Witsch, Köln, 1967

Fragen

I **Zum Textverständnis**

1. Was erfahren Sie über den Touristen und über den Fischer?
2. Wie deuten Sie die Frage des Touristen „Sie fühlen sich nicht wohl?" (Z. 14).
3. Finden Sie weitere Argumente, die die Lebensanschauung des Touristen vertreten.
4. Was halten Sie von der Schlußpointe?
5. Verkürzen Sie diese Anekdote zu einem Witz in Dialogform.

II **Zur Stellungnahme**

1. „Arbeit macht das Leben süß" – paßt dieses Sprichwort auf eine der beiden Gestalten?
2. „Es ist genug, daß ein jeglicher Tag seine Plage habe" (« A chaque jour suffit sa peine »),
heißt es in der Bibel. Welche Gestalt vertritt diese Ansicht?
3. Diskutieren Sie die Lebensauffassungen dieser beiden Menschen. Welche Auffassung vertreten Sie
persönlich?

III **Zum Übersetzen**

a) Dites-moi pourquoi le pêcheur se sentait parfaitement bien. b) La pêche avait été bonne,
c'est pourquoi le pêcheur n'avait plus besoin de faire une nouvelle sortie en mer.
c) Ne vous mêlez pas de mes affaires !

Ich träume mir ein Land

Ich träume mir ein Land,
da wachsen tausend Bäume,
da gibt es Blumen, Wiesen, Sand
und keine engen Räume.
5 Und Nachbarn gibt's, die freundlich sind,
und alle haben Kinder,
genauso wild wie du und ich,
nicht mehr und auch nicht minder.

Ich träume mir ein Land,
da wachsen tausend Hecken,
da gibt es Felsen, Büsche, Strand
und kleine, dunkle Ecken.
Und Nachbarn gibt's, die lustig sind,
und alle feiern Feste,
15 genauso schön wie deins und meins,
und keines ist das beste.

Ich träume mir ein Land,
da wachsen tausend Bilder,
da gibt es Rot und Grün am Rand
20 und viele bunte Schilder.
Und Nachbarn gibt's, die langsam sind,
und alles dauert lange,
genauso wie bei dir und mir,
und keinem wird dort bange.

Erika Krause-Gebauer,
Das achte Weltwunder,
Fünftes Jahrbuch der Kinderliteratur,
herausgegeben von Hans-Joachim Gelberg,
Beltz & Gelberg, Weinheim und Basel, 1979

aus: „Fliegende Blätter", Scherz Verlag

Wie ist das Altsein?

Alles geht langsamer jetzt. Daran muß man sich gewöhnen. Alles macht mehr Mühe : das Gehen, das Denken, das Kochen, das Essen, sogar das Schlafen.

Der Tod kommt näher. Manchmal bin ich sehr müde und
5 denke : Das ist gut. Aber manchmal schaue ich die Straßen an und die Häuser und die Menschen, und dann denke ich, daß ich das alles bald nicht mehr sehe. Es wird sein, und ich werde nicht mehr sein. Es gibt Augenblicke, in denen ich das nicht begreifen kann und große Angst habe. Da hilft nichts[1]. Ich habe
10 jetzt viel Zeit. Ich kann Dinge tun, zu denen ich früher keine Zeit hatte, weil ich arbeiten mußte, für andere sorgen[2] mußte, weil soviel zu tun war. Jetzt habe ich Zeit, langsam ein Buch zu lesen, langsam einen Brief zu schreiben, langsam meine Wohnung aufzuräumen. Ich muß mich daran gewöhnen, daß es
15 schön ist, viel Zeit zu haben.

Ich weiß nicht mehr genau, was vor einer Stunde passiert ist, oder gestern. Aber ich weiß genau, wie es damals war, als ich ein kleines Mädchen war. Ich spielte, und ich sagte – und meine Mutter sagte – und mein Vater sagte – ich weiß das noch
20 genau. Ich würde das gern erzählen, aber keiner will es wissen. Meine Kinder kommen und sagen : „Geht's dir gut?", und ich sage : „Es geht mir gut", und dann sind sie zufrieden und gehen wieder, weil sie soviel zu tun haben. Ich habe eigentlich nichts zu tun. Ich habe Zeit.
25 Ich weiß zu wenig, um ihnen raten zu können. Aber ich weiß etwas Wichtiges : Einmal werden sie alt sein, so wie jetzt ich. Sie können sich das nicht vorstellen, aber ich weiß es. Sie können sich auch nicht vorstellen, daß ich einmal so jung war wie sie. Aber ich weiß es.

Günther Stiller und Irmela Brender,
Ja-Buch für Kinder,
Verlag Beltz & Gelberg,
Weinheim und Basel, 1974

1 **da hilft nichts :** il n'y a rien à y faire.

2 **für jemanden sorgen :** sich um jemanden kümmern : s'occuper de qqn. :

Höherer Stundenlohn

Ein Arbeiter, ein Schubkarren[1] und eine Stunde bedeuten soundso viel Kubik Gestein oder Kies von einer Ecke zur anderen, vom Lastwagen zur Baustelle. Zwar ist auch diese Rechnung relativ,
5 aber bei zehn Schubkarren und zehn Arbeitern gleicht sich das aus[2] und gibt eine Norm.
Wir hatten einen besonders tüchtigen Arbeiter auf dem Bau. Es war eine Freude, ihm bei der Arbeit zuzusehen. Er lief mit seinem Schubkar-
10 ren wie ein Wiesel[3], belud ihn übervoll, nicht nur bis zum Rand, nein, er schaufelte noch einen hohen Haufen obenauf und schaffte für zwei. Unermüdlich fuhr er mit seinem schweren Schubkarren vom Kieshaufen zum Bau, voll hin,
15 leer zurück, da gab es kein Verschnaufen oder Stehenbleiben, kein Sichrecken und Sichstrecken, kein Bier, keine Brotzeit, keine Zigaretten, keine Debatten über Mitbestimmung[4] oder Bildungsurlaub, kein Naseputzen oder Stirn-
20 abwischen, höchstens, daß er sich einmal in die Hände spuckte, damit die Arbeit noch flotter vonstatten ging.
Man sah ihm die Lust an der Arbeit an.
Der Bauherr[5] sagte zum Baumeister :
25 „Was für ein prächtiger Bursche !"
„Mein fleißigster !" sagte der Baumeister.
„Wie wird er bezahlt?"
„Wie alle. Nach Tarif."
„Sollte man ihm nicht einen höheren Stunden-
30 lohn —?"

„Keine schlechte Idee !" rief der Baumeister. „Er soll ein Fünftel seines Stundenlohnes pro Stunde mehr haben."
Am Freitag abend, als der Lohn ausbezahlt
35 wurde, hielt der Baumeister unseren Fleißigsten, den er mit einem höheren Stundenlohn zu belohnen gedachte, zurück, bis die anderen gegangen waren. Dann nahm er ihn beiseite und sagte :
40 „Ich habe dich bei deiner Arbeit beobachtet, Josef. Ich habe mich daher entschlossen, dir freiwillig ein Fünftel deines Stundenlohnes mehr zu geben."
„Wie?" fragte der Arbeiter überrascht.
45 „Du bekommst ab sofort für die Stunde ein Fünftel deines Stundenlohnes mehr als bisher."
Da sah der Arbeiter seinen Baumeister mißbilligend[6] an, machte aus seiner Meinung kein Hehl und brummte böse :
50 „Da sieht man's mal wieder ! Dafür ist Geld da ! Mir ein Fünftel in der Stunde mehr Lohn geben, das können Sie — aber daß einer auf den Gedanken käme, endlich einmal einen größeren Schubkarren anzuschaffen, damit man mehr
55 aufladen kann, dafür reicht's offenbar nicht..."

Jo Hanns Rösler,
Beste Geschichten,
F.A. Herbig Verlagsbuchhandlung,
München, 1974

---

1 **der Schubkarren (-)** la brouette;
  → schieben (o, o);
  der Kies : le gravier; → der Kieshaufen.
2 **sich aus/gleichen (i, i) :** se compenser.
3 **das Wiesel (-) :** la belette; wie ein Wiesel laufen
  (ie, au) : courir comme un dératé.
4 **die Mitbestimmung :** la cogestion;
  → mitbestimmen.
5 **der Bauherr (-en) :** le maître d'œuvre;
  der Baumeister (-) : l'entrepreneur der Architekt..
6 **jemanden mißbilligend an/sehen (a, e) :** regarder
  qqn. d'un air désapprobateur.

Der Einsame

Wer einsam ist, der hat es gut,
Weil keiner da, der ihm was tut.
Ihn stört in seinem Lustrevier
Kein Tier, kein Mensch und kein Klavier,
5 Und niemand gibt ihm weise Lehren,
Die gut gemeint und bös zu hören[1].
Der Welt entronnen[2], geht er still
In Filzpantoffeln, wann er will.
Sogar im Schlafrock wandelt er
10 Bequem den ganzen Tag umher.
Er kennt kein weibliches Verbot,
Drum raucht und dampft er wie ein Schlot. [...]
Liebt er Musik, so darf er flöten,
Um angenehm die Zeit zu töten. [...]
15 Und allgemach[3] vergißt man seiner.
Nur allerhöchstens fragt mal einer :
Was, lebt er noch? Ei Schwerenot[4],
Ich dachte längst, er wäre tot.
Kurz, abgesehn vom Steuerzahlen[5],
20 Läßt sich das Glück nicht schöner malen.
Worauf denn auch der Satz beruht :
Wer einsam ist, der hat es gut.

Wilhelm Busch (1832-1908),
Zu guter Letzt

Carl Spitzweg, Der Kaktusfreund
Foto Archiv

---

1 **die gut gemeint und bös zu hören :** qui partent d'un bon sentiment, mais qu'on n'aime pas entendre.
2 **der Welt entronnen :** loin du monde.
3 **allgemach :** langsam, allmählich.
4 **ei Schwerenot :** sacrebleu.
5 **abgesehn vom Steuerzahlen :** mis à part les impôts qu'il faut payer.

Fortschritt

Manchmal stelle ich mir vor, daß in tausend Jahren die Gelehrten zusammensitzen und darüber rätseln[1], wie sie unsere Spuren[2] deuten sollen. Plastikbeutel werden sie finden, Einwegflaschen[3], Betonmauern und große Gebiete, die vermuten lassen, daß hier einmal
5 Wälder waren.

Bei der Vielzahl von Flaschenfunden (werden sie sagen) ist es anzunehmen, daß die Menschen sich damals vorwiegend von Flüssigkeit ernährten. In den seltsamen weißen und bunten Behältern, die sich im Umkreis der Flaschen finden, dürfte ihre Habe aufbewahrt[4] ge-
10 wesen sein, und in den Mauern waren nach Absterben der Wälder ihre Notquartiere[5], in denen sie zu überleben versuchten.

Oder ob es in tausend Jahren gar keine Menschen mehr gibt, die unsere Spuren deuten könnten?

Übrigens mache ich mir solche Gedanken natürlich nicht im Ernst.
15 Denn noch ist ja alles in Ordnung. Noch sind es ja nur Schwarzmalereien, wenn uns die Umweltschützer solche Angstträume einreden wollen. Oder ob am Ende doch etwas Wahres daran ist?

Roswitha Fröhlich,
Fünftes Jahrbuch der Kinderliteratur,
herausgegeben von Hans-Joachim Gelberg,
Beltz & Gelberg, Weinheim u. Basel, 1979

---

1 **über etwas rätseln** : essayer de deviner le sens de qqch.;
→ das Rätsel : l'énigme, la devinette.
2 **die Spuren** : (ici) les vestiges.
3 **die Einwegflasche (-n)** : la bouteille non consignée.
4 **etwas auf/bewahren** : conserver qqch.
5 **das Notquartier (-e)** : le refuge.

Lebe wohl !

Wenn du erst mal laufen kannst
wenn du erst mal versetzt[1] bist
wenn du erst mal konfirmiert bist
wenn du erst mal richtig arbeiten lernst
5 wenn du erst mal selber Geld ins Haus bringst
wenn du erst mal bei den Soldaten gewesen bist
wenn du erst mal die Prüfung in der Tasche hast
wenn du erst mal die Frau für's Leben gefunden hast
wenn du erst mal eigene Kinder in die Welt gesetzt hast
10 wenn du erst mal deine Raten[2] für die neuen Möbel bezahlt hast
wenn du erst mal die Kinder aus dem Haus hast
wenn du erst mal eine Lohngruppe höher bist
wenn du erst mal die Rente[3] durch hast
wenn du erst mal im Jenseits bist
      dann hast du's
      geschafft[4].

Heiner Feldhoff (geb. 1945)

---

1 **versetzt werden** (≠ sitzenbleiben) : in die höhere Schulklasse kommen.
2 **die Rate (-n)** : la mensualité; **in Raten bezahlen** : payer par mensualités.
3 **die Rente durch haben** (fam.) : être au bout de sa retraite.
4 **ich habe es geschafft** : je touche au but.

Mit Zuversicht in die achtziger Jahre?

(Eine Mini-Umfrage)

1 **die Zuversicht :** la confiance.
2 **sich am Scheideweg befinden (a, u) :** se trouver à la croisée des chemins.
3 **die Energieknappheit :** la pénurie d'énergie.
4 **die Herausforderung (-en) :** le défi.
5 **viel vor/haben :** avoir beaucoup de projets.
6 **bergen (a, o) :** (ici) contenir.
7 **die Überschau verlieren (o, o) :** ne plus avoir de vue d'ensemble.
8 **die Überwachung :** le contrôle.
9 **berücksichtigen :** prendre en considération.
10 **düster sehen :** voir tout noir.
11 **sich verschärfen :** s'aggraver.
12 **die Einstellung zu... :** l'attitude envers...
13 **träge :** paresseux.
14 **sich um/stellen :** changer d'attitude.

Ergänzen Sie den Text mit den untenstehenden Wörtern und Ausdrücken.

Ein Teil der Befragten ist, was die Zukunft betrifft, aus folgenden Gründen pessimistisch :

Der Hunger in der Welt _____ , und der Mensch wird immer _____ .

Es kann sein, daß unsere Lebensqualität weiterhin _____ .

In der Entwicklung der Technik hat der Mensch _____ ; die Überwachung _____

Computer ist ein schlimmer, aber sehr _____ Zukunftstraum.

Die Konflikte _____ , besonders _____ der Energiefrage. Da immer weniger

_____ wird, könnte es _____ Kriegen kommen.

Der andere Teil der Befragten ist eher optimistisch, und zwar aus folgenden Gründen :

Es wird freilich immer _____ geben, aber der Mensch wird sich schon zu helfen

wissen, auch was die Energiefrage _____ .

Man muß _____ die Jugend glauben und weiterhin _____ .

Es ist nicht gut, wenn man sich zu viele _____ . In der Politik machen die Großen

außerdem, was ihnen _____ , ohne den Einzelmenschen zu _____ .

---

gleichgültig - das Problem - hoffen - wegen - durch - aus - an - zu - zunehmen - berücksichtigen - sinken - real - Toleranz zeigen - betreffen - die Überschau verlieren - (sich) Gedanken machen - sich verschärfen - gefallen.

Optimisten / Von Vallot

„Nein, mit unseren Kegelabenden
ist es vorläufig aus"

„Freu dich, Papi! Ich hab endlich
einen Platz an der Uni bekommen"

„Von wegen 1. Klasse!
Die Bank ist nicht mal gepolstert"

GRAMMAIRE / FAISONS LE POINT

1   La dépendante de temps : (AG, p. 223)

Reliez les deux propositions par la conjonction proposée :

1. Frau Kühn plaudert mit dem Tötengräber. Sie fragt ihn nach seinem Alter. (während)
2. Der Totengräber will den Kirchhof weiterbesorgen. Er ist gesund. (solange)
3. Der Bauherr bewundert den Schwerarbeiter. Er beobachtet ihn bei der Arbeit. (sooft)
4. Dieser Arbeiter machte sich wieder an die Arbeit. Er hatte gegessen. (sobald)
5. Onkel Fred trug eine zerrissene Uniform. Er kam aus dem Krieg heim. (als)
6. Onkel Fred ist aus dem Krieg zurück. Er hat nur Lust zum Schlafen. (seit, seitdem)
7. Onkel Fred schlief den ganzen Tag. Die Mutter weckte ihn zum Abendessen. (bis)
8. Der Junge freute sich jedesmal. Er hatte ein gutes Geschäft gemacht. (wenn)
9. Der Onkel hatte sich acht Wochen lang ausgeruht. Er beschloß, einen Blumenhandel zu gründen. (nachdem)
10. Es hatte acht Wochen gedauert. Dann kam der Onkel zu sich. (ehe, bevor)
11. Der Onkel kam zu seinem Entschluß, ein Blumengeschäft zu gründen. Er hatte (vorher) nichts anderes gemacht, als geschlafen und gegessen. (bevor)

2   Les dépendantes de cause, de but, de conséquence, de concession : (AG, p. 223)

Complétez les phrases à l'aide de la conjonction qui convient :

1. (...) mein Vater im Krieg gefallen war, bezog meine Mutter eine kleine Pension.
2. Die Leute kauften Blumen, (...) sie nichts zu essen hatten.
3. Die Leute waren so arm, (...) die Kinder schon mit acht Jahren haben arbeiten müssen.
4. „Ich habe den Kirchhof immer schön besorgt, (...) die Leute zufrieden sein sollten" meinte der alte Totengräber.
5. Frau Kühn meinte, der Kirchhof sei so schön, (...) es ein Vergnügen sein müsse, zu sterben.
6. Der Baumeister wollte einem Arbeiter einen höheren Stundenlohn geben, (...) dieser immer so tüchtig arbeitete.

3   L'adverbe démonstratif annonce la dépendante : (AG, p. 258)

Complétez les phrases à l'aide de l'adverbe démonstratif qui convient :

1. Die Aufgabe des Totengräbers bestand (...), den Kirchhof sauber zu halten.
2. Trotz meiner vierzehn Jahre hatte mich die Mutter (...) beauftragt, für die ganze Familie das Essen zu besorgen.
3. Ich war stolz (...), mit 14 Jahren die ganze Familie zu unterhalten.
4. Wochenlang träumte Onkel Fred (...), einen Blumenhandel zu gründen.
5. Ich dachte lange (...) nach, ob ich mir ein Fahrrad oder ein Mofa kaufen sollte.
6. Ich hatte Freude (...), meinem Onkel im Blumengeschäft zu helfen.
7. Der Junge litt (...), daß der Vater im Krieg gefallen war.
8. Wenn man alt wird, muß man sich (...) gewöhnen, daß alles langsamer geht.
9. Der Vorabeiter zog keinen Nutzen (...), daß er der beste Arbeiter auf der Baustelle war.
10. Für ihn kommt es nur (...) an, daß er noch mehr leisten kann.
11. Er dachte immer noch (...), wie sie ihn damals ausgelacht hatte.
12. Ich habe mich wirklich (...) gefreut, daß du einige Tage bei uns verbracht hast.
13. Ich freue mich schon jetzt (...), dich nächsten Sommer wieder zu sehen.

4   *Traduisez les phrases ci-après :*

1. Je me réjouis à l'idée d'aller en vacances avec toi.   2. Auras-tu le courage (den Mut zu etwas haben) de faire ce travail tout seul?   3. Dans mille ans, les savants (der Wissenschaftler) essayeront de deviner (über etwas rätseln) comment nous avons vécu.

ANNEXE GRAMMATICALE

Les indications grammaticales contenues dans ces pages sont présentées sous les rubriques suivantes :

I. La phrase et la place du verbe.
II. Le groupe nominal, ses composantes et ses remplaçants.
III. Le groupe verbal.
IV. Les valeurs particulières de certaines formes grammaticales (transfert de fonction).
V. Les éléments qui assurent l'articulation et la cohésion du texte.

I   La phrase et la place du verbe

1   La proposition indépendante

1.1   La proposition déclarative *(verbe à la seconde place)*

Peter	**kommt**	heute.
Heute	**kommt**	Peter.
Wir	**fahren**	jetzt fort.
Jetzt	**fahren**	wir fort.
Das Wasser	**ist**	hier tief.
Hier	**ist**	das Wasser tief.
Aber das Wasser	**ist**	hier tief.
Aber hier	**ist**	das Wasser tief.
Renate und Peter	**können**	jetzt kommen.
Jetzt	**können**	Renate und Peter kommen.
Bald	**werden**	Renate und Peter kommen.
Dann	**sind**	Renate und Peter gekommen.
Dann	**hat**	Renate einen Kuchen gebracht.

1.1.1   La première place peut être occupée par le sujet ou par un autre élément.

1.1.2   **Aber, denn, oder,** n'ont aucune influence sur la construction de la phrase.

1.2   La proposition interrogative

1.2.1   Pas de mot interrogatif spécifique *(verbe en tête de proposition)*

Ist	das Wasser	warm ?
Hast	du	ein Moped ?
Siehst	du	die Maschine dort ?
Haben	Sie	Klaus gesehen ?
Kannst	du	schwimmen ?
Wird	Peter	auch mitkommen ?

1.2.2   En allemand (comme d'ailleurs en français), une proposition déclarative peut se transformer en proposition interrogative par le simple fait de l'intonation (c'est courant dans la langue familière) : Il pleut. / Il pleut ?
Ihr feiert wohl ein Fest ?

1.2.3   Introduite par un mot interrogatif (pronom, adverbe, adjectif) *(verbe à la seconde place*

Pronom				
	Wer	kommt		denn dort ?
	Wer	ist		gekommen ?
	Was	ist		denn los ?
	Was	hast	du	gehört ?
Adverbe	**Wo**	warst	du	gestern abend ?
	Wohin	fährst	du	morgen ?
	Wann	werden	wir	fortfahren ?
Adjectif	**Welchen** Roman	hast	du	gelesen ?

1.3   La proposition impérative *(verbe en tête de proposition) (voir p. 246)*

Komm schnell !
Kommt schnell !
Kommen Sie schnell !

1.4   La proposition exclamative *(avec un introducteur* **wie***)*

a / Wie schön ist die Natur ! *(verbe en seconde position)*
b / Wie leuchtet die Sonne !

1.5   La proposition optative *(exprimant un souhait)*

1.5.1   Souhait réalisable :
Es lebe die Republik ! (der König)
Möge er doch bald kommen ! (Puisse-t-il bientôt venir !)

1.5.2   Souhait irréalisable :
Hätte ich doch Zeit ! (Wenn ich doch Zeit hätte !) (Ah, si j'avais le temps !)
Hätte ich doch Geld gehabt ! (Wenn ich doch Geld gehabt hätte !) (Ah, si j'avais eu d
l'argent !)

2   La proposition dépendante (ou subordonnée) *(verbe en position finale)*

2.1   La subordonnée introduite par daß :
2.1.1   Das Moped ist ganz neu.
2.1.2   Ich sehe, daß das Moped ganz neu ist.
2.1.3   Ich sehe, das Moped ist ganz neu.
La proposition indépendante 2.1.1 est devenue une proposition qui dépend de **ich sehe** dan
2.1.2 ; dans 2.1.3, les deux propositions sont simplement juxtaposées et gardent chacune s
construction. Mais cette juxtaposition n'est pas possible lorsque la proposition introductric
comporte une négation.

2.2   La subordonnée introduite par un interrogatif :
2.2.1   Warum ist Peter nicht gekommen ?
2.2.2   Ich weiß, warum Peter nicht gekommen ist.
L'interrogatif **warum** de la proposition indépendante est maintenu dans la proposition dépen
dante 2.2.2.
2.2.3   Ist Peter gekommen ?
2.2.4   Ich will wissen, ob Peter gekommen ist.
Dans la proposition 2.2.3, l'interrogation est marquée par la place du verbe (et l'intonation)
Pour en faire une proposition dépendante, on a recours à OB (si).

2.3 La subordonnée introduite par une autre conjonction ou locution conjonctive :

2:3.1 <u>Während</u> des Mittagessens las er die Zeitung.

2.3.2 <u>Während</u> er zu Mittag aß, las er die Zeitung.

Dans (2.3.1), la proposition indépendante débute par un complément (de temps) et le verbe est, selon l'usage, en seconde position. Dans (2.3.2), une proposition dépendante de temps (introduite par **während**) a remplacé le complément, mais la suite de la phrase reste inchangée.

2.4 Conjonctions de subordination

2.4.1 La dépendante complétive

1. **daß**	(que)	Ich glaube, <u>daß</u> Peter krank ist.
		<u>Daß</u> er kein Taschengeld hat, ist nicht neu.

2.4.2 La dépendante causale

1. **weil**	(parce que)	Er geht nicht spazieren, <u>weil</u> es regnet.
2. **da**	(puisque, étant donné que)	<u>Da</u> es regnet, will er nicht ausgehen.

2.4.3 La dépendante comparative

1. **wie**	(comme)	Er sagt es, <u>wie</u> er es denkt.
2. **als**	(que)	Er ist jünger, <u>als</u> du glaubst.
3. **als ob**	(comme si)	Er tut, <u>als ob</u> er nicht gehört hätte.
als wenn		Er spricht, <u>als</u> hätte er nichts verstanden.
als		
4. **je ... desto**	(plus ... plus)	<u>Je</u> größer er wird, <u>desto</u> dümmer ist er.

2.4.4 La dépendante temporelle

1. **als** (1)	(quand, lorsque, au moment où)	<u>Als</u> die Tür aufging, sah er einen Bären.
2. **wenn** (2)	(quand, lorsque, toutes les fois que)	<u>Wenn</u> er kommt, gebe ich ihm die Fotos. <u>Wenn</u> er kam, brachte er immer etwas mit.
3. **seit, seitdem**	(depuis)	<u>Seit</u> er krank war, spielt er nicht mehr Fußball.
4. **während**	(pendant que)	<u>Während</u> er ißt, liest er gern die Zeitung.
5. **bevor, ehe**	(avant que)	<u>Bevor</u> er nach Hause ging, kaufte er noch ein Brot.
6. **nachdem**	(après que)	<u>Nachdem</u> er das Haus verlassen hatte, hörte er einen furchtbaren Knall.
7. **bis**	(jusqu'à ce que)	Warte, <u>bis</u> ich wieder zurück bin.
8. **sobald**	(dès que)	<u>Sobald</u> es klingelte, machte er auf.
9. **solange**	(aussi longtemps que)	<u>Solange</u> er kann, will er arbeiten.
10. **sooft**	(aussi souvent que)	<u>Sooft</u> er Zeit hat, kommt er zu uns.

2.4.5 La dépendante concessive

1. **obwohl, obgleich**	(bien que, quoique)	<u>Obwohl</u> er krank war, wollte er Fußball spielen.
2. **wer ... auch**	(qui que)	<u>Wer</u> du <u>auch</u> bist, du kannst das nicht tun.
was ... auch	(quoi que)	<u>Was</u> du <u>auch</u> sagst, ich glaube dir nicht.

2.4.6 La dépendante conditionnelle et hypothétique

1. **wenn** (ind.)	(si)	<u>Wenn</u> du Zeit hast, kannst du vorbeikommen.
2. **wenn** (subj. II)	(si)	<u>Wenn</u> ich Zeit hätte, ginge ich ins Kino.
falls	(au cas où)	<u>Falls</u> ich Geld hätte, würde ich mir ein Mofa kaufen.

2.4.7 La dépendante finale

1. **damit**	(afin que)	Mach das Fenster zu, <u>damit</u> uns niemand hören kann.
2. **daß**	(pour que)	

2.4.8 La dépendante consécutive

1. **(so) ... daß**	(si ... que)	Er ist <u>so</u> krank, <u>daß</u> er nicht aufstehen kann.
2. **zu ... als daß**	(trop ... pour que)	Der Koffer ist <u>zu</u> schwer, <u>als daß</u> du ihn allein tragen könntest.

---

(1) **als** (quand, lorsque, au moment où) est employé pour relater un fait unique : temps du verbe : **passé** ou **présent.**

(2) **wenn** (quand, lorsque, toutes les fois que) est employé dans tous les autres cas, soit avec un passé, soit avec un présent.

ANNEXE GRAMMATICALE

3   La proposition négative (avec nicht, gar nicht, überhaupt nicht, nicht mehr, nie...

3.1   La négation „nicht" ne porte pas sur un élément particulier, mais sur le noyau verbal de la phrase.

3.1.1   La place de la négation dans la proposition dépendante

	Peter	heute	**nicht**	kommt.	
	Klaus	das Moped	**nicht**	sieht.	
	Peter	heute	**nicht**	gekommen	ist.
	Klaus	das Moped	**nicht**	gekauft	hat.
Ich glaube, daß	er	das Moped	**nicht**	kaufen	kann.
	das Wasser		**nicht**	warm	ist.
	Peter		**nicht**	in die Stadt	fährt.
	Klaus		**nicht**	mit Peter	spielen will.

N.B. 1. **Nicht** se place devant le premier élément du groupe verbal (simple ou élargi) regroupé en fin de proposition.
2. **Nicht** est fortement accentué.

3.2   La place de la négation dans la proposition indépendante

Nous transformons les dépendantes ci-dessus en propositions indépendantes en faisant avancer le verbe (c.-à-d. la partie effectivement conjuguée du verbe) à la seconde place

Peter	kommt	heute	**nicht.**	
Klaus	sieht	das Moped	**nicht.**	
Peter	ist	heute	**nicht**	gekommen.
Klaus	hat	das Moped	**nicht**	gekauft.
Er	kann,	das Moped	**nicht**	kaufen.
Das Wasser	ist		**nicht**	warm.
Peter	fährt		**nicht**	in die Stadt.
Klaus	will		**nicht**	mit Peter spielen.

Remarque : La partie effectivement conjuguée du verbe est en seconde position, mais **nicht** n'a pas quitté sa place et reste fortement accentué.

3.3   La négation ne porte pas sur le noyau verbal de la phrase, mais sur un élément de celle-ci

3.3.1 Er **kommt** heute nicht. *(négation de phrase)*
Er kommt nicht **heute,** sondern **morgen.** *(la négation porte sur **heute** qui est accentué et s'oppose à **morgen** qui pourrait être absent).*
3.3.2 Er **liest** die Zeitung nicht. *(négation de phrase)*
Er liest nicht **die Zeitung,** sondern **ein Buch.** (Il lit non pas le journal, mais un livre.)
3.3.3 Er fährt nicht in die Stadt. *(négation de phrase)*
Er fährt nicht **in die Stadt** (sondern **in den Wald.**) *(**nicht** occupe la même place, mais **in die Stadt** est accentué.)*
3.3.4 Nicht **ich,** sondern **du** hast das gesagt.

N.B. 1. **Nicht** précède l'élément sur lequel porte la négation.
2. Ce dernier est fortement accentué et il est mis en opposition avec un autre élément introduit par **sondern.** Cet élément est parfois sous-entendu.

4 L'expression de la condition et de l'hypothèse

4.1 Condition réalisable

Wenn du Zeit hast, (so) gehen wir heute ins Kino.

4.2 Condition irréalisable *(dans le présent ou dans le futur)*

- Wenn ich jetzt Zeit hätte, (so) ginge ich ins Kino.
  (so) würde ich ins Kino gehen.
- Wenn ich morgen Zeit hätte, (so) würde ich ins Kino gehen.

4.3 Condition irréalisable *(dans le passé)* :

Wenn ich vor einem Jahr Geld gehabt hätte, (so) hätte ich mir ein Mofa gekauft.

5 Le discours indirect *(ou discours rapporté)*

5.1 Discours direct	5.2 Discours indirect
Er sagt : „Ich bin krank gewesen. Ich kann heute nicht kommen. Ich werde dich in einigen Tagen anrufen."	Er sagt, daß er krank gewesen sei, daß er heute nicht kommen könne, daß er mich in einigen Tagen anrufen werde.

5.2.1 La transformation en discours rapporté entraîne (généralement) un changement de personne, une modification de certaines indications de temps (morgen — am anderen, nächsten Tag) et une transposition de mode : dans une langue soignée, les verbes du discours rapporté sont au subjonctif I ou au subjonctif II, si les formes du subjonctif ne sont pas distinctes de celles de l'indicatif.

5.2.2 La transposition de mode se fait comme suit :

indicatif $\left\{ \begin{array}{l} \text{présent} \\ \text{prétérit, parfait, plus-que-parfait} \\ \text{futur} \end{array} \right. \longrightarrow$ subjonctif I $\left\{ \begin{array}{l} \text{présent} \\ \text{passé} \\ \text{futur} \end{array} \right.$

6 Le comportement du verbe à préfixe

6.1 Le préfixe est inséparable : le verbe forme avec celui-ci une unité : be-, emp-, ent-, er-, ge-, ver-, zer-, (miß-)

6.1.1 Wann beginnt der Film?
6.1.2 Wann hat das Fußballspiel begonnen? (pas de préfixe **ge-** au participe)

6.2 Le préfixe est dit séparable :

6.2.1 Morgen fährt er fort. (fortfahren)
6.2.2 Paß auf! (aufpassen)
6.2.3 Er kam gestern abend zurück. (zurückkommen)
6.2.4 Er ist gestern abend zurückgekommen. (ge- entre préfixe et verbe)
6.2.5 Er hofft, bald wieder zurückzukommen. (zu entre préfixe et verbe)

6.3 Certains préfixes sont tantôt inséparables, tantôt séparables :
(durch-, über-, unter-, um-, voll-, ...)

6.3.1 Er wirft den Stuhl um. (umwerfen = renverser)
6.3.2 Eine Mauer umgibt den Garten. (umgeben = entourer)

ANNEXE GRAMMATICALE

II Le groupe nominal (ses composantes et ses remplaçants)

1 Les déterminatifs (article, démonstratif, possessif, indéfini)

1.1 On représente souvent le groupe nominal par la formule **DAN,** dans laquelle le déterminatif est représenté par D, l'adjectif par A et le nom par N.

1.2 Par **déterminatif** on entend :
— l'article défini (der, das, die)
— l'article indéfini (ein, eine),
— l'article indéfini négatif (kein, keine)
— le démonstratif (dieser, jener, derselbe...),
— le possessif (mein, dein, ...),
— les indéfinis (jeder, mancher, irgendein, ...).

1.3 Principaux déterminatifs

Singulier			Pluriel
M	*N*	*F*	
der (le)	das	die	die
ein (un)	ein	eine	
dieser (ce ...ci)	dieses (dies)[1]	diese	diese
jener (ce ...là)	jenes	jene	jene
derselbe (le même)	dasselbe	dieselbe	dieselben
ein solcher (un tel...)	ein solches/solch ein	eine solche	solche
solch ein		solch eine	
jeder (chaque)	jedes	jede	
aller (tout)	alles (tout)	alle (toute)	alle (tous)
		(einige)	einige (quelques)
		(etliche)	etliche (quelques)
			mehrere (plusieurs)
mancher (maint, plus d'un...)	manches	manche	manche (certains, un bon nombre de)
irgendein (un ...quelconque)	irgendein	irgendeine	

1 Forme réduite

2 Les formes des déterminatifs

2.1 Les deux classes de déterminatifs

1. On peut classer les déterminatifs, selon leur mode de déclinaison, en deux groupes :
a/ les déterminatifs qui se déclinent comme **der (dieser, jener, jeder, mancher, derselbe ... alle, einige, etliche, mehrere, ...)**
b/ les déterminatifs qui se déclinent comme **ein (kein, irgendein, solch ein, ein solcher, mein, dein, ...)**
2. **derselbe** se décline comme la séquence : **der** + adjectif;
3. **ein solcher** se décline comme la séquence : **ein** + adjectif.

226

2.2 La déclinaison du déterminatif (article, démonstratif, possessif, indéfini)

	Singulier			Pluriel
	masculin	neutre	féminin	
nominatif				
article défini	der	das	die	die
démonstratif	dieser	dieses	diese	diese
indéfini	mancher	manches	manche	manche
article indéfini	ein ∅	ein ∅	eine	—
article indéfini négatif	kein ∅	kein ∅	keine	keine
possessif	mein ∅	mein ∅	meine	meine
accusatif				
article défini	den	das	die	die
démonstratif	diesen	dieses	diese	diese
indéfini	manchen	manches	manche	manche
article indéfini	einen	ein ∅	eine	—
article indéfini négatif	keinen	kein ∅	keine	keine
possessif	meinen	mein ∅	meine	meine
datif				
article défini	dem	dem	der	den
démonstratif	diesem	diesem	dieser	diesen
indéfini	manchem	manchem	mancher	manchen
article indéfini	einem	einem	einer	—
article indéfini négatif	keinem	keinem	keiner	keinen
possessif	meinem	meinem	meiner	meinen
génitif				
article défini	des	des	der	der
démonstratif	dieses	dieses	dieser	dieser
indéfini	manches	manches	mancher	mancher
article indéfini	eines	eines	einer	—
article indéfini négatif	keines	keines	keiner	keiner
possessif	meines	meines	meiner	meiner

Singulier
1. Au neutre et au féminin, le nominatif et l'accusatif sont identiques; seul le masculin a des formes distinctes pour le nominatif et l'accusatif.
2. Le datif masculin et le génitif masculin sont identiques au datif et au génitif du neutre.

Pluriel
3. La distinction de genre est neutralisée.
4. Le nominatif et l'accusatif sont identiques et ressemblent aux formes correspondantes du féminin.
5. Le génitif pluriel est identique au génitif féminin.

ANNEXE GRAMMATICALE

2.3 Les formes du possessif

Pronom personnel		Singulier			Pluriel
		M	N	F	
ich	Nom.	mein∅	mein∅	meine	meine
	Acc.	meinen	mein∅	meine	meine
	Dat.	meinem	meinem	meiner	meinen
	Gen.	meines	meines	meiner	meiner
du	Nom.	dein∅	dein∅	deine	deine
	Acc.	deinen	dein∅	deine	deine
	Dat.	deinem	deinem	deiner	deinen
	Gen.	deines	deines	deiner	deiner
er, es,	Nom.	sein∅	sein∅	seine	seine
	Acc.	seinen	sein∅	seine	seine
	Dat.	seinem	seinem	seiner	seinen
	Gen.	seines	seines	seiner	seiner
sie	Nom.	ihr∅	ihr∅	ihre	ihre
	Acc.	ihren	ihr∅	ihre	ihre
	Dat.	ihrem	ihrem	ihrer	ihren
	Gen.	ihres	ihres	ihrer	ihrer
wir	Nom.	unser∅	unser∅	unsere	unsere
	Acc.	unseren	unser∅	unsere	unsere
	Dat.	unserem	unserem	unserer	unseren
	Gen.	unseres	unseres	unserer	unserer
ihr	Nom.	euer∅	euer∅	eure	eure
	Acc.	euren	euer∅	eure	eure
	Dat.	eurem	eurem	eurer	euren
	Gen.	eures	eures	eurer	eurer
sie	Nom.	ihr∅	ihr∅	ihre	ihre
	Acc.	ihren	ihr∅	ihre	ihre
	Dat.	ihrem	ihrem	ihrer	ihren
	Gen.	ihres	ihres	ihrer	ihrer
Sie	Nom.	Ihr∅	Ihr∅	Ihre	Ihre
	Acc.	Ihren	Ihr∅	Ihre	Ihre
F de	Dat.	Ihrem	Ihrem	Ihrer	Ihren
politesse	Gen.	Ihres	Ihres	Ihrer	Ihrer

Emploi de SEIN et de IHR

Choix de la forme selon le nombre et le genre du possesseur.

1. sing. / plur.
2. → M/N/F

SEIN
IHR

marques selon le genre et la fonction du nom associé.

2.4 Les formes (la déclinaison) du groupe nominal

2.4.1 type : der neue Helm

	M	N	F
singulier			
Nom. :	der neue Helm	das neue Kleid	die neue Platte
Acc. :	den neuen Helm	das neue Kleid	die neue Platte
Dat. :	dem neuen Helm	dem neuen Kleid	der neuen Platte
Gén. :	des neuen Helmes	des neuen Kleides	der neuen Platte
pluriel			
Nom. :	die neuen Helme	die neuen Kleider	die neuen Platten
Acc. :	die neuen Helme	die neuen Kleider	die neuen Platten
Dat. :	den neuen Helmen	den neuen Kleidern	den neuen Platten
Gén. :	der neuen Helme	der neuen Kleider	der neuen Platten

2.4.2 type : kein ∅ neuer Helm

	M	N	F
singulier			
Nom. :	mein∅ neuer Helm	mein∅ neues Kleid	meine neue Platte
Acc. :	meinen neuen Helm	mein∅ neues Kleid	meine neue Platte
Dat. :	meinem neuen Helm	meinem neuen Kleid	meiner neuen Platte
Gén. :	meines neuen Helmes	meines neuen Kleides	meiner neuen Platte
pluriel			
Nom. :	meine neuen Helme	meine neuen Kleider	meine neuen Platten
Acc. :	meine neuen Helme	meine neuen Kleider	meine neuen Platten
Dat. :	meinen neuen Helmen	meinen neuen Kleidern	meinen neuen Platten
Gén. :	meiner neuen Helme	meiner neuen Kleider	meiner neuen Platten

2.4.3 type : ∅ roter Wein

	M	N	F
singulier			
Nom. :	∅ roter Wein	∅ liebes Kind	∅ warme Suppe
Acc. :	∅ roten Wein	∅ liebes Kind	∅ warme Suppe
Dat. :	∅ rotem Wein	∅ liebem Kind	∅ warmer Suppe
Gén. :	∅ roten Weines	∅ lieben Kindes	∅ warmer Suppe
pluriel			
Nom. :	∅ rote Weine	∅ liebe Kinder	∅ warme Suppen
Acc. :	∅ rote Weine	∅ liebe Kinder	∅ warme Suppen
Dat. :	∅ roten Weinen	∅ lieben Kindern	∅ warmen Suppen
Gén. :	∅ roter Weine	∅ lieber Kinder	∅ warmer Suppen

2.4.4 Remarques

1. Le report de la marque

Lorsque le représentant de D est absent ou qu'il ne prend pas la marque, celle-ci est reportée sur l'adjectif : d|er| neue Helm   d|as| frische Bier

ein neu|er| Helm   ein frisch|es| Bier

2. Mais dans le cas de **roten Weines** (où le nom porte la marque du génitif), le report de la marque de l'article sur l'adjectif ne se fait plus.

ANNEXE GRAMMATICALE

2.5 L'adjectif substantivé

2.5.1 Il prend une majuscule (excepté l'adjectif **ander-**), mais garde les marques de l'adjectif

	Singulier			Pluriel
	M	N	F	
Nom.	der Grüne	das Grüne	die Grüne	die Grünen
Acc.	den Grünen	das Grüne	die Grüne	die Grünen
Dat.	dem Grünen	dem Grünen	der Grünen	den Grünen
Gen.	des Grünen	des Grünen	der Grünen	der Grünen
Nom.	ein ⌀ Grüner	ein ⌀ Grünes	eine Grüne	Grüne
Acc.	einen Grünen	ein ⌀ Grünes	eine Grüne	Grüne
Dat.	einem Grünen	einem Grünen	einer Grünen	Grünen
Gen.	eines Grünen	eines Grünen	einer Grünen	Grüner

2.5.2
1. Bring mir etwas Gutes mit.
2. Er kam mit etwas Neuem.
3. Das ist etwas anderes (qqch. d'autre).
4. Ich möchte etwas Besseres.

2.6 Les degrés de l'adjectif/adverbe

2.6.1 L'expression des degrés d'intensité
2.6.1.1. Die Jacke ist zu kurz. (avec renforcement : viel zu kurz)
2.6.1.2. Der Film war sehr (furchtbar) langweilig.

N. B. Dans les exemples ci-dessus, l'intensité est exprimée au moyen d'un adverbe (sehr, zu, viel zu, ...) ou d'un adjectif employé adverbialement (furchtbar, schrecklich, ...) associé à l'adjectif.

2.6.2 L'expression des degrés de comparaison
2.6.2.1 *égalité :*
1. Er schwimmt (gerade, genau) so schnell wie ich.
2. Er schwimmt nicht so schnell wie ich. (Dans ce cas, l'égalité est contestée.)

2.6.2.2. *comparatif de supériorité*
1. Er ist jünger als wir. (avec renforcement : viel jünger)
2. Stell den Plattenspieler ein bißchen lauter !

N. B. L'adjectif prend la marque **-er** et, dans certains cas, l'inflexion.

2.6.2.3 *superlatif*
1. Es ist höchste Zeit.
2. Er ist der jüngste (Schüler) der Klasse (von uns).

N. B. a/ L'adjectif prend la marque **-st** (ou **-est** pour des raisons de prononciation).

b/ L'adjectif au superlatif s'accorde avec le nom auquel il se rapporte.

c/ Les adjectifs qui prennent l'inflexion au comparatif gardent celle-ci au superlatif : alt, arg, arm, dumm, grob, groß, hart, jung, kalt, klug, krank, kurz, lang, nah, scharf, schwach, schwarz, stark, warm.

d/ L'usage est hésitant pour les adjectifs suivants : blaß, gesund, glatt, krumm, naß, rot, schmal.

2.6.3 Les comparatifs et superlatifs irréguliers (et défectifs)

gut (bon, bien)	besser	der beste	am besten
hoch (haut)	höher	der höchste	am höchsten
nah (proche)	näher	der nächsten	am nächsten
viel (beaucoup)	mehr	die meisten (plur.)	am meisten
gern (volontiers)	lieber		am liebsten
lieb (cher, agréable)	lieber	der liebste	am liebsten

2.7. Les marques du pluriel

Marques du pluriel	Masculins	Neutres	Féminins
∅	Noms terminés par : <u>-el, -en, -er,</u> der Onkel, der Kuchen, der Fahrer,	Noms terminés par : <u>-el, -en, -er,</u> <u>-chen, -lein, Ge--e,</u> das Rätsel, das Kissen, das Messer, das Mädchen, das Gemälde	
̈	Noms terminés par : <u>-el, -en, -er (une vingtaine) :</u> der Apfel, der Vater,...	uniquement : das Kloster et Wasser dans Mineralwasser	uniquement : die Mutter die Tochter
-e	der Tag, der Hund, der Brief, der Berg, der Apparat	das Jahr, das Spiel, das Ergebnis, das Paket, das Geschenk,	Noms terminés par : <u>-nis, -sal</u> die Erkenntnis(-se) die Trübsal
̈e	der Ball, der Fluß, der Baum,		die Hand, die Nacht, die Wand,
-er	der Geist, der Schi, der Leib,	das Geld, das Kind, das Ei, das Kleid,	
̈er	der Mann, der Wald, der Irrtum,	das Buch, das Wort, das Haus, das Dorf, das Tal,	
-(e)n	der Junge, der Löwe, der Bär, der Mensch, der Herr,		Noms terminés par : <u>-e, -el, -er, -in, -ei,</u> <u>-heit, -keit, -schaft,</u> <u>-ung,</u> die Allee, die Woche, die Fabel, die Mauer, die Bäckerei, ... *mais aussi :* die Tür, die Zahl, die Zeit,
-(e)n gén. sg. -es	der Staat, der See,	das Auge, das Bett, das Ende	
-s	der Vati, der Opa,	das Moped, das Mofa, das Foto,	die Mutti, die Oma,

231

2.8 Les pronoms démonstratifs

2.8.1

	Singulier			Pluriel
	M	N	F	
Nom.	der	das	die	die
Acc.	den	das	die	die
Dat.	dem	dem	der	**denen**
Gen.	**dessen**	**dessen**	**derer**	**derer**

2.8.2

Singulier			Pluriel
M	N	F	
dieser (celui-ci)	dieses	diese	diese
jener (celui-là)	jenes	jene	jene
derselbe (le même)	dasselbe	dieselbe	dieselben
derjenige (celui qui)	dasjenige	diejenige	diejenigen
ein solcher (un tel)	ein solches	eine solche	solche
solch ein (un tel)	solch ein	solch eine	solche

N. B. Certains de ces pronoms démonstratifs s'emploient aussi comme déterminatifs.

2.8.3 Les adverbes démonstratifs : daran, davon,...

1. Ich danke **für den Besuch.** / Ich danke **dafür.**
2. Ich stand **neben dem Tor.** / Ich stand **daneben.**

N. B. Un nom désignant une chose (ou une idée générale) et précédé d'une préposition peut être remplacé par un composé adverbial : formé avec **da(r)** (forme abrégée du démonstratif **das**).

2.9 Les pronoms indéfinis

Singulier			Pluriel
M	N	F	
einer (un)	ein(e)s	eine	—
keiner (aucun)	kein(e)s	keine	keine
irgendeiner (un quelconque)	irgendein(e)s	irgendeine	—
jeder (chacun)	jedes	jede	—
mancher (plus d'un)	manches	manche	manche (certains)
			etliche (quelques-uns)
			einige (quelques-uns)
			mehrere (plusieurs)
	alles (tout)		alle (tous)
man (on)	—	—	
jemand (quelqu'un)	—	—	—
niemand (personne)	—	—	—

Certains de ces pronoms indéfinis s'associent à un nom et s'emploient comme déterminatifs.

2.10   Les interrogatifs

2.10.1   Le pronom interrogatif : wer ? was ?

	Non-animé	Animé	
Nom.	Was ?	Wer ?	
Acc.	Was ?	Wen ?	Auf wen ? Für wen ? Durch wen ? Gegen wen ?
			Aus was ? (= woraus ?)
Dat.	(Was ?)	Wem ?	Mit wem ? Bei wem ? Zu wem ? Von wem ?
Gen.		Wessen ?	Wessen Wagen ist das ?
			Auf wessen Hut saß der Junge ?

2.10.2   L'adjectif interrogatif : welcher... ?, was für ein ?... Der wievielte... ?

	Singulier			Pluriel
	M	N	F	
Nom.	welcher ?	welches ?	welche ?	welche ?
Acc.	welchen ?	welches ?	welche ?	welche ?
Dat.	welchem ?	welchem ?	welcher ?	welchen ?
Gen.	(welches ?	(welches ?	(welcher ?)	(welcher ?)
	welchen ?)	welchen ?)		

a/
1. Welchen Wagen nimmst du ?
2. Welches Glas willst du ?
3. Welche Fremdsprache sprichst du am besten ?
4. Welche Bücher kannst du mir leihen ?
5. Welches ist dein Vorschlag (dein Heft, deine Freundin) ?
6. Welches sind deine Wünsche ?

b/
1. Was für ein Herr (ein Kind, eine Frau) ist das ?
2. Was für einen Apparat (ein Gerät, eine Taschenlampe) hast du ?
3. Mit was für einem Kollegen arbeiten Sie zusammen ?
4. Was für *(sans article) (partitif)* : Was für Wein trinken Sie ?
5. Was für *(sans article) (devant pluriel)* : Was für Pflanzen sind das ?
6. der (das, die) wievielte... ? : Den wievielten haben wir heute ?
   Der wievielte ist heute ?
7. Der wievielte Messebesucher ?
   Das wievielte Kind ?
   Die wievielte Etage ?

ANNEXE GRAMMATICALE

2.10.3   L'adverbe interrogatif

L'interrogation (introduite par un adverbe ou une locution adverbiale) s'enquiert de toutes sortes de circonstances :

1. manière : Wie ?
2. quantité : Wieviel ?
3. nombre : Wie oft ? Wievielmal ?
4. lieu, direction, but, origine : Wo ? Wohin ? Woher ?
   Wodurch ? Wogegen ? Wohinter ? Woneben ? Wovor ?
   Woran ? Worauf ? Woraus ? Worein ? Worin ? Worüber ?
   Worum ? Worunter ?...
5. moyen, occasion : Womit ? Wodurch ? Wobei ?
6. temps, durée :   Wann ? Bis wann ? Seit wann ? Wie lange ?
7. but :   Wofür ? Wozu ?
8. échange :   Wogegen ?
9. cause, raison :   Warum ? Weshalb ? Weswegen ? Wieso ?
10. objet, sujet :   Worüber ? Worum ? Wovon ?
11. matière :   Woraus ?
12. limite :   Inwiefern ? (In)wieweit ?

2.11   Le pronom personnel, le pronom réfléchi et le pronom réciproque

2.11.1   Le pronom personnel

	1re pers.	2e pers.	3e pers.			Forme de politesse
			M	N	F	
Singulier Nom. Acc. Dat. Gen.	ich mich mir meiner	du dich dir deiner	er ihn ihm seiner	es es ihm seiner	sie sie ihr ihrer	(une ou plusieurs personnes)
Pluriel Nom. Acc. Dat. Gen.	wir uns uns unser	ihr euch euch euer	sie sie ihnen ihrer			Nom. Sie Acc. Sie Dat. Ihnen Gen. Ihrer

2.11.2   Le pronom réfléchi et le verbe pronominal

Le pronom réfléchi n'a qu'une seule forme **sich**, qui s'emploie à l'accusatif et au datif de la 3e personne du singulier et du pluriel. Pour conjuguer un verbe pronominal, on complète à l'aide des formes correspondantes du pronom personnel :

a/ le pronom réfléchi au **datif** :

Ich   wasche   <u>mir</u>   die Hände   Wir waschen <u>uns</u>   die Hände.
Du   wäschst <u>dir</u>   die Hände.   Ihr wascht <u>euch</u> die Hände.
Er
Sie } wäscht **sich** die Hände.   Sie waschen **sich** die Hände.

b/ le pronom réfléchi à l'**accusatif** :

Ich wasche <u>mich</u>.	Wir waschen <u>uns</u>.
Du wäschst <u>dich</u>.	Ihr wascht <u>euch</u>.
Er Sie } wäscht **sich**	Sie waschen **sich**.

	Singulier			Pluriel		
	1ʳᵉ pers.	*2ᵉ pers.*	*3ᵉ pers.*	*1ʳᵉ pers.*	*2ᵉ pers.*	*3ᵉ pers.*
Acc.	mich	dich	**sich**	uns	euch	**sich**
Dat.	mir	dir	**sich**	uns	euch	**sich**

2.11.3 Le pronom réciproque einander   (l'un l'autre, les uns les autres)
Sie schlagen **einander**   (Ils se frappent l'un l'autre)

N. B. einander est souvent associé à des prépositions : **miteinander, nebeneinander,...**

2.12 Les pronoms relatifs

2.12.1 Le pronom relatif (der, das, die)

	Singulier			Pluriel
	M	*N*	*F*	
Nom.	der	das	die	die
Acc.	den	das	die	die
Dat.	dem	dem	der	**denen**
Gén.	**dessen**	**dessen**	**deren**	**deren**

2.12.2 L'accord du pronom relatif

Nombre/Genre←⌐

1. Der Mann, **den** die Polizisten suchten, war todkrank.
└──→*Fonction (cas)*

N. B. Il y a *double accord* : *d'une part,* **accord en nombre et en genre** avec l'antécédent (c. à d. l'élément auquel le pronom relatif renvoie et qu'il remplace dans la proposition relative); *d'autre part,* **accord en cas** c.-à-d. que le pronom relatif prend la forme correspondant à la fonction qu'il a dans la proposition relative).

2. Das Haus, <u>das</u> Sie dort erblicken, ist zu verkaufen.
3. Kennst du <u>den</u> Herrn, mit <u>dem</u> ich gesprochen habe?
4. Er konnte nicht den Tag erwarten, an <u>dem</u> er in die Ferien fahren sollte.
5. Die Frau, <u>deren</u> Kinder wir aufgenommen haben, liegt im Krankenhaus.
6. In der Garage, <u>deren</u> breites Tor offen stand, sah er einen hochmodernen Wagen.

N. B. Les relatifs *dessen, deren* sont suivis d'un groupe nominal sans déterminatif et l'adjectif qui accompagne le nom prend lui-même la marque (cf. 5 et 6).

7. Derjenige, <u>der</u> das sagt, ist ein Lügner.
8. Kennen Sie jemanden, <u>der</u> den Text übersetzen kann?
L'antécédent du relatif peut être un pronom (démonstratif, indéfini, ...).

ANNEXE GRAMMATICALE

2.12.3   Les autres pronoms relatifs :

a/ welcher, welches, welche (moins usité que *der*)
1. Der Junge, welcher dort sitzt, ist mein Bruder.
2. Der Junge, mit welchem du gesprochen hast, ist erst sieben Jahre alt.

b/ wer, was
1. Wer zuletzt lacht, lacht am längsten.
2. Alles, was du sagst, ist richtig.
3. Ich habe etwas, was dir Freude machen wird.
4. Ich denke an das, was noch zu tun ist.

c/ wo et les composés **womit, woraus, ...**
1. Das ist das Zimmer, wo (= in dem) er drei Wochen bleiben mußte.
2. Er sucht ein Lokal, in dem (worin) man tanzen kann.
Lorsque l'antécédent représente une chose (ou une idée), le pronom relatif accompagné d'une préposition peut céder la place à un composé adverbial avec **wo (worin, womit, woran, ...)**.

2.13   Les prépositions et le groupe nominal :

1. Ce sont des éléments de relation.
2. Une préposition associée à un groupe nominal (ou à un pronom) constitue un *groupe prépositionnel*.
3. Selon la forme (datif, accusatif, ...) du groupe nominal, nous pouvons classer les prépositions en plusieurs catégories :

2.13.1   Les prépositions suivies d'un groupe nominal à l'**accusatif** :

durch	à travers	**für**	pour
um	autour de	**gegen**	contre
	à (devant l'heure)	**ohne**	sans
		wider	contre

2.13.2   Les prépositions associées à un groupe nominal au **datif** :

bei	près de, chez (quand on est chez quelqu'un)	**aus**	hors de, (en)
zu	chez (quand on se rend chez quelqu'un)	**nach**	après, vers
		seit	depuis
mit	avec	**von**	de (au sujet de)

2.13.3   Les prépositions suivies d'un groupe nominal • soit au **datif** (locatif)
  • soit à l'**accusatif** (directif)

an	en, contre, près de	**vor**	devant, avant
auf	sur	**hinter**	derrière
in	dans, à l'intérieur de		
neben	à côté de	**über**	au-dessus de
zwischen	entre	**unter**	en dessous de

2.13.4

a/ en réponse à la question WO ?, ces prépositions sont suivies d'un groupe nominal au *datif*,
b/ en réponse à la question WOHIN ?, elles sont suivies d'un groupe nominal à l'*accusatif*.

236

2.13.5

Certaines de ces prépositions peuvent être contractées avec l'article défini :

vom = von dem ...   **am** = an dem   **ans** = an das ...   **zur** = zu der ...
zum = zu dem ...   **im** = in dem   **ins** = in das ...

2.13.6   Les prépositions suivies d'un groupe nominal au **génitif** :

diesseits	de ce côté-ci	**längs**	le long de
jenseits	de l'autre côté de	**trotz**	en dépit de, malgré
außerhalb	à l'extérieur de	**wegen**	à cause de
innerhalb	à l'intérieur de	**anstatt**	au lieu de
oberhalb	en haut de	**während**	pendant
unterhalb	en bas de		

2.13.7   Les postpositions :

meiner Meinung **nach** (à mon avis) — der Kirche **gegenüber** (en face de l'église)

2.13.8   Les circompositions :

von heute **an** (à partir d'aujourd'hui) — **vom** Fenster **aus** (de la fenêtre) — **von** Kind **auf** (depuis l'enfance) — **um** das Haus **herum** (autour de la maison)

III   Le groupe verbal

1   Inventaire des formes verbales

1.1   Les formes personnelles *(c.-à-d. effectivement conjuguées)* :
er kommt (présent), **er kam** (prétérit)
er ist gekommen (parfait ou passé composé), **er war gekommen** (plus-que-parfait)
er wird kommen (futur), **er wird gekommen sein** (futur antérieur)

1.2   Les formes impersonnelles
— *forme nominale :* infinitif I : **kommen, lachen,**
                           infinitif II : **gekommen sein, gelacht haben.**

— *forme adjectivale :* participe I (ou participe présent) : **kommend, lachend**
                           P I = radical de l'infinitif + **end**
                           participe II (ou participe passé) : **gekommen, gelacht**
                           P II = ge + radical inf. inchangé + (e)t (verbe régulier)
                           P II = ge + rad. inf. souvent modifié + en (v. irrégulier).

1.3   Les modes
On distingue trois *modes :* l'*indicatif* (pour indiquer que l'action est certaine),
                           le *subjonctif I* (indique que l'action est possible),
                           le *subjonctif II* (indique que l'action est une simple hypothèse).

ANNEXE GRAMMATICALE

2 Sein

INDICATIF		

Parfait   **Présent**

ich bin ... gewesen		ich bin
du bist ... gewesen		du bist
er ist ... gewesen		er ist
wir sind ... gewesen		wir sind
ihr seid ... gewesen		ihr seid
sie sind ... gewesen		sie sind

Plus-que-parfait   **Prétérit**

ich war ... gewesen		ich war
du warst ... gewesen		du warst
er war ... gewesen		er war
wir waren ... gewesen		wir waren
ihr wart ... gewesen		ihr wart
sie waren ... gewesen		sie waren

Futur antérieur   **Futur**

ich werde ... gewesen sein		ich werde ... sein
du wirst ... gewesen sein		du wirst ... sein
er wird ... gewesen sein		er wird ... sein
wir werden ... gewesen sein		wir werden ... sein
ihr werdet ... gewesen sein		ihr werdet ... sein
sie werden ... gewesen sein		sie werden ... sein

SUBJONCTIF I		

Passé   **Présent**   **Futur**

ich sei ... gewesen	ich sei	ich werde ... sein
du seist ... gewesen	du seist	du werdest ... sein
er sei ... gewesen	er sei	er werde ... sein
wir seien ... gewesen	wir seien	wir werden ... sein
ihr seiet ... gewesen	ihr seiet	ihr werdet ... sein
sie seien ... gewesen	sie seien	sie werden ... sein

SUBJONCTIF II		

Passé   **Présent**   **Futur**

ich wäre ... gewesen	ich wäre	ich würde ... sein
du wärest ... gewesen	du wärest	du würdest ... sein
er wäre ... gewesen	er wäre	er würde ... sein
wir wären ... gewesen	wir wären	wir würden ... sein
ihr wäret ... gewesen	ihr wäret	ihr würdet ... sein
sie wären ... gewesen	sie wären	sie würden ... sein

Impératif   **Formes impersonnelles**

sei... !

	Infinitif { I	sein
	II	gewesen sein

seien wir... !
seid... !

	Participe { I	seiend
	II	gewesen

seien Sie... !

Remarques : Au parfait et au plus-que-parfait, **sein** est associé au *participe II* :
- de **sein, bleiben, werden** : **Ich bin** gewesen, geblieben, geworden
- des verbes qui indiquent un changement d'état : **Ich bin** erwacht, **er ist** erkrankt
- des verbes intransitifs qui désignent un changement de lieu et peuvent être accompagnés d'un complément d but, d'origine : **Ich bin** über den Bach geschwommen. *Mais* **Ich habe** eine ganze Stunde geschwommen.
- Pour les verbes **stehen, liegen, sitzen**, l'usage hésite entre **sein** et **haben** : **Ich bin** gestanden. **Ich habe** gestanden

3 Haben

INDICATIF	
Parfait	**Présent**
ich habe ... gehabt	ich habe
du hast ... gehabt	du hast
er hat ... gehabt	er hat
wir haben ... gehabt	wir haben
ihr habt ... gehabt	ihr habt
sie haben ... gehabt	sie haben
Plus-que-parfait	**Prétérit** •
ich hatte ... gehabt	ich hatte
du hattest ... gehabt	du hattest
er hatte ... gehabt	er hatte
wir hatten ... gehabt	wir hatten
ihr hattet ... gehabt	ihr hattet
sie hatten ... gehabt	sie hatten
Futur antérieur	**Futur**
ich werde ... gehabt haben	ich werde ... haben
du wirst ... gehabt haben	du wirst ... haben
er wird ... gehabt haben	er wird ... haben
wir werden ... gehabt haben	wir werden ... haben
ihr werdet ... gehabt haben	ihr werdet ... haben
sie werden ... gehabt haben	sie werden ... haben

SUBJONCTIF I		
Passé	**Présent**	**Futur**
ich habe ... gehabt	ich habe	ich werde ... haben
du habest ... gehabt	du habest	du werdest ... haben
er habe ... gehabt	er habe	er werde ... haben
wir haben ... gehabt	wir haben	wir werden ... haben
ihr habet ... gehabt	ihr habet	ihr werdet ... haben
sie haben ... gehabt	sie haben	sie werden ... haben

SUBJONCTIF II		
Passé	**Présent**	**Futur**
ich hätte ... gehabt	ich hätte	ich würde ... haben
du hättest ... gehabt	du hättest	du würdest ... haben
er hätte ... gehabt	er hätte	er würde ... haben
wir hätten ... gehabt	wir hätten	wir würden ... haben
ihr hättet ... gehabt	ihr hättet	ihr würdet ... haben
sie hätten ... gehabt	sie hätten	sie würden ... haben

Impératif	**Formes impersonnelles**	
habe... !	**Infinitif** { I	haben
habt... !	{ II	gehabt haben
haben Sie... !	**Participe** { I	habend
	{ II	gehabt

Remarques : Au parfait et au plus-que-parfait, **haben** est associé au participe II :
1. des verbes réfléchis et pronominaux : **Ich habe** mich gewaschen.
2. des verbes transitifs (et par conséquent de **haben**) : **Ich habe** (Kaffee) getrunken. **Ich habe** Glück gehabt.
3. des verbes impersonnels : **Es hat** geregnet.
4. des verbes intransitifs n'indiquant pas un changement de lieu (excepté **sein** et **bleiben**) : **Ich habe** geschlafen.

ANNEXE GRAMMATICALE

4 Werden

<table>
<tr><td colspan="2" align="center">INDICATIF</td></tr>
<tr>
<td>

Parfait

ich bin ... geworden
du bist ... geworden
er ist ... geworden
wir sind ... geworden
ihr seid ... geworden
sie sind ... geworden
</td>
<td>

Présent

.ich werde
du wirst
er wird
wir werden
ihr werdet
sie werden
</td>
</tr>
<tr>
<td>

Plus-que-parfait

ich war   ... geworden
du warst ... geworden
er war   ... geworden
wir waren ... geworden
ihr wart   ... geworden
sie waren ... geworden
</td>
<td>

Prétérit

ich wurde
du wurdest
er wurde
wir wurden
ihr wurdet
sie wurden
</td>
</tr>
<tr>
<td>

Futur antérieur

ich werde ... geworden sein
du wirst   ... geworden sein
er wird   ... geworden sein
wir werden ... geworden sein
ihr werdet ... geworden sein
sie werden ... geworden sein
</td>
<td>

Futur

ich werde   ... werden
du wirst   ... werden
er wird   ... werden
wir werden ... werden
ihr werdet ... werden
sie werden ... werden
</td>
</tr>
</table>

<table>
<tr><td colspan="3" align="center">SUBJONCTIF I</td></tr>
<tr>
<td>

Passé

ich sei   ... geworden
du seist ... geworden
er sei   ... geworden
wir seien ... geworden
ihr seiet ... geworden
sie seien ... geworden
</td>
<td>

Présent

ich werde
du werdest
er werde
wir werden
ihr werdet
sie werden
</td>
<td>

Futur

ich werde   ... werden
du werdest ... werden
er werde   ... werden
wir werden ... werden
ihr werdet ... werden
sie werden ... werden
</td>
</tr>
</table>

<table>
<tr><td colspan="3" align="center">SUBJONCTIF II</td></tr>
<tr>
<td>

Passé

ich wäre   ... geworden
du wärest ... geworden
er wäre   ... geworden
wir wären ... geworden
ihr wäret ... geworden
sie wären ... geworden
</td>
<td>

Présent

ich würde
du würdest
er würde
wir würden
ihr würdet
sie würden
</td>
<td>

Futur

ich würde   ... werden
du würdest ... werden
er würde   ... werden
wir würden ... werden
ihr würdet ... werden
sie würden ... werden
</td>
</tr>
</table>

<table>
<tr>
<td>

Impératif

werde... !

werden wir... !
werdet... !
werden Sie... !
</td>
<td>

Formes impersonnelles

Infinitif { I   werden
          II geworden sein

Participe { I   werdend
          II geworden (ou worden)
</td>
</tr>
</table>

5 Les verbes de modalité

	Indic. / Prés.	Indic. / Prét.	Subj. I / Prés.	Subj. II / Prés.	Infinitif I	Participe II
ich	kann	konnte	könne	könnte	können	gekonnt (1)
du	kannst	konntest	könnest	könntest		(können) (1)
er, sie, es	kann	konnte	könne	könnte		
wir	können	konnten	können	könnten		
ihr	könnt	konntet	könnet	könntet		
sie	können	konnten	können	könnten		
ich	darf	durfte	dürfe	dürfte	dürfen	gedurft
du	darfst	durftest	dürfest	dürftest		(dürfen)
er, sie, es	darf	durfte	dürfe	dürfte		
wir	dürfen	durften	dürfen	dürften		
ihr	dürft	durftet	dürfet	dürftet		
sie	dürfen	durften	dürfen	dürften		
ich	muß	mußte	müsse	müßte	müssen	gemußt
du	mußt	mußtest	müssest	müßtest		(müssen)
er, sie, es	muß	mußte	müsse	müßte		
wir	müssen	mußten	müssen	müßten		
ihr	müßt	mußtet	müsset	müßtet		
sie	müssen	mußten	müssen	müßten		
ich	soll	sollte	solle	sollte	sollen	gesollt
du	sollst	solltest	sollest	solltest		(sollen)
er, sie, es	soll	sollte	solle	sollte		
wir	sollen	sollten	sollen	sollten		
ihr	sollt	solltet	sollet	solltet		
sie	sollen	sollten	sollen	sollten		
ich	will	wollte	wolle	wollte	wollen	gewollt
du	willst	wolltest	wollest	wolltest		(wollen)
er, sie, es	will	wollte	wolle	wollte		
wir	wollen	wollten	wollen	wollten		
ihr	wollt	wolltet	wollet	wolltet		
sie	wollen	wollten	wollen	wollten		
ich	mag	mochte	möge	möchte	mögen	gemocht
du	magst	mochtest	mögest	möchtest		(mögen)
er, sie, es	mag	mochte	möge	möchte		
wir	mögen	mochten	mögen	möchten		
ihr	mögt	mochtet	möget	möchtet		
sie	mögen	mochten	mögen	möchten		

(1) Les verbes de modalité ont deux participes II :
ex. : **gekonnt** (régulier) et **können** (participe à forme d'infinitif).

ANNEXE GRAMMATICALE

6 **Le verbe wissen** se conjugue comme les verbes de modalité :

	Indic./Prés.	Indic./Prét.	Subj. I/Prés.	Subj. II/Prés.	Infinitif I	Participe II
ich	weiß	wußte	wisse	wüßte	wissen	gewußt
du	weißt	wußtest	wissest	wüßtest		
er	weiß	wußte	wisse	wüßte		
wir	wissen	wußten	wissen	wüßten		
ihr	wißt	wußtet	wisset	wüßtet		
sie	wissen	wußten	wissen	wüßten		

7 L'emploi des verbes de modalité

7.1 Emploi général :

7.1.1 **ich kann** } je peux (je suis capable de ...; je suis en état de ...; je sais ...)
ich darf (j'ai l'autorisation, le droit de ...; il m'est permis de ...)

7.1.2 **ich muß** } je dois (il faut que ...; je suis obligé, contraint de ...)
ich soll (il convient que ...; il m'est conseillé de ...)

7.1.3 **ich will** } je veux (je suis fermement décidé à ...; je veux absolument ...)
ich mag (j'ai envie de ...; je souhaite ...; j'aime ...)

7.2 Emplois particuliers :

7.2.1 **pour exprimer une supposition :**
1. Peter muß krank sein. (Pierre est certainement malade.)
2. Klaus kann 16 Jahre alt sein. (Klaus peut avoir, a sans doute 16 ans.)
3. Seine Schwester dürfte 18 Jahre alt sein. (Sa sœur a peut-être, pourrait avoir 18 ans.)
4. Er mag etwa 20 Jahre alt sein. (Il doit avoir environ 20 ans; il se peut qu'il ait 20 ans.)

7.2.2 **pour exprimer l'affirmation d'une tierce personne :**
1. Er soll krank sein. (On dit qu'il est malade.)
2. Er will krank gewesen sein. (Il prétend avoir été malade.)

7.2.3 **pour transmettre un ordre (atténué) à une tierce personne :**
1. Sagen Sie ihm, er soll(e)   doch morgen kommen. (forme plus catégorique)
2. Sagen Sie ihm, er { möge   doch morgen kommen. (forme plus atténuée)
   { möchte

d/ pour exprimer une idée de futur :
1. Ich will das tun. (Je vais faire cela.) (Parfois aussi *soll.*)
2. Er wollte das gerade tun. (Il allait faire cela, il était sur le point de faire cela.)
3. Er zog damals in die Stadt. Aber zwei Jahre später sollte er wieder auf das Land zurückkommen. (Il s'installa à l'époque en ville. Mais deux ans plus tard, il devait revenir à la campagne.)

8 Lachen (verbe régulier)

INDICATIF		

Parfait

			Présent
ich habe	gelacht		ich lache
du hast	gelacht		du lachst
er hat	gelacht		er lacht
wir haben	gelacht		wir lachen
ihr habt	gelacht		ihr lacht
sie haben	gelacht		sie lachen

Plus-que-parfait

			Prétérit
ich hatte	gelacht		ich lachte
du hattest	gelacht		du lachtest
er hatte	gelacht		er lachte
wir hatten	gelacht		wir lachten
ihr hattet	gelacht		ihr lachtet
sie hatten	gelacht		sie lachten

Futur antérieur

	Futur
ich werde gelacht haben	ich werde lachen

SUBJONCTIF I		

Passé		**Présent**	**Futur**
ich habe	gelacht	ich lache	ich werde lachen
du **habest**	gelacht	du **lachest**	du **werdest** lachen
er **habe**	gelacht	er **lache**	er **werde** lachen
wir haben	gelacht	wir lachen	wir werden lachen
ihr **habet**	gelacht	ihr **lachet**	ihr werdet lachen
sie haben	gelacht	sie lachen	sie werden lachen

SUBJONCTIF II		

Passé		**Présent**	**Futur**
ich hätte	gelacht		ich würde lachen
du hättest	gelacht		du würdest lachen
er hätte	gelacht	*formes du*	er würde lachen
wir hätten	gelacht	*prétérit indicatif*	wir würden lachen
ihr hättet	gelacht		ihr würdet lachen
sie hätten	gelacht		sie würden lachen

Impératif
lache !

lacht !
lachen Sie !

Infinitif { I lachen
II gelacht haben

Participe { I lachend
II gelacht

9 Kommen

Indicatif	

Parfait			**Présent**
ich bin	...	gekommen	ich komme
du bist		gekommen	du kommst
er ist		gekommen	er kommt
wir sind		gekommen	wir kommen
ihr seid		gekommen	ihr kommt
sie sind		gekommen	sie kommen

Plus-que-parfait			**Prétérit**
ich war	...	gekommen	ich kam
du warst		gekommen	du kamst
er war		gekommen	er kam
wir waren		gekommen	wir kamen
ihr wart		gekommen	ihr kamt
sie waren		gekommen	sie kamen

Futur antérieur		**Futur**
ich werde ... gekommen sein		ich werde kommen

SUBJONCTIF I		

Passé			**Présent**	**Futur**		
Ich sei	...	gekommen	ich komme	ich werde	...	kommen
du seist		gekommen	du kommest	du werdest		kommen
er sei		gekommen	er komme	er werde		kommen
wir seien		gekommen	wir kommen	wir werden		kommen
ihr seiet		gekommen	ihr kommet	ihr werdet		kommen
sie seien		gekommen	sie kommen	sie werden		kommen

SUBJONCTIF II		

Passé			**Présent**	**Futur**		
ich wäre	...	gekommen	ich käme	ich würde	...	kommen
du wärest		gekommen	du kämest	du würdest		kommen
er wäre		gekommen	er käme	er würde		kommen
wir wären		gekommen	wir kämen	wir würden		kommen
ihr wäret		gekommen	ihr kämet	ihr würdet		kommen
sie wären		gekommen	sie kämen	sie würden		kommen

Impératif	**Formes impersonnelles**		
komm(e) !	**Infinitif** {	I	kommen
		II	gekommen sein
kommt !	**Participe** {	I	kommend
Kommen Sie !		II	gekommen

10 Geben

	INDICATIF

Parfait

			Présent	
ich habe	...	gegeben	ich	gebe
du hast		gegeben	du	gibst
er hat		gegeben	er	gibt
wir haben		gegeben	wir	geben
ihr habt		gegeben	ihr	gebt
sie haben		gegeben	sie	geben

Plus-que-parfait

			Prétérit	
ich hatte	...	gegeben	ich	gab
du hattest		gegeben	du	gabst
er hatte		gegeben	er	gab
wir hatten		gegeben	wir	gaben
ihr hattet		gegeben	ihr	gabt
sie hatten		gegeben	sie	gaben

Futur antérieur

			Futur	
ich werde	...	gegeben haben	ich werde geben	

SUBJONCTIF I

Passé · **Présent** · **Futur**

ich habe	...	gegeben	ich	gebe	ich werde	...	geben
du habest		gegeben	du	gebest	du **werdest**		geben
er habe		gegeben	er	gebe	er **werde**		geben
wir haben		gegeben	wir	geben	wir werden		geben
ihr habet		gegeben	ihr	gebet	ihr werdet		geben
sie haben		gegeben	sie	geben	sie werden		geben

SUBJONCTIF II

Passé · **Présent** · **Futur**

ich hätte	...	gegeben	ich	gäbe	ich würde	...	geben
du hättest		gegeben	du	gäbest	du würdest		geben
er hätte		gegeben	er	gäbe	er würde		geben
wir hätten		gegeben	wir	gäben	wir würden		geben
ihr hättet		gegeben	ihr	gäbet	ihr würdet		geben
sie hätten		gegeben	sie	gäben	sie würden		geben

Impératif
gib !

gebt !
geben Sie !

Infinitif } I geben
II gegeben haben

Participe } I gebend
II gegeben

11 Le passif

INDICATIF

Parfait	**Présent**
ich bin ... gerufen worden	ich werde ... gerufen
du bist ... gerufen worden	du wirst ... gerufen
er ist ... gerufen worden	er wird ... gerufen
wir sind ... gerufen worden	wir werden ... gerufen
ihr seid ... gerufen worden	ihr werdet ... gerufen
sie sind ... gerufen worden	sie werden ... gerufen
Plus-que-parfait	**Prétérit**
ich war ... gerufen worden	ich wurde ... gerufen
du warst ... gerufen worden	du wurdest... gerufen
er war ... gerufen worden	er wurde ... gerufen
wir waren ... gerufen worden	wir wurden ... gerufen
ihr wart ... gerufen worden	ihr wurdet ... gerufen
sie waren ... gerufen worden	sie wurden ... gerufen
Futur antérieur	**Futur**
ich werde ... gerufen worden sein	ich werde ... gerufen werden
du wirst ... gerufen worden sein	du wirst ... gerufen werden
er wird ... gerufen worden sein	er wird ... gerufen werden
wir werden ... gerufen worden sein	wir werden ... gerufen werden
ihr werdet ... gerufen worden sein	ihr werdet ... gerufen werden
sie werden ... gerufen worden sein	sie werden ... gerufen werden

SUBJONCTIF I

Passé	**Présent**	**Futur**
ich sei ... gerufen worden	ich werde ... gerufen	ich werde ... gerufen werder
wir seien ... gerufen worden	wir werden ... gerufen	wir werden ... gerufen werder

SUBJONCTIF II

Passé	**Présent**	**Futur**
ich wäre ... gerufen worden	ich würde ... gerufen	ich würde ... gerufen werder
wir wären ... gerufen worden	wir würden ... gerufen	wir würden ... gerufen werder

Infinitif }	I	gerufen werden
	II	gerufen worden sein
Participe }	I	inusité
	II	(gerufen)

12 L'emploi de certaines formes verbales
Le participe I, le participe II, l'infinitif, l'impératif.

12.1 Le participe I

12.1.1 comme adjectif (épithète ou attribut) :
Er war wütend.
Fliegende Untertassen. *(Des soucoupes volantes)*
12.1.2 adverbialement : Sie spricht fließend (= sehr gut) Deutsch.
12.1.3 comme noyau d'un groupe qualificatif :
(Laut) schreiend verließ er das Haus.

12.2 Le participe II

12.2.1 en association avec **sein** et **haben** (parfait et plus-que-parfait) et avec **werden**
(forme passive) :
1 Er ist spät nach Hause gekommen.
2 Er hat schwer gearbeitet.
3 Er wurde wieder hart bestraft.
12.2.2 comme adjectif (épithète et attribut) :
Mit deinem gebrochenen Arm kannst du das nicht tun.
Ist der Arm gebrochen?
12.2.3 comme noyau d'un groupe qualificatif :
In Mainz angekommen, rief sie sofort ihre Freundin an.

12.3 Le participe II à forme d'infinitif (double infinitif)

12.3.1 Ich habe das **gewollt**.
12.3.2 Ich habe das nicht sagen **wollen**.

12.3.3 Dans la phrase 12.3.2, le verbe de modalité est associé à un infinitif et
gewollt a dû céder sa place à **wollen**. (participe II à forme d'infinitif).

12.3.4 Ce participe à forme d'infinitif s'emploie aussi (mais moins systématiquement)
pour d'autres verbes et en particulier pour **lassen, lernen, sehen, hören,** ...
12.3.5 Ich habe das Buch kommen **lassen**.
12.3.6 Ich habe ihn die Treppe hinuntergehen **sehen** (gesehen).

12.4 L'infinitif

12.4.1 **L'infinitif complément est généralement précédé de zu :**
1. Er hofft, bald zu kommen.
2. Er verspricht, besser aufzupassen. (*zu* entre préfixe et verbe).

12.4.2 **Mais un infinitif complément est employé sans zu.**
— après les verbes de modalité (dürfen, können, müssen, sollen, wollen, mögen)
— après quelques autres verbes comme sehen, hören, lassen, bleiben, ...
1. Er kann schwimmen.
2. Er läßt die Zeitung auf dem Tisch liegen.

12.4.3 **La dépendante infinitive peut être introduite par :**
anstatt......zu (au lieu) : Anstatt zu arbeiten, ging er spazieren.
um ....zu (pour)   : Er lief in die Küche, um etwas zu essen.
ohne........zu (sans)   : Ohne etwas zu sagen, ging er fort.

ANNEXE GRAMMATICALE

12.5 L'impératif

La distinction traditionnelle entre **singulier** et **pluriel** n'est pas satisfaisante.

on donne un ordre →	à une personne	à plusieurs personnes
on tutoie la personne (forme de familiarité)	**Komm !**	**Kommt !** (chaque personne prise isolément est tutoyée)
on vouvoie la personne (forme de politesse)	**Kommen Sie !** (la distinction entre **une** ou **plusieurs** personnes n'est pas maintenue)	

13 L'emploi du subjonctif I et du subjonctif II

13.1 Le subjonctif I (à radical de présent) s'emploie

1. pour l'expression du souhait réalisable :
   Es <u>lebe</u> die Freiheit.
   Er <u>möge</u> noch lange leben.

2. dans le discours indirect (ou rapporté) :
   Er sagte, daß er krank <u>gewesen séi</u>, daß er kein Geld mehr <u>habe</u> und daß er bald nac Hause <u>fahren werde</u>.

3. pour transmettre un ordre à une tierce personne (avec **sollen** ou **mögen**) :
   Sagen Sie ihm, er <u>solle (möge)</u> doch kommen !

13.2 Le subjonctif II (à radical de prétérit) s'emploie

1. pour l'expression du souhait non réalisable :
   <u>Hätte</u> ich doch mehr Zeit ! (Wenn ich doch mehr Zeit hätte !)
   <u>Hätte</u> ich doch mehr Zeit <u>gehabt</u> ! (Wenn ich doch mehr Zeit gehabt hätte !)

2. pour la suggestion et la demande polie :
   Wir <u>könnten</u> etwas trinken. / Wir <u>hätten</u> etwas trinken <u>können</u>.
   <u>Hättest</u> du Lust, etwas zu trinken ?

3. pour marquer l'hypothèse :
   Wenn ich Geld <u>hätte</u>, (so) <u>ginge</u> ich ins Kino.
   Wenn ich Geld <u>hätte</u>, (so) <u>würde</u> ich mir ein Mofa kaufen.
   Wenn ich Geld <u>gehabt hätte</u>, (so) <u>hätte</u> ich mir ein Moped <u>gekauft</u>.

4. dans le discours rapporté en remplacement des formes de subjonctif I qui peuvent êtr confondues avec des formes de l'indicatif :
   Sie erzählten, daß sie nichts <u>gesehen hätten</u>. (<u>haben</u> est aussi un indicatif).

14 Liste alphabétique des verbes irréguliers (forts et mixtes)

Les indications qui suivent chaque verbe renvoient au classement par séries apophoniques (voir ci-dessous).
Le premier chiffre indique la page, et le second, entre parenthèses, renvoie au paragraphe.
Pour les verbes à particule, on se reportera au verbe simple.

backen	248	(15.1.2)	hauen	252	(15.7)	schreiten	250	(15.4.1)
befehlen	249	(15.2.2)	heben	249	(15.2.3)	schweigen	251	(15.4.2)
beginnen	250	(15.3.2)	heißen	252	(15.7)	schwellen	249	(15.2.3)
beißen	250	(15.4.1)	helfen	249	(15.2.2)	schwimmen	250	(15.3.2)
bergen	249	(15.2.2)	kennen	252	(16)	schwören	249	(15.2.3)
biegen	251	(15.5)	klimmen	250	(15.3.3)	sehen	249	(15.2.1)
bieten	251	(15.5)	klingen	250	(15.3.1)	senden	252	(16)
binden	250	(15.3.1)	kommen	252	(15.7)	singen	250	(15.3.1)
bitten	252	(15.7)	kriechen	251	(15.5)	sinken	250	(15.3.1)
blasen	248	(15.1.1)	laden	248	(15.1.2)	sinnen	250	(15.3.2)
bleiben	251	(15.4.2)	lassen	248	(15.1.1)	sitzen	252	(15.7)
braten	248	(15.1.1)	laufen	252	(15.7)	spinnen	250	(15.3.2)
brechen	249	(15.2.2)	leiden	250	(15.4.1)	sprechen	249	(15.2.2)
brennen	252	(16)	leihen	251	(15.4.2)	springen	250	(15.3.1)
bringen	252	(16)	lesen	249	(15.2.1)	stechen	249	(15.2.2)
denken	252	(16)	liegen	252	(15.7)	stehen	252	(15.7)
dreschen	249	(15.2.3)	lügen	251	(15.6)	stehlen	249	(15.2.2)
dringen	250	(15.3.1)	meiden	251	(15.4.2)	steigen	251	(15.4.2)
empfehlen	249	(15.2.2)	messen	249	(15.2.1)	sterben	249	(15.2.2)
erlöschen	249	(15.2.3)	nehmen	249	(15.2.2)	stinken	250	(15.3.1)
erschrecken	249	(15.2.2)	nennen	252	(16)	stoßen	252	(15.7)
essen	249	(15.2.1)	pfeifen	250	(15.4.1)	streichen	250	(15.4.1)
fahren	248	(15.1.2)	preisen	251	(15.4.2)	streiten	250	(15.4.1)
fallen	248	(15.1.1)	quellen	249	(15.2.3)	tragen	248	(15.1.2)
fangen	248	(15.1.1)	raten	248	(15.1.1)	treffen	249·	(15.2.2)
fechten	249	(15.2.3)	reiben	251	(15.4.2)	treiben	251	(15.4.2)
fliegen	251	(15.5)	reißen	250	(15.4.1)	treten	249	(15.2.1)
fliehen	251	(15.5)	reiten	250	(15.4.1)	trinken	250	(15.3.1)
fließen	251	(15.5)	rennen	252	(16)	trügen	251	(15.6)
fressen	249	(15.2.1)	riechen	251	(15.5)	tun	252	(15.7)
frieren	251	(15.5)	ringen	250	(15.3.1)	verderben	249	(15.2.2)
geben	249	(15.2.1)	rinnen	250	(15.3.2)	verdrießen	251	(15.5)
gedeihen	251	(15.4.2)	rufen	252	(15.7)	vergessen	249	(15.2.1)
gehen	252	(15.7)	saufen	252	(15.7)	verlieren	251	(15.5)
gelingen	250	(15.3.1)	schaffen	248	(15.1.2)	verschwinden	250	(15.3.1)
gelten	249	(15.2.2)	scheiden	251	(15.4.2)	verzeihen	251	(15.4.2)
genießen	251	(15.5)	scheinen	251	(15.4.2)	wachsen	248	(15.1.2)
geschehen	249	(15.2.1)	schelten	249	(15.2.2)	waschen	248	(15.1.2)
gewinnen	250	(15.3.2)	schieben	251	(15.5)	weichen	250	(15.4.1)
gießen	251	(15.5)	schießen	251	(15.5)	weisen	251	(15.4.2)
gleichen	250	(15.4.1)	schließen	251	(15.5)	wenden	252	(16)
gleiten	250	(15.4.1)	schlafen	248	(15.1.1)	werben	249	(15.2.2)
glimmen	250	(15.3.3)	schmeißen	250	(15.4.1)	werfen	249	(15.2.2)
graben	248	(15.1.2)	schmelzen	249	(15.2.3)	wiegen	251	(15.5)
greifen	250	(15.4.1)	schneiden	250	(15.4.1)	ziehen	251	(15.5)
halten	248	(15.1.1)	schreiben	251	(15.4.2)	zwingen	250	(15.3.1)
hangen	248	(15.1.1)	schreien	251	(15.4.2)			

15   Classement des verbes irréguliers (dits forts) par séries :

Le participe II des verbes notés en caractère gras est associé, au parfait et au plus-que-parfai
à **sein**.

15.1   Les verbes à voyelle radicale a :

15.1.1   Type : a - ie - a

Infinitif		Prétérit	Participe	Présent 3e pers.
a/ blasen	*souffler*	blies	geblasen	er bläst
braten	*rôtir*	briet	gebraten	er brät
fallen	*tomber*	fiel	gefallen	er fällt
halten	*tenir*	hielt	gehalten	er hält
lassen	*laisser, faire + inf.*	ließ	gelassen	er läßt
raten	*conseiller, deviner*	riet	geraten	er rät
schlafen	*dormir*	schlief	geschlafen	er schläft
b/ fangen	*attraper*	fing	gefangen	er fängt
hangen	*être suspendu*	hing	gehangen	er hängt

15.1.2   Type : a - u - a

Infinitif		Prétérit	Participe	Présent 3e pers.
a/ backen	*cuire (au four)*	backte, buk	gebacken	er backt er bäckt
fahren	*aller (en véhicule)*	fuhr	gefahren	er fährt
graben	*creuser*	grub	gegraben	er gräbt
laden	*charger, inviter*	lud	geladen	er lädt, er lad(
schlagen	*frapper*	schlug	geschlagen	er schlägt
tragen	*porter*	trug	getragen	er trägt
wachsen	*croître*	wuchs	gewachsen	er wächst
waschen	*laver*	wusch	gewaschen	er wäscht
b/ schaffen[1]	*créer*	schuf	geschaffen	er schafft

1. **schaffen** *(travailler)* est régulier.

15.2 Les verbes à voyelle radicale e

15.2.1 Type : e - a - e

	Infinitif		Prétérit	Participe	Présent 3ᵉ pers.
a/	essen	manger	aß	gegessen	er ißt
	fressen	manger (animaux), dévorer	fraß	gefressen	er frißt
	geben	donner	gab	gegeben	er gibt
	messen	mesurer	maß	gemessen	er mißt
	treten	poser le pied	trat	getreten	er tritt
	vergessen	oublier	vergaß	vergessen	er vergißt
b/	**geschehen**	arriver, avoir lieu	geschah	geschehen	es geschieht
	lesen	lire	las	gelesen	er liest
	sehen	voir	sah	gesehen	er sieht

15.2.2 Type : e - a - o

a/	bergen	cacher, abriter	barg	geborgen	er birgt
	brechen	briser, se briser	brach	gebrochen	er bricht
	erschrecken	s'effrayer	erschrak	erschrocken	er erschrickt
	gelten	valoir	galt	gegolten	er gilt
	helfen	aider	half	geholfen	er hilft
	nehmen	prendre	nahm	genommen	er nimmt
	schelten	gronder, injurier	schalt	gescholten	er schilt
	sprechen	parler	sprach	gesprochen	er spricht
	stechen	piquer	stach	gestochen	er sticht
	sterben	mourir	starb	gestorben	er stirbt
	treffen	atteindre, rencontrer	traf	getroffen	er trifft
	verderben	se gâter	verdarb	verdorben	er verdirbt
	werben	briguer, recruter	warb	geworben	er wirbt
	werfen	jeter, lancer	warf	geworfen	er wirft
b/	befehlen	ordonner	befahl	befohlen	er befiehlt
	empfehlen	recommander	empfahl	empfohlen	er empfiehlt
	stehlen	voler	stahl	gestohlen	er stiehlt

15.2.3 Type : e - o - o

a/	heben	soulever, lever	hob	gehoben	er hebt
b/	dreschen	battre le grain	drosch	gedroschen	er drischt
	fechten	se battre à l'épée	focht	gefochten	er ficht
	quellen	sourdre, jaillir	quoll	gequollen	er quillt
	schmelzen[1]	(se) fondre	schmolz	geschmolzen	er schmilzt
	schwellen[2]	se gonfler	schwoll	geschwollen	er schwillt
c/	**erlöschen**	s'éteindre	erlosch	erloschen	er erlischt
	schwören	jurer, prêter serment	schwor	geschworen	er schwört

1. **schmelzen** (tr.) *(faire fondre)* est régulier. 2. **schwellen** (tr.) *(faire gonfler)* est régulier.

15.3 Les verbes à voyelle radicale i
15.3.1 Type : i - a - u

Infinitif		Prétérit	Participe
binden	*lier*	band	gebunden
dringen	*pénétrer*	drang	gedrungen
finden	*trouver*	fand	gefunden
gelingen[1]	*réussir*	gelang	gelungen
klingen	*retentir*	klang	geklungen
ringen	*lutter*	rang	gerungen
singen	*chanter*	sang	gesungen
sinken	*s'enfoncer, sombrer*	sank	gesunken
springen	*sauter*	sprang	gesprungen
stinken	*puer*	stank	gestunken
trinken	*boire*	trank	getrunken
verschwinden	*disparaître*	verschwand	verschwunden
zwingen	*contraindre*	zwang	gezwungen

1. es gelingt mir, es ist mir gelungen *(je réussis..., j'ai réussi... à).*

15.3.2 Type : i - a - o

beginnen	*commencer*	begann	begonnen
gewinnen	*gagner*	gewann	gewonnen
rinnen	*ruisseler, couler*	rann	geronnen
schwimmen	*nager*	schwamm	geschwommen
sinnen	*songer, penser*	sann	gesonnen
spinnen	*filer (au rouet)*	spann	gesponnen

15.3.3 Type : i - o - o

glimmen	*brûler (sans flamme)*	glomm	geglommen
klimmen	*grimper, gravir*	klomm	geklommen

15.4 Les verbes avec le radical en ei
15.4.1 Type : ei - i - i

beißen	*mordre*	biß	gebissen
gleichen	*ressembler*	glich	geglichen
gleiten	*glisser*	glitt	geglitten
greifen	*saisir*	griff	gegriffen
leiden	*souffrir*	litt	gelitten
pfeifen	*siffler*	pfiff	gepfiffen
reißen	*tirer, se rompre, arracher*	riß	gerissen
reiten	*chevaucher*	ritt	geritten
schleichen	*se glisser*	schlich	geschlichen
schmeißen	*lancer, flanquer*	schmiß	geschmissen
schneiden	*couper*	schnitt	geschnitten
schreiten	*marcher*	schritt	geschritten
streichen	*frotter*	strich	gestrichen
streiten	*combattre, être en conflit*	stritt	gestritten
weichen	*céder, s'écarter*	wich	gewichen

15.4.2   Type : ei - ie - ie

Infinitif		Prétérit	Participe
bleiben	*rester*	blieb	geblieben
gedeihen	*prospérer*	gedieh	gediehen
leihen	*prêter*	lieh	geliehen
meiden	*éviter*	mied	gemieden
preisen	*louer, vanter*	pries	gepriesen
reiben	*frotter*	rieb	gerieben
scheiden	*se séparer*	schied	geschieden
scheinen	*luire, briller, sembler*	schien	geschienen
schreiben	*écrire*	schrieb	geschrieben
schreien	*crier*	schrie	geschrien
schweigen	*se taire*	schwieg	geschwiegen
steigen	*monter*	stieg	gestiegen
treiben	*pousser, faire marcher*	trieb	getrieben
verzeihen	*pardonner*	verzieh	verziehen
weisen	*indiquer*	wies	gewiesen

15.5   Les verbes à radical ie :

biegen	*courber*	bog	gebogen
bieten	*offrir*	bot	geboten
fliegen	*voler*	flog	geflogen
fliehen	*fuir*	floh	geflohen
fließen	*couler*	floß	geflossen
frieren	*geler*	fror	gefroren
genießen	*jouir*	genoß	genossen
gießen	*verser*	goß	gegossen
kriechen	*ramper*	kroch	gekrochen
riechen	*sentir*	roch	gerochen
schieben	*pousser, déplacer*	schob	geschoben
schießen	*tirer, abattre (au fusil)*	schoß	geschossen
schließen	*fermer*	schloß	geschlossen
verdrießen	*contrarier, ennuyer*	verdroß	verdrossen
verlieren	*perdre*	verlor	verloren
wiegen (1)	*peser*	wog	gewogen
ziehen	*tirer, tracer*	zog	gezogen
ziehen	*passer, aller en troupe*	zog	gezogen

(1) wiegen (régulier) = *bercer.*

15.6   Les verbes à radical ü :

lügen	*mentir*	log	gelogen
trügen	*tromper*	trog	getrogen

15.7   Verbes hors série

Infinitif		Prétérit	Participe	Présent (3ᵉ pers.)
a/ **gehen**	*aller*	ging	gegangen	er geht
kommen	*venir*	kam	gekommen	er kommt
tun	*faire*	tat	getan	er tut
b/ stehen	*être debout*	stand	gestanden	er steht
c/ heißen	*s'appeler, dire (de faire)*	hieß	geheißen	er heißt
rufen	*appeler*	rief	gerufen	er ruft
stoßen	*heurter, pousser*	stieß	gestoßen	er stößt
d/ hauen	*frapper, tailler*	hieb	gehauen	er haut
laufen	*courir*	lief	gelaufen	er läuft
saufen	*boire (animaux)*	soff	gesoffen	er säuft
e/ bitten	*prier (de faire) demander*	bat	gebeten	er bittet
liegen	*être couché*	lag	gelegen	er liegt
sitzen	*être assis*	saß	gesessen	er sitzt

16   Les verbes irréguliers (dits mixtes)

Infinitif		Prétérit	Participe
a/ bringen	*apporter*	brachte	gebracht
denken	*penser*	dachte	gedacht
b/ brennen	*brûler*	brannte	gebrannt
kennen	*connaître*	kannte	gekannt
nennen	*nommer*	nannte	genannt
rennen	*courir, faire la course*	rannte	gerannt
senden	*envoyer*	sandte, sendete	gesandt, gesendet
wenden	*tourner*	wandte, wendete	gewandt, gewendet

IV   Les valeurs particulières de certaines formes grammaticales

1   On établit communément une distinction entre la **langue** (= code qui comporte l'inventai
des unités) et le **discours ou texte** (= l'usage qui en est fait). Ainsi, une proposition interr
gative peut n'être interrogative que par la forme et servir à d'autres fins. Ce transfert d
fonction est lié au texte ou contexte, ainsi qu'à l'intonation. Nous donnons ci-après quelqu
exemples.

2 La proposition interrogative

Par définition, une interrogative est destinée à demander de l'information. Mais, dans la pratique langagière, on constate qu'une interrogative peut apporter une information, solliciter un assentiment, exprimer un ordre, un reproche, faire une suggestion... (voir, en français, la question dite oratoire).

2.1 Was gibt es da zu lachen? (interdiction)
2.2 Du kommst doch mit? (assentiment)
2.3 Willst du mir endlich die Wahrheit sagen? (ordre)
2.4 Was hat das mit unserer Sache zu tun? (affirmation)
2.5 Wie wäre es mit Nachtisch? (suggestion)

3 L'expression de l'ordre n'est pas une affaire exclusive de l'impératif. Un ordre peut être exprimé p. ex. par :

3.1 Une proposition déclarative

3.1.1 Du gehst jetzt nach Hause!
3.1.2 Du wirst mir das morgen erzählen!

3.2 Une proposition interrogative *(voir ci-dessus)*

3.2.1 Wollt ihr endlich ruhig sein?
3.2.2 Werdet ihr nun endlich fortgehen?

3.3 Une proposition à la forme passive

3.3.1 Jetzt wird gegessen!
3.3.2 Hier wird nicht geraucht!

3.4 Une construction infinitive

3.4.1 Hunde sind an der Leine zu führen!
3.4.2 Aufstehen!
3.4.3 Rechts fahren!

3.5 Une construction participiale

3.5.1 Aufgepaßt!
3.5.2 Stillgestanden! (Garde à vous!)
3.5.3 Rauchen verboten!

3.6 Une particule verbale, un adverbe, un substantif, un adjectif

3.6.1 Herein!
3.6.2 Schnell(er)!
3.6.3 Ruhe!
3.6.4 Still!

4 Les pronoms **wer, was** et les pronoms adverbiaux **wo, woran,...** :
Ce sont des interrogatifs qui peuvent être employés en fonction de relatifs.

4.1
4.1.1 Wer hat das gesagt?
4.1.2 Was hast du dir gekauft?
4.1.3 Wo warst du denn so lange?
4.1.4 Woran denkst du denn?

4.2
4.2.1 Wer das tut, ist nicht mehr mein Freund.
4.2.2 Was du gesagt hast, ist falsch.
4.2.3 Das Dorf, wo seine Wiege stand,...
4.2.4 Das ist es, woran er gedacht hat.

ANNEXE GRAMMATICALE

V Les éléments qui assurent l'articulation et la cohésion du texte.

1 Les éléments de relation
Ils établissent la relation entre des mots ou groupes de mots, à l'intérieur d'une phrase, ainsi qu'entre des propositions. On peut regrouper ces éléments sous deux grandes rubriques :

2 Les éléments de relation liés (qui sont soudés à un autre élément) :

2.1 Les marques du groupe nominal (genre, nombre et cas) qui assurent d'une part la cohésion des diverses composantes du groupe et établissent une relation avec d'autres éléments du texte.

2.2 Les marques du groupe verbal (personne, nombre, temps, mode, phase,...) qui établissent la relation avec les autres éléments de la phrase.

3 Les éléments de relation non liés (qui ne sont donc pas soudés à un autre élément)

3.1 Les prépositions, postpositions et circompositions (voir p. 235).

3.2 Les coordonnants : conjonctions de coordination et adverbes ayant une fonction coordonnante.

3.3 Les subordonnants : conjonctions et locutions conjonctives de subordination, voir p. 221.

3.4 Les pronoms relatifs et les adverbes relatifs (**womit, wobei,...**).

3.5 Les pronoms démonstratifs et les adverbes démonstratifs (**daran, davon,...**).

3.6 Les pronoms personnels er, sie et es employés pour reprendre ou annoncer un fait, une idée.

Il n'est pas question de passer en revue tous ces éléments de relation. Seuls les points 3.2, 3.4, 3.5, 3.6 seront retenus.

4 Les coordonnants :
Conjonctions de coordination et adverbes avec une fonction coordonnante : le signe (×) indique que ces coordonnants n'ont aucune influence sur la construction de la proposition en tête de laquelle ils figurent.

4.1 Liaison, addition
und (×)	et
auch (×)	aussi
aber auch (×)	mais aussi
nicht nur ...sondern auch (×)	non seulement ...mais aussi
außerdem	en outre, de plus
sowie	ainsi que

4.2 Explication, précision
nämlich	à savoir,
d.h. (×)	c.-à-d.
d.i. (×)	soit
und zwar	notamment

4.3 Exclusion, séparation
auch nicht (×)	ni, non plus
nur (×)	seulement
weder ... noch (×)	ni ...ni

4.4 Alternative, disjonction

oder (×)	ou (bien)
oder auch, oder aber auch (×)	ou bien encore
entweder ...oder (×)	ou (bien) ...ou (bien)
bald ... bald...	tantôt ... tantôt...
einerseits... andererseits	d'une part... d'autre part
sonst	sinon

4.5 Succession (spatiale, temporelle)

dann	alors

4.6 Succession, structuration (spatiale, temporelle)

erstens,... zweitens...	premièrement, deuxièmement
zuerst, zunächst	d'abord, en premier lieu,
dann, danach	alors, ensuite, puis, là-dessus,
später/früher	plus tard/plus tôt, autrefois
endlich, schließlich, zulezt	enfin, finalement, en dernier lieu
vorher/nachher	auparavant/ensuite
von nun (jetzt) an	désormais
hier,... da...	ici,... là...

4.7 Cause

denn (×)	

4.8 Simple constatation

tatsächlich, in der Tat	

4.9 Constatation (avec restriction)

eigentlich	à vrai dire, au fond
übrigens	du reste
sowieso	de toute façon

4.10 Restriction (atténuée)

allerdings	assurément, bien sûr
freilich	il est vrai, certes
zwar ...aber	certes ...mais
zwar ...doch	certes ...mais
wohl ...aber	certes ...mais

4.11 Rectification

sondern	(ne) ...mais
(oder) vielmehr	(ou) bien plus
(sondern) vielmehr	mais bien au contraire

4.12 Opposition, restriction

aber (×)	mais
doch, jedoch	cependant
dennoch	pourtant
immerhin	toujours est-il que
im Gegenteil	au contraire
trotzdem	en dépit de, néanmoins

4.13 Conséquence, conclusion

also	donc
darum, deshalb, deswegen, daher	c'est pourquoi, voilà pourquoi
so, somit	ainsi, de ce fait

4.14 Transition (dans récit)

nun	or
nun also	ainsi donc

ANNEXE GRAMMATICALE

5 Les pronoms relatifs et les adverbes relatifs (wobei, womit,...) :

5.1 Les relatifs sont des éléments de relation par excellence, puisqu'ils représentent dans la proposition relative un antécédent (parfois sous-entendu) qui est dans l'autre proposition (cf. p. 233).

5.2 Les adverbes relatifs (qui résultent de la fusion de **was** avec une préposition) ne s'emploient que si leur antécédent désigne une chose ou représente une notion (parfois sous forme de proposition) :

5.2.1 Ist das die Schreibmaschine, **womit** (= mit der) du den Roman getippt hast? (Dans cet emploi, l'adverbe relatif est en nette régression.)

5.2.2 Er ist zum Direktor befördert worden, worüber (= über diese Beförderung) er sich sehr gefreut hat. (L'adverbe relatif est de rigueur lorsqu'il renvoie non pas à un terme précis, mais à toute une proposition.)

6 Les adverbes démonstratifs (daran, davon, danach,...)

6.1.1 Ils résultent de la fusion de **das** (démonstratif) avec une préposition : **da-r-an; da-von.**

6.1.2 Ils ne s'emploient que s'ils renvoient à un nom de chose ou à une notion (ou à toute une proposition) :

6.1.2.1 Was hast du noch für dein altes Mofa bekommen? — Ich habe noch 150 DM dafür (= für das alte Mofa) bekommen.

6.1.2.2 Ich will mein Mofa verkaufen. — Ich habe nichts dagegen.

6.2 Les adverbes démonstratifs servent d'antécédents à une proposition infinitive ou à une proposition dépendante avec **daß,** qui dépendent d'un verbe ou d'un adjectif accompagné d'une préposition :
stolz + auf (accusatif) :

6.2.1 Er ist stolz auf seinen Erfolg. (Le complément est un groupe nominal.)

6.2.2 Er ist stolz auf + (daß sein Sohn Minister ist).

6.2.3 Er ist stolz darauf, daß sein Sohn Minister ist.

6.2.4 Er erinnert sich daran, daß sein Vater ihm eine Ohrfeige gegeben hat.

6.2.5 Er denkt nicht daran, in die Ferien zu fahren.

6.2.6 Daß er krank ist, davon hat er nichts gesagt.

6.3.1 Dans les phrases 3, 4 et 5, l'adverbe démonstratif annonce la proposition dépendante qui suit.

6.3.2 Dans la phrase 6, l'adverbe démonstratif reprend la proposition dépendante qui précède.

6.3.3 Dans la plupart des cas, ils ne sont pas obligatoires dans cette fonction de reprise ou d'annonce, sauf avec des verbes (ou adjectifs) qui ne s'emploient qu'avec des prépositions ou qui changeraient de sens si la préposition (fusionnée avec le démonstratif) était absente :
sorgen für Er sorgte dafür, daß alle etwas zu trinken hatten.
beschäftigt mit Er war damit beschäftigt, die Fensterscheiben zu putzen.

7 Le pronom „es" comme antécédent d'une proposition infinitive ou d'une proposition dépendante avec **daß, ob,...**

7.1 Ich möchte es genau wissen, ob du dabei warst.

7.2 Ich bin es sicher, daß er wieder zu Hause ist.

7.3 Ich werde es mir überlegen, ob ich mitfahre.

7.4 Dans cette fonction d'annonce et de reprise, **es** n'est pas obligatoire.

VI Le groupe verbal et la cohésion de la phrase

1 Les actants du verbe

1.1 Par **actants** on désigne « les êtres ou les choses qui, à un titre quelconque et de quelque manière que ce soit, participent au procès (= actions et états) exprimé par le verbe ». Ils sont représentés par des groupes nominaux ou des équivalents (pronoms, adjectifs ou verbes substantivés, propositions dépendantes ou groupes conjonctionnels).

1.2 Dans la dépendante ci-après

(Ich glaube), daß   die Kinder
                der Großmutter
                      ein Kofferradio   (heute
                                zum Geburtstag) schenken wollen

le groupe verbal (schenken wollen) comporte trois **participants** ou **actants** :
— l'actant 1 (ou actant sujet) : die Kinder
— l'actant 2 (ou actant complément à l'accusatif) : ein Kofferradio
— l'actant 3 (ou actant complément au datif) : der Großmutter.

1.2.1 L'actant 3 peut être représenté par un groupe prépositionnel :
…, daß die Kinder ein Kofferradio für die Großmutter kaufen wollen.

2 Les circonstants

2.1 Ils indiquent les circonstances (temps, lieu, manière, moyen, but, condition, etc.) dans lesquelles se déroule le procès exprimé par le groupe verbal.
Ce sont des adverbes ou des équivalents (groupes prépositionnels, dépendantes ou groupes conjonctionnels circonstanciels) :
heute, am Abend, zum Geburtstag, als die Tür aufging.

3 Le classement des verbes

3.1 On peut classer les verbes selon leur **valence** (= le nombre d'actants qu'un verbe est susceptible de régir).

3.1.1 On distingue :
— des verbes à un seul actant ou **monovalents** :
Der Junge schläft. (actant sujet)
— des verbes à deux actants ou **bivalents** :
Ich lese die Zeitung. (actant sujet et actant complément à l'accusatif)
— des verbes à trois actants ou **trivalents** :
Ich bringe dir eine Platte. (actant sujet, actant complément à l'accusatif et actant complément au datif)

3.1.2 Certains actants sont libres ou facultatifs :
    1. Ich trinke.
    Ici, <u>trinken</u>, verbe bivalent (actant sujet + actant complément à l'accusatif), s'emploie avec le seul actant sujet.
    2. Der Briefträger hat ein Paket gebracht.
    Ici, <u>bringen</u>, verbe trivalent (actant sujet + actant complément à l'accusatif + actant complément au datif) s'emploie avec deux actants (actant sujet et actant complément à l'accusatif).
    3. Dans <u>es regnet, es schneit</u> les verbes n'ont aucun actant et sont dits <u>avalents</u>.

4 La structure actancielle (ou le schéma actanciel) des verbes diffère très souvent de l'allemand au français :

    1. Ich danke ihm. / Je le remercie.
    2. Ich frage ihn nach der Zeit. / Je lui demande l'heure.

4.1 Liste de verbes allemands (usuels) qui présentent des différences dans la structure actancielle par rapport à leurs équivalents français :

4.1.1 Ich brauche ihn. *(J'ai besoin de lui.)*
Ich möchte ihn sprechen. *(Je voudrais lui parler.)*

4.1.2 Ich begegne ihm. *(Je le rencontre.)*
Ich diene ihm. *(Je le sers.)*
(mais : Ich bediene ihn.)
Ich folge dir. *(Je te suis.)*
Ich glaube ihm. *(Je le crois.)*
Ich helfe ihm. *(Je l'aide.)*
Ich traue (vertraue) ihm. *(J'ai confiance en lui.)*
Ich widerspreche ihm. *(Je le contredis).*

4.1.3 Ich erinnere mich an ihn. *(Je me souviens de lui.)*
Das erinnert mich an (acc.) *(Cela me rappelle...)*
Ich denke an ihn. *(Je pense à lui.)*
Es fehlt mir an (dat.) *(Je manque de...)*
Ich gewöhne mich an (acc.) *(Je m'habitue à...)*
Ich glaube an (acc.) *(Je crois à...)*
Er rächt sich an (dat.) *(Il se venge de...)*
Er zweifelt an (dat.) *(Je doute de...)*

4.1.4 Ich danke dir für (acc.) *(Je te remercie de...)*
Ich gratuliere dir für (acc.) *(Je te félicite de...)*
Er droht ihm mit (dat.) *(Il le menace de...)*

4.1.5 achten auf (acc.) *(faire attention à...)*
antworten auf (acc.) *(répondre à...)*
sich begnügen mit (dat.) *(se contenter de...)*
sich beschäftigen mit (dat.) *(s'occuper de...)*
bestehen aus (dat.) *(se composer de...)*
bestehen in (dat.) *(consister en...)*
sich beziehen auf (acc.) *(se rapporter à...)*
bitten um (acc.) *(demander qch.)*
sich erkundigen nach (dat.) *(s'informer de...)*
erschrecken über (acc.) *(s'effrayer de...)*
erstaunen über (acc.) *s'étonner de...*
sich freuen über (acc.) *(se réjouir de...)*
sich freuen auf (acc.) *(se réjouir à la pensée de...)*
gelten für (acc.) *(passer pour...)*
es handelt sich um (acc.) *(il s'agit de...)*
sich interessieren für (acc.) *(s'intéresser à...)*
klagen über (acc.) *(se plaindre de...)*
sich kümmern um (acc.) *(se soucier de...)*
lachen über (acc.) *(rire de...)*
leiden an (dat.) *(souffrir de...)*
leiden unter (dat.) *(pâtir de...)*
nachdenken über (acc.) *(réfléchir à...)*
prahlen mit (dat.) *(se vanter de...)*
sich rächen an (dat.) *se venger de...*
sich sehnen nach (dat.) *(avoir la nostalgie de...)*
siegen über (acc.) *(triompher de...)*
sorgen für (acc.) *(veiller à...)*
spotten über (acc.) *(se moquer de...)*
sprechen von (dat.) *(parler de...)*
sprechen über (acc.) *(parler au sujet de...)*
teilnehmen an (dat.) *(prendre part à...)*
verlangen nach (dat.) *(aspirer à...)*
sich verlassen auf (acc.) *(compter sur...)*
verzichten auf (acc.) *(renoncer à...)*
sich vorbereiten auf (acc.) *(se préparer à...)*
warten auf (acc.) *(attendre qch. ou qn.)*
werben (sich bewerben) um (acc.) *(briguer qch.)*
sich wundern über (acc.) *(s'étonner de...)*
zweifeln an (dat.) *(douter de...)*
zwingen zu (dat.) *(forcer à...)*

5 La valence des adjectifs :

Un certain nombre d'adjectifs allemands diffèrent également de leurs équivalents français par la structure actancielle :

5.1 sich (= dat.) seiner Schuld bewußt sein *(avoir conscience de sa faute)*
sich (= dat.) seiner Sache gewiß sein *(être sûr de son affaire)*

einer Sache überdrüssig sein *(être dégoûté d'une affaire)*
einer Sache sicher sein *(être sûr d'une affaire)*
eines Mordes verdächtig sein *(être soupçonné d'un meurtre)*

5.2 jemandem böse sein *(être fâché contre qn.)*
jemandem für etwas dankbar sein *(être reconnaissant à qn.)*
jemandem treu sein *(être fidèle à qn.)*

5.3 arm an (dat.) *(pauvre en...)*
aufmerksam auf (acc.) *(attentif à...)*
besorgt um (acc.) *(inquiet de...)*
böse auf (acc.) *(fâché contre...)*
eifersüchtig auf (acc.) *(jaloux de...)*
einverstanden mit (dat.) *(d'accord avec...)*
froh über (acc.) *(joyeux de...)*
gefaßt auf (acc.) *(qui s'attend à...)*
neidisch auf (acc.) *(envieux de...)*
reich an (dat.) *(riche en...)*
sicher vor (dat.) *(à l'abri de...)*
stolz auf (acc.) *fier de...)*
verantwortlich für (acc.) *(responsable de...)*
zufrieden mit (dat.) *(content de...)*

EXERCICES DE GRAMMAIRE COMPLÉMENTAIRES

I LE GROUPE VERBAL

1 Le participe II à forme d'infinitif : (AG, p. 247)

a/ *Mettez les phrases ci-dessous au parfait ou au plus-que-parfait selon qu'elles sont au présent ou au prétérit :*

1. Das konnte ich natürlich nicht ahnen.
2. Er sollte den Namen des Großvaters bekommen.
3. Er ließ den Apparat reparieren.
4. Er darf in einer Tanztruppe auftreten.
5. Schon beim ersten Besuch wollte er für immer auf der Insel bleiben.
6. Er mag Tauben nicht.
7. Er wollte auch dabeisein.
8. Was soll er tun?
9. Ich hörte einen Hund bellen.
10. Wir mußten selber kochen.

b/ *Complétez les amorces de phrases à l'aide des propositions notées entre parenthèses que vous mettrez, comme ci-dessus, soit au parfait, soit au plus-que-parfait :*

1. Ich weiß noch ganz gut, daß... (Sie kann kein Wort Deutsch sprechen.)
2. Schade, daß... (Er muß wieder von vorne anfangen.)
3. Es stimmt, daß... (Ich kann das Geld nicht zurückbezahlen.)
4. Ich verstehe nicht,... (Weshalb will er nie etwas davon erzählen?)
5. Es ist nämlich so, daß... (Er darf nur ausgehen, wenn es nichts kostet.)
6. Ich verstehe ganz gut, daß... (Er kann das nicht verantworten.)
7. Ich möchte doch wissen,... (Warum wollt ihr nicht mitmachen?)
8. Ich glaube zu wissen, daß... (Er mochte ihn von jeher nicht.)

2 Le subjonctif II : (AG, p. 248)

a/ *Mettez les verbes indiqués entre parenthèses au subjonctif II :*

1. (Haben) du Lust, mit mir zu tanzen?
2. Wohin (sollen) die Urlaubsreise gehen?
3. Ich (werden) das auch nicht tun.
4. Das (sein) kein Beruf für mich.
5. (können) du mir helfen?
6. Ich (mögen) Herrn Schmidt sprechen.
7. Das (dürfen) Sie aber nicht sagen.
8. Wir (müssen) etwas unternehmen.
9. (können) Sie morgen anrufen?
10. (werden) Sie auch mitkommen?

b/ *Mettez les phrases ci-après au présent, puis au passé du subjonctif II, en insérant le verbe proposé entre parenthèses :*

Ex. : Ich merke mir das. (müssen)
→ Ich müßte mir das merken. Ich hätte mir das merken müssen.

1. Wer übernimmt diese Verantwortung? (mögen)
2. Wir nehmen eine Taschenlampe mit. (sollen)
3. Stellen Sie sich das vor ! (können)
4. Er ist mit seinem Leben zufrieden. (dürfen)
5. Ich tausche mit niemandem. (mögen)

c/ *Mettez les verbes indiqués entre parenthèses au subjonctif II :*

1. Wenn man dich für einen Dieb (halten), (haben) du keine ruhige Minute, bis sich deine Unschuld herausgestellt (haben).
2. Wo (kommen) wir hin, wenn wir das ganze Geld sofort (ausgeben)?
3. Wenn Sie an meiner Stelle (sein), (werden) Sie Ihren Mann so gehen lassen?
4. Was (werden) du sagen, wenn ich deinen Wagen (nehmen)?
5. Ich (gehen) auch in Ferien, wenn es nicht so teuer (sein).
6. Es (sein) mir lieber, wenn du das freiwillig (tun).

d/ *Mettez les verbes notés entre parenthèses au futur du subjonctif II :*

1. Ich wußte schon lange, daß es einmal so (kommen).
2. Er teilte mir mit, daß er auf die Universität (gehen).
3. Er hoffte immer noch, daß er wieder bald gesund (sein).
4. Ich dachte keine Sekunde daran, daß ich nicht (überleben).
5. Es stand fest, daß er nicht (antworten).

3 **Le discours indirect ou discours rapporté :** (AG, pp. 225 et 248)

a/ *Mettez les verbes indiqués entre parenthèses à la forme qui convient :*

1. Er fragte mich, ob ich einen Wagen (haben).
2. Er behauptete, daß er das ganz genau (wissen).
3. Er meinte, das (sein) gar nicht so wichtig.
4. Er wollte wissen, wann wir das erfahren (haben).
5. Sie hat gesagt, daß ich schnell kommen (müssen).
6. Er hat gesagt, daß es um Leben und Tod (gehen).
7. Er warf mir vor, ich (haben) die Gefahren des Verkehrs kennen müssen.
8. Sie behaupteten, ich (gehen) jeden zweiten Tag ins Kino.
9. Er gab zu, daß er alles gewußt (haben).
10. Er meinte, sie (soll) mit ihm nach Köln fahren.

b/ *Transposez les phrases ci-dessous au discours rapporté :*

1. Er erwiderte : „Es tut mir wirklich leid. Ich werde von nun an besser aufpassen."
2. Sie meinte : „Sie müssen unbedingt zur Polizei gehen."
3. „Was ist passiert?" fragte sie.
4. Er sagte mir : „Mach das Licht an und geh in die Küche !"
5. „Später", so erklärte er, „werde ich mich zum Ingenieur ausbilden lassen."
6. Bei der Polizei hat sie ausgesagt : „Meine Mutter hat mir die Tat gestanden."
7. Er fragte den Arzt : „Was sind denn das für Tabletten? Soll ich die nehmen, wenn ich Verdauungsbeschwerden habe? Wieviel Stück kann ich davon pro Tag nehmen?"
8. Er beteuerte immer wieder : „Ich habe nichts mit dieser Affäre zu tun. Fragen Sie doch meinen Freund !"
9. Daraufhin schrie er : „Das ist alles nicht wahr. Ich will mit meinem Anwalt sprechen. Ich muß ihm etwas Wichtiges sagen."

4 **Le participe I et le participe II :** (AG, p. 247)

a/ *Modifiez les phrases ci-dessous en transformant le segment souligné en groupe à noyau participial :*

Ex : Anja schüttelte den Kopf und sah dabei ihren Freund an.
⟶ Den Kopf schüttelnd (ou :·kopfschüttelnd) sah Anja ihren Freund an.

1. Er runzelte die Stirn und las dabei die Zeitung.
2. Sie atmeten schwer und liefen in die Mitte des Spielfeldes.
3. Sie arbeiteten noch eine Weile und schwiegen dabei.
4. Das alte Fahrzeug knarrte und ächzte und setzte sich in Bewegung.
5. Die beiden Mädchen standen auf der Treppe und beobachteten das Tun und Treiben im Erdgeschoß des Warenhauses.
6. Die beiden Jungen flüsterten miteinander und stiegen die Treppe hinunter.
7. Er murmelte vor sich hin und schob den Teller zurück.
8. Er hielt die Hand über die Augen und musterte den Landstreicher.
9. Er atmete tief auf und blieb einen Augenblick stehen.
19. Er schlenderte durch das lange Dorf hinaus und grüßte nach allen Seiten.

b/ *Modifiez les phrases en transformant une des deux propositions en groupe participial :*

Ex. : Er war in Köln angekommen. Er ging sofort zur Polizei.
→ In Köln angekommen ging er sofort zur Polizei.

1. Der Landstreicher ist frisch gewaschen und rasiert. Er sieht ganz anders aus.
2. Das Mädchen war auf dem Schulhof angekommen. Sie ging auf ihre Freundin zu.
3. Die Truppe war von den Feinden überrascht worden. Sie konnte nicht mehr fliehen.
4. Er war von zahlreichen Arbeitern umgeben. Der Gewerkschaftler mußte alles genau erklären.
5. Er war in einem dunklen Zimmer eingesperrt. Er hörte nichts mehr von der Außenwelt.

5 La transformation passive :

Mettez les phrases ci-dessous à la forme passive :

1. Eine Kugel hatte ihn getroffen.
2. Man hat mich dem Personalchef vorgestellt.
3. Man diskutierte lange darüber.
4. Wer hat die Tür zugestoßen?
5. Ein Lastwagen überfuhr den Jungen.
6. Man muß sofort geeignete Maßnahmen treffen.
7. Wer hat dieses Paket abgegeben?
8. Man hat ihn zur Kasse gebeten.

6 La valence du verbe (AG, p. 259 et 260)

Complétez les phrases ci-dessous en ajoutant les marques et les prépositions et en mettant éventuellement les pronoms indiqués entre parenthèses à la forme qui convient :

1 Verbes avec un actant complément au datif ou à l'accusatif :

1. Ich brauche dringend ein... Wagen. 2. Wo bist du d... Briefträger begegnet? 3. Soll ich ein... Arzt rufen? 4. Mein Vater möchte d... Mathematiklehrer einen Augenblick sprechen. 5. Der Kellner bediente zuerst d... Damen. 6. Niemand kann zwei Herr... dienen. 7. Womit kann ich (Sie) dienen? 8. Er ist (ich) auf Schritt und Tritt gefolgt. 9. Soll ich (du) helfen? 10. Glauben Sie dies... Lügner nicht ! Ich glaube (er) auch nicht. 11. Er wohnte d... Fest bei. 12. Du kannst mein... Freund trauen. 13. Warum widerspricht er d... Lehrer bei jeder Gelegenheit? 14. Darf ich (du) bei der Arbeit zusehen? 15. Ein großer Hund ist (ich) nachgelaufen. 16. Du kannst (ich) alles anvertrauen. 17. Was soll ich (er) schenken?

2 Verbes avec un actant prépositionnel :

a/ 1. Du sollst mehr (...) deine Gesundheit denken. 2. Erinnere (du) (...) dein Versprechen ! 3. Antworte bitte (...) meine Frage ! 4. Ich gratuliere (du) (...) deinem Geburtstag. 5. Hast du dich (...) das Leben in der Großstadt gewöhnt? 6. Er drohte (ich) (...) einem Stock. 7. Kinder glauben leicht (...) Gespenster. 8. Hast du d... Großvater (...) das Moped gedankt? 9. Du darfst nicht (...) meinem guten Willen zweifeln. 10. Viele Autofahrer achten nicht (...) die Fußgänger. 11. Der Minister erstaunte (...) diesen Bericht. 12. Interessierst du dich (...) Popmusik?

b/ 1. Darf ich (...) der Diskussion teilnehmen? 2. Komm, wir sprechen (...) etwas anderem. 3. Hast du schon (...) dieses Problem nachgedacht? 4. Hat er (...) die ganz... Geschichte gelacht? 5. Welcher Gefangene sehnt sich nicht (...) Freiheit? 6. Kümmere dich doch (...) dein... eigenen Angelegenheiten ! 7. (...) solche ernsten Dinge sollte man nicht spotten. 8. Du kannst (du) (...) mich verlassen. 9. Bereite dich (...) die Prüfung vor ! 10. Wie lange habe ich (...) dies... Brief gewartet ! 11. Ich wundere mich (...) deine große Geduld. 12. Der Kranke hat (...) d... Arzt verlangt.

c/ **1.** Hat er sich (...) die Stelle beworben? **2.** Kannst du (...) Tabak verzichten? **3.** Er klagt immer (...) Kopfschmerzen. **4.** Er prahlt (...) seinem neuen Mofa. **5.** Wer wird (...) Essen und Trinken sorgen? **6.** Sie sorgte sich (...) ihre Eltern. **7.** Großvater leidet (...) Rheuma. **8.** In Rußland litten die Soldaten (...) Hunger und Kälte. **9.** Es handelt sich (...) eine wichtige Entdeckung. **10.** Das Gesetz gilt (...) alle. **11.** Er gilt (...) den besten Spieler der Mannschaft. **12.** Darf ich (...) Ihren Namen bitten? **13.** Hast du (er) (...) seinem Namen gefragt?

d/ **1.** Er rächte sich an (ich). **2.** Die Wohnung besteht (...) drei Zimmern und Küche. **3.** Das Leben seiner Mutter bestand (...) Aufopferung und Pflichtgefühl. **4.** Es fehlt mir (...) Geld. **5.** Hast du dich (...) die Einladung bedankt? **6.** Möchtest du dich nicht (...) Politik beschäftigen? **7.** Hast du dich (...) seinem Befinden erkundigt? **8.** Ich kann mich (...) einem Stück Brot und einem Glas Wasser begnügen. **9.** Wir beziehen uns (...) ein Schreiben vom 2. Januar. **10.** Die Alliierten siegten schließlich (...) Hitlers Armeen. **11.** Man kann niemand (...) seinem Glück zwingen. **12.** Ich erschrak (...) das Aussehen meines Freundes.

e/ **1.** Ich freue mich schon (...) die nächsten Sommerferien. **2.** Die Eltern freuten sich (...) meinen Erfolg. **3.** Ich habe offen (...) ihm gesprochen. — **4.** Er sprach (...) neuen Reiseplänen. **4.** Ich möchte gern einmal mit dir (...) diese Angelegenheit sprechen. **5.** Können wir (...) dich zählen? **6.** Ich zähle ihn (...) meinen Freunden. **7.** Kann ich (...) deine Hilfe rechnen? **8.** Er rechnet (...) jedem Pfennig.

3 Verbes avec une dépendante (annoncée par un adverbe démonstratif) comme actant : (AG, p. 258)

a/ *Complétez les phrases ci-dessous à l'aide d'un adverbe démonstratif* (**daran,...**) :

1. Ich kümmere mich nicht (...), was die anderen von mir denken mögen.
2. Er war (...) beschäftigt, den Keller sauber zu machen.
3. Wir rechneten (...), daß du für das Mittagessen einkaufen würdest.
4. Ich muß (...) staunen, wie schnell du mit der Arbeit fertig warst.
5. Ich freue mich (...), daß wir uns nächste Woche wieder treffen.
6. Hast du nie (...) gedacht, daß du hättest ertappt werden können?
7. Ich wäre auch (...), daß wir gleich etwas essen.
8. Er beneidet mich (...), daß ich ein neues Mofa habe.
9. Ich will dich nicht (...) zwingen, deine Aufgaben noch heute abend zu machen.
10. Ich habe schon lange (...) gewartet, daß du mir alles erklärst.
11. Er träumte schon lange (...), eine eigene Jazzband zu gründen.
12. Kannst du dich noch (...) erinnern, daß du früher einen Matrosenanzug getragen hast?

b/ *Reliez les deux propositions selon l'exemple :*

Ex. : Du studierst noch weiter. Ich wäre dafür.
⟶ Ich wäre dafür, daß du noch weiterstudierst.

1. Es herrschte Stimmung im Saal. Er sorgte dafür.
2. Fährt der Zug sonntags? Hast du dich danach erkundigt?
3. Sein Bruder wollte ihm nicht beim Abwasch helfen. Er ärgerte sich darüber.
4. Ich gehe im nächsten Sommer von der Schule. Ich habe noch niemand etwas davon gesagt.
5. Hilfst du mir bei der Mathearbeit? Ich denke nicht daran.
6. Damals war er so schüchtern. Er lachte darüber.

EXERCICES DE GRAMMAIRE COMPLÉMENTAIRES

II Le groupe nominal et le groupe prépositionnel

1 L'adjectif dans le groupe nominal :

Complétez les phrases ci-après en ajoutant les marques :

1. Wann bezahlen Sie die restlich... Summe? **2.** Ich will dir rein... Wein einschenken. **3.** Er war von jeher ein nett... und tüchtig... Junge. **4.** Er schrie aus voll... Hals. **5.** Plötzlich stand vor mir ein hübsch..., schlank... Mädchen mit voll... Mund und blau... Augen. **6.** Sie spielen ein falsch... Spiel. **7.** Er aß mit gut... Appetit. **8.** Ich arm... Junge habe das geglaubt. **9.** Hast du keine neu... Platten? **10.** Kennst du diese rot... Blumen? **11.** Du frech... Luder ! **12.** Als todkrank... Mensch kam er ins Krankenhaus.

2 L'adjectif après les numéraux cardinaux, les quantificateurs (einige, viele...) (cf. ex. p. 188)

1. Ich habe wenigstens drei tot... Füchse aufgefunden. **2.** Kauf dir doch ein Paar neu... Schuhe ! **3.** In unserer Straße stehen noch einige alt... Häuser. **4.** Solche dick... Bücher lese ich nicht gern. **5.** Ich würde gern ein paar spannend... Krimis lesen. **6.** Warum gibt es denn noch so viele arm... Leute? **7.** Ich habe drei lang... Tage daran gearbeitet. **8.** Alle wichtig... Probleme sind geregelt worden. **9.** Mehrere hochintelligent... Herren haben die Frage diskutiert. **10.** Zwei groß... Koffer standen vor der Garagentür. **11.** Mehrere dreistöckig... Häuser sollen abgerissen werden. **12.** Ich nehme mir noch drei oder vier ruhig... Ferientage.

3 L'adjectif dérivé des noms de ville :

Ex. : Wir treffen uns vor der (Paris) Oper.
⟶ Wir treffen uns vor der Pariser Oper.

1. Wir könnten das (Aachen) Münster besichtigen. **2.** Ich werde vor dem (Köln) Hauptbahnhof auf dich warten. **3.** Wir schlenderten durch das (Bonn) Prominentenviertel. **4.** Nächstes Jahr fahre ich auch zur (Frankfurt) Buchmesse. **5.** Und wenn wir den (Hamburg) Hafen besichtigten? **6.** Warst du schon beim (München) Oktoberfest? **7.** Wie hoch ist denn das (Freiburg) Münster? **8.** Haben Sie schon von den (Bremen) Stadtmusikanten gehört?

III La valence des adjectifs
(AG, p. 260 et 261)

Complétez les phrases ci-dessous en ajoutant les marques et en mettant les pronoms indiqués entre parenthèses à la forme qui convient :

a/ *Adjectifs avec un actant complément au génitif :*

1. Ich bin mir kein... Schuld bewußt. **2.** Er war sich kein... Vergehen... bewußt. **3.** Wir sind uns d... Sieg... gewiß. **4.** Bist du dir dein... Sache sicher? **5.** Ich bin d... lang... Warten... überdrüssig. **6.** So langsam wurde sie (er) überdrüssig. **7.** Er war d... Leben... müde. **8.** Er ist d... Leben... in der Großstadt satt.

b/ *Adjectifs avec un actant complément au datif ou à l'accusatif :*

1. Bist du (ich) noch immer böse? **2.** Ich werde (du) ewig dankbar sein. **3.** Bleib dein.. Freunden treu ! **4.** Ich bin (es) müde, jeden Abend auf dich zu warten. **5.** Ich bin mein... Sorgen los. **6.** Er möchte sein... Hund los sein. **7.** Ich habe dies... Arbeit satt. **8.** Berlin ist ein... Reise wert.

c/ *Adjectifs avec un actant prépositionnel :*

Complétez en ajoutant les marques et les prépositions et mettez les pronoms indiqués entre parenthèses à la forme qui convient :
1. (...) deine Hilfe bin ich (du) sehr dankbar. **2.** Diese Früchte sind sehr arm (...)

Vitaminen. **3.** Darf ich Sie (...) diesen Fehler aufmerksam machen? **4.** Du bist wohl (...) deinen Nachbarn sehr böse? **5.** Ich war gar nicht (...) diese Nachricht gefaßt. **6.** Sie war sehr stolz (...) ihre Goldmedaillen. **7.** Bist du (...) unserem Vorschlag einverstanden? **8.** Nichts ist (...) sein... Neugier sicher. **9.** Weißt du, wer (...) den Unfall verantwortlich ist? **10.** Sind Sie (...) dem neuen Apparat zufrieden? **11.** Er ist (...) (alles) zufrieden. **12.** Er ist neidisch (...) seine Kameraden. **13.** Er war wirklich froh (...) die Nachricht. **14.** Auf (wer) bist du denn eifersüchtig? **15.** Er war (...) die Gesundheit seiner Eltern sehr besorgt. **16.** Das Museum ist reich (...) Kunstschätzen. **17.** (...) Ideen und Plänen ist er sehr reich. **18.** Er war (...) allen Sorgen frei. — **19.** Bist du (...) dein... Arbeit fertig? **19.** Ich war nie (...) (er) einverstanden. **20.** Er ist (...) allem bereit. **21.** Seid nett (...) euren Eltern !

AUSDRÜCKE UND REDEWENDUNGEN

Les expressions proposées ci-dessous ont trait à des actes de parole qui nous paraissent essentiels et qui trouvent un champ d'application dans le cadre de la classe. Elles appartiennent à des registres différents : certaines sont plus catégoriques, d'autres plus nuancées et plus recherchées.

1. Wie informiere/erkundige ich mich?
Sag mir doch/Sagen Sie mir doch bitte, wer/wie/wann, warum...
Kannst du mir sagen...? Könntest du mir sagen...?

Weißt du (schon)...? Wissen Sie...?
Wie bitte?
Ich möchte/will wissen...
Ich frage mich (dich), ob/wer/wie...
Noch keiner hat gefragt/hat die Frage gestellt...
Mich interessiert, wie/wer/warum...
Mich würde interessieren, wie/warum/wer...
Was meinen Sie damit?
Wie meinen Sie das?
Was verstehen Sie darunter?
Was soll das bedeuten?
Was bedeutet das Wort...?
Ich habe nicht verstanden, was du gesagt hast.
Könntest du deine Frage wiederholen, ich habe sie nicht verstanden.

Ich verstehe nicht, was Sie damit meinen.
Können Sie mir das bitte näher erklären?
Könnten Sie mir sagen, was Sie damit meinen?
Würden Sie das genauer erklären?
Ich möchte bloß wissen, ob/wer,...
Ich möchte aber nun doch wissen,...
Darf ich wenigstens erfahren, warum...
Wenn ich Sie richtig verstanden habe,...
Sie haben mir doch gesagt, daß...

2. Wie äußere ich meine Meinung/meine Ansicht?
Ich bin der Meinung/der Ansicht, daß...
Meiner Meinung/Meiner Ansicht nach...
Soviel ich weiß,...
Ich denke/meine/glaube, daß...
Ich finde, daß...
Ich behaupte, daß...
Ich habe immer gesagt/gemeint/gedacht, daß...
Ich habe festgestellt, daß...
Ich bin sicher/überzeugt, daß...
Ich weiß (ganz genau), daß...
Jeder weiß, daß...
Es steht fest, daß...
Niemand wird glauben/annehmen, daß...
Was mich betrifft, ich...
Es ist doch bekannt/stadtbekannt/weltbekannt, daß...
Es ist doch klar, daß...
Alles spricht dafür, daß...
Man vergißt zu sagen, daß...

Auf keinen Fall möchte ich behaupten, daß...
Ich finde es richtig/interessant/nett, ..., daß...
Ich hätte nie geglaubt/gedacht,... daß...
Ich kann nicht sagen/behaupten, daß...
Ich gestehe, daß...
Ich muß gestehen, daß...
Ich sehe gar nicht ein, warum...
Ich habe ganz vergessen, daß...
Ich glaube zu wissen, daß...
Ich habe neulich (vor kurzem, irgendwo)
   gelesen (gehört), daß...
Ich kann mir nicht vorstellen, daß...
Ich gebe zu, daß...
Ich muß zugeben, daß...
Jetzt wißt ihr, warum...
Ihr wißt doch, daß...
Ich wette (möchte wetten), daß...

3. Wie formuliere ich eine Vermutung oder eine Erwartung? Wie äußere ich einen Zweifel?

Es kann sein, daß...
Es ist möglich/nicht unmöglich, daß...
Es scheint, daß...
Ich nehme an/vermute, daß...
Ich hoffe, daß...
Vielleicht/Wahrscheinlich/Vermutlich...
Es kommt vor, daß...
Es könnte sein, daß...
Ich habe angenommen, daß...
Es ist nicht ausgeschlossen, daß...
So wie ich vermute, ...

Es ist anzunehmen, daß...
Ich möchte annehmen, daß...
Ich habe den Eindruck, daß...
Es sieht so aus, als (ob)...
Es scheint, daß/als ob...
Ich bin nicht sicher, daß...
Ich weiß nicht, ob...
Man kann ja nie wissen, wie/warum/wer/wann, ...
Ich zweifle, ob...
Ich zweifle (daran), daß...

4. Wie sage ich, daß ich ganz, nur zum Teil oder gar nicht mit jemandem einverstanden bin?

Ja, ganz einverstanden!
Ja, ich bin damit einverstanden!
Ich bin mit dir/Ihnen (nicht) einverstanden.
(Ganz) richtig!
(Das) stimmt!
Das ist richtig/wahr, obwohl...
Natürlich!
Bestimmt/Gewiß/Sicher, aber...
Im Grunde genommen/Im Prinzip hast du recht, aber...
Selbstverständlich, aber...
Sicher/Gewiß, aber ich frage mich, ob...
Da haben Sie (aber) völlig recht!
Völlig richtig! Ich bin mit Ihnen einverstanden!

Wie können Sie nur glauben, daß...
Da bin ich aber (ganz) anderer Meinung!
Das ist auch meine Meinung!
Ich bin auch dieser Meinung!
Das hört sich gut an, aber...
Du hast vielleicht recht, aber vergiß nicht, daß...
Jetzt übertreibst du aber!
Das ist eine gute Idee!
Das ist keine schlechte Idee!
Es tut mir leid, aber ...
Das glaube ich nicht!
Du hast zwar recht, aber...

5. Wie bringe ich einen Einwand zum Ausdruck?

Das stimmt (aber gar) nicht!
Das kann (doch) nicht stimmen, denn...
Davon ist gar nicht die Rede!
Da irren Sie, wenn Sie behaupten, daß...
Da bist du aber im Irrtum!
Das ist unmöglich/falsch!
Ich kann nicht glauben, daß...
Ich glaube vielmehr/eher, daß...
Ich glaube, das Gegenteil ist der Fall.
Das sehe ich ganz anders!
So war es nicht gemeint!
Es kommt darauf an!
Wie kommen Sie eigentlich darauf, zu sagen, daß...

Wie können Sie nur glauben, daß...
Sie wissen doch ganz genau, daß...
Finden Sie eigentlich, daß...
Soweit ich mich erinnere, ...
Man darf nicht vergessen daß...
Es ist/wäre völlig falsch, ...
Es ist unwahr/nicht wahr, daß...; wahr ist, daß...
Unrichtig ist, daß...; richtig ist dagegen, daß...
Man könnte glauben (denken, meinen), daß...
Ich würde fast glauben, daß...
Da muß ich aber widersprechen.
Ich verstehe nicht, warum...

6. Wie mache ich einen Vorschlag? Wie bitte ich um Bestätigung?

Ich schlage vor, daß...
Ich mache den Vorschlag, daß...
Ich möchte vorschlagen, daß...
Ich möchte, daß...
Können/Könnten wir nicht...?
Was würden Sie sagen, wenn...?
Und was machen wir, wenn...?
Und wenn wir (+ subjonctif 2)...
Was würden Sie davon halten, wenn...?
Wir sollten versuchen,...

Du solltest...
Es ist gut (ratsam, besser, sehr gut,...),...
Es ist notwendig, daß...
Ich wäre dafür, daß...
Es wäre vielleicht gut (besser), wenn...
Es wäre wünschenswert, daß...
Hättest du Lust,...?
Ich (mancher) wäre froh, wenn...
Seid ihr damit einverstanden, wenn...
Hat schon jemand daran gedacht, daß...

7. Wie stelle ich den Kontakt zu einem Gesprächspartner her?

Bitte!
Bitte, darf ich Sie stören?
Entschuldigung!
Verzeihung!

Entschuldigen Sie, wenn...
Entschuldigen Sie bitte, wenn ich störe!
Darf ich Sie einen Augenblick stören?
Gestatten Sie (mir), daß...

8. Wie melde ich mich zu(m) Wort(e)?

Ich möchte (auch) etwas sagen !
Ich bitte ums Wort !
Darf ich auch etwas zu diesem Thema sagen?
Ich würde gern ein Wort sagen !
Ich habe auch eine Frage.
Ich möchte eine Frage stellen !

Darf ich eine Frage stellen?
Gestatten Sie mir eine Frage?
Erlauben Sie, daß ich Sie unterbreche !
Wenn ich mir eine Bemerkung erlauben darf, würde ich sagen...
Wenn du nichts dagegen hast, könnten wir...
Vielleicht darf ich mich auch an der Diskussion beteiligen?

INDEX DES EXERCICES DE GRAMMAIRE

Les chiffres gras renvoient aux pages et les chiffres maigres aux paragraphes des exercices.

INHALTSVERZEICHNIS

Imprimé en France par BRODARD GRAPHIQUE — Coulommiers-Paris HA/6339/2
Dépôt légal n° 3219, 2ᵉ trimestre 1981 — Collection n° 91 — Édition n° 01